KU-107-725

Lucyna Olejniczak

Jestem blisko

MILTON KEYNES LIBRARIES

DON

POL OLE

Prószyński i S-ka

Copyright © Lucyna Olejniczak, 2012

Projekt okładki
Izabela Surdykowska-Jurek,
Magdalena Muszyńska/Czartar

Zdjęcie na okładce
© Clayton Bastiani /Trevillion Image

Redaktor prowadzący
Anna Derengowska

Redakcja
Agnieszka Rosłan

Korekta
Agnieszka Ujma

Łamanie
Jacek Kucharski

ISBN 978-83-7839-366-5

Warszawa 2012

Wydawca
Prószyński Media Sp. z o.o.
02-697 Warszawa, ul. Rzymowskiego 28
www.proszynski.pl

Druk i oprawa
OPOLGRAF Spółka Akcyjna
45-085 Opole, ul. Niedziałkowskiego 8-12

1

Kłopoty zaczęły się na lotnisku Schönefeld w Berlinie. Nie było sensu szukać miejsca na przepełnionym parkingu, więc podjechaliśmy niemal wprost pod szerokie oszklone drzwi. Za półtorej godziny mieliśmy lot do Dublina, gdzie wybieraliśmy się na zaproszenie mieszkającej od lat w Irlandii Marty, mojej przyjaciółki z czasów szkolnych.

– Pomyślnych lotów! – Taksówkarz zatrzasnął klapę bagażnika i nie zwracając uwagi na trąbienie zniecierpliwionych kierowców, wsiadł do samochodu. Po chwili zniknął za autobusem podjeżdżającym właśnie przed główne wejście lotniska.

Tłum zgęstniał nagle, zaaferowani podróżni potrącali nas w biegu, mamrocząc pod nosem słowa przeprosin.

– Kochanie, blokujemy ruch. – Tadeusz z walizkami ruszył naprzód. – Chwytaj torbę i idziemy, zanim rozdepcze nas ta hałaśliwa rodzinka. – Ruchem głowy wskazał za siebie.

Rzeczywiście, z autobusu wysiadła sześcioosobowa grupka składająca się z czwórki dzieci w wieku szkolnym i dwojga zmęczonych rodziców. Korpulentna, czerwona z emocji kobieta pokrzykiwała w kierunku uginającego się pod ciężarem dwóch waliz męża, dzieci kłóciły się w języku, którego nie udało mi się nigdy opanować, czyli po niemiecku.

Nie bez wysiłku podniosłam bagaż podręczny i starając się uniknąć zderzenia z biegającymi niemieckimi dziećmi, weszłam do budynku, gdzie hałas był jeszcze większy. Powtarzane co chwilę komunikaty o przylotach i odlotach, ludzkie rozmowy, turkot ciężkich walizek na kółeczkach, wszystko to zlewało się w jeden nieznośny szum. Skierowaliśmy się do ruchomych schodów prowadzących na pierwsze piętro terminalu A. Tam właśnie, zgodnie z ogłoszonym komunikatem, miała się rozpocząć odprawa pasażerów lecących do Dublina.

Nie tylko my wpadliśmy na sprytny pomysł, żeby skorzystać z tańszego lotu z Berlina do Irlandii.

– Misiaczku! Misiaczku! – wołał rozpaczliwie jakiś mężczyzna po polsku. – Misiaczku, gdzie jesteś?!

Najwyraźniej zgubił dziecko. Albo wnuka, bo sądząc po głosie, na pewno nie był młodzieniaszkiem. Co więcej, ten głos brzmiał dziwnie znajomo...

– Władysław? – Popatrzyliśmy po sobie zdumieni.

– Władysław! – potwierdziliśmy niemal jednocześnie.

Dobrze znaliśmy szczupłego, starszego mężczyznę, który biegał wśród tłumu pasażerów z rozwianymi resztkami siwych włosów i z rozpaczą wyzierającą z oczu.

– Lucynka? Tadeusz? Och, kochani, jak dobrze, że tu jesteście! – zawołał z ulgą. – Zginął mój Misiaczek, a za chwilę musimy się stawić na odprawę! Pomóżcie ją znaleźć, błagam! Ona nie zna niemieckiego i nie dogada się z tymi tutaj… – Machnął lekceważąco ręką w kierunku nadchodzących dwóch pracowników ochrony lotniska.

– Kto zginął? – zapytaliśmy niemal równocześnie.

– Wnuczka?

– Jaka wnuczka?! – Starszy pan aż zaniemówił z oburzenia, a nam zrobiło się głupio, ale trzeba było przecież ustalić, o kogo chodzi, zanim rozpoczniemy poszukiwania.

– Misiaczek zaginął! – Władysławowi głos rozpaczliwie się załamał. – No, moja żona! – wykrzyknął niecierpliwie, widząc nasze pytające spojrzenia. – A ostrzegałem, żeby dzisiaj nie lecieć, bo układ gwiazd jest wyjątkowo niekorzystny. Nie posłuchała mnie! Nigdy mnie nie słucha!

Pasażerowie przyglądali się nam z lekką obawą, kilkoro zaciekawionych nawet przystanęło w oczekiwaniu na rozwój wydarzeń. Niepozornie wyglądający starszy pan sprawiał wrażenie przerażonego i zachowywał się raczej histerycznie.

– Jakiś problem? – zapytał po angielsku pracownik lotniska.

– Tak – przytaknął Tadeusz i wytłumaczył Niemcowi, o co chodzi, dodając też, że sprawa jest pilna, ponieważ za chwilę zaczyna się odprawa pasażerów na nasz lot.

– Czy żona zna angielski? – pracownik ochrony zwrócił się do Władysława.

– A co go to obchodzi? – zdenerwował się starszy pan po przetłumaczeniu pytania. – Niech szuka mojej żony, a nie przeprowadza ze mną wywiad!

– Nie, nie zna – odpowiedzieliśmy więc za niego.

– Musimy iść do punktu informacji – zadecydował ochroniarz – i tam zawołamy tę panią przez głośniki.

– Ale jak ona zrozumie, że o nią chodzi, skoro nie zna angielskiego? – wyraziłam wątpliwość.

– Swoje nazwisko chyba rozpozna – zdziwił się pracownik lotniska.

– Nie róbcie idiotki z mojej żony! – Władysław poczerwieniał niebezpiecznie po wysłuchaniu tłumaczenia naszej rozmowy.

Nie pozbyłam się całkowicie wątpliwości, ale posłusznie ruszyłam w stronę punktu informacyjnego. Tymczasem miły kobiecy głos informował, że odprawa pasażerów lecących do Dublina się rozpoczęła.

– Kochanie, spóźnimy się – zauważył Tadeusz. – Może zostawmy Władysława i chodźmy, bo…

– Lucynko, nie zostawiaj mnie! – Władysław złapał mnie za rękę. – Przecież sam się z nimi nie dogadam. Bo ja tylko trochę tego, no... francuski. I klasyczną łacinę – dodał niepewnie.

– Jak się nazywa żona tego pana? – spytała pracownica w punkcie informacyjnym, stukając długopisem w pustą kartkę.

8

– Michalina Tura – odpowiedziałam za Władysława i dla pewności nazwisko zapisałam na kartce drukowanymi literami.

– Mi… Misza… jak? – czytając, dziewczyna w uniformie wykrzywiła śmiesznie twarz. – Za długie i za trudne dla mnie. A które to nazwisko?

Po chwili usłyszeliśmy wyraźnie wygłaszany komunikat: *Mistress Tura, Mistress Tura! Please…* – dalsza część była, niestety, również w języku angielskim.

– To nie ma sensu. – Coraz bardziej zdenerwowany Tadeusz zerkał niecierpliwie na zegarek. – Nawet jeśli zrozumie, że o nią chodzi, w co szczerze wątpię, skąd będzie wiedziała, gdzie ma się zgłosić? A czas ucieka.

W końcu pracownicy, zebrało się już ich kilku, zgodzili się, żeby Władysław sam zawołał żonę przez głośniki. Całe lotnisko Schönefeld w Berlinie usłyszało jego rozpaczliwe wołanie: „Misiaczku! Jestem w punkcie informacyjnym, zaraz przy wejściu do budynku lotniska! To po lewej stronie, jak się wchodzi. Pospiesz się, bo nam samolot odleci!".

Po kilku minutach do stanowiska podbiegł zdyszany Misiaczek w przekrzywionym kapelusiku. Żona Władysława wzbudzała respekt już samym wyglądem: władcza, wręcz monumentalna postawa, surowe spojrzenie ciemnych oczu i niski głos wydobywający się z wydatnej piersi paraliżowały każdego, kto chciałby się z nią spierać. Wyglądała jak królowa Wiktoria pod koniec panowania.

– Mówiłam, żebyś poczekał przed toaletą! – huknęła, na nic nie zwracając uwagi. – To nie, musiałeś sobie poleźć!

– Ależ Misiaczku, ja też miałem pilną potrzebę...
– zaczął Władysław, lecz popędzany przez nas zamilkł szybko. Podziękowaliśmy pracownikom informacji i pobiegliśmy w stronę ruchomych schodów.

Jak było do przewidzenia, byliśmy ostatnimi, którzy zgłosili się do odprawy pasażerów na lot do Dublina. Nie, jednak nie ostatnimi! Za nami ustawił się zdyszany Władysław z nieprzestającym mówić Misiaczkiem.

– Nie tłumacz się głupio, stary durniu. Wyraźnie słyszałam, że wołali jakąś miksturę, a nie mnie – sapała ze złością małżonka. – Słuch mam jeszcze dobry.

– Wołali po angielsku *Mistress Tura*, co znaczy pani Tura – powiedziałam, bo żal mi się zrobiło Władysława.

– No właśnie, mikstura! Dobrze słyszałam – pani Michalina Tura parsknęła ze złością. – Jakby zawołali „pani Tura", toby nie było kłopotu. Niby takie wielkie lotnisko, a normalnego języka nie znają.

Tadeusz mrugnął do mnie dyskretnie, żebym dała spokój, i położył kurtkę na ruchomej taśmie. Telefon komórkowy, aparat fotograficzny i klucze wrzucił do kuwety i przeszedł przez bramkę.

Znudzony celnik prześwietlający jego rzeczy kiwnął głową.

– W porządku, proszę przejść dalej.

Teraz moje rzeczy wjechały do prześwietlenia. Celniczka przy bramce przejechała po mnie czytnikiem, po czym uśmiechnęła się przyzwalająco. Podeszłam więc do taśmy i chwyciłam wyjeżdżającą z komory torbę.

– Proszę otworzyć – polecił nagle celnik z podejrzliwą miną.

Zdziwiona wzruszyłam ramionami i spokojnie odsunęłam suwak.

Po chwili, nadal spokojnie, dwa słoiki bigosu – o rozpaczy! – i butelka powitalnej miodóweczki z cytryną wylądowały w koszu. Nie wolno! Zakaz wnoszenia na pokład samolotu szklanych opakowań mogących po rozbiciu posłużyć jako broń.

Wiedziałam przecież o tych przepisach, ale podczas pakowania coś zaćmiło mi umysł. A co najgorsze, Tadeusz zapakował to wcześniej do swojej walizki, ale przyszło mi wtedy do głowy, że w luku bagażowym szkło mogłoby się potłuc, przełożyłam je więc do podręcznej torby. Gdybym mu wtedy powiedziała, może przypomniałby mi o zakazie. Ale nie powiedziałam.

– A w czasie odprawiania bagażu nikt by tego nie sprawdzał – odezwał się do mnie Tadeusz dopiero w samolocie. Nie rozwijał tematu. Odwrócił się do okienka i przez większą część lotu podziwiał chmury.

No cóż… Zaczęło się nieszczególnie.

Lot nie był długi, ale dość męczący. Niemiecka rodzinka również udawała się do Dublina, niestety. Tylko czekałam, aż zawali się podłoga samolotu pod tupiącymi dzieciakami, które na wyścigi biegały do toalety. Z tyłu słyszałam narzekającą panią Michalinę i ugodowy, speszony głos Władysława. Widać, nie dawała mu spokoju o to siusianie na lotnisku.

Wyjazd do Irlandii do mojej przyjaciółki planowaliśmy już od jakiegoś czasu, zwłaszcza że Tadeusz miał tam zbierać materiały do cyklu artykułów na temat wierzeń celtyckich, ale ciągle nie mógł się ruszyć z redakcji. Poza tym, jako wielbiciel „Ulissesa", od dawna marzył o wyruszeniu szlakiem Leopolda Blooma po Dublinie, a właśnie w czerwcu obchodzony był tam uroczyście Bloomsday, rocznica wydarzeń opisanych w tej powieści. W rzeczywistości „dzień" ten trwa zwykle przez cały tydzień, więc mieliśmy duże szanse, żeby trafić na to joyce'owskie święto. Szczęśliwie się więc złożyło, że po wielu perypetiach Tadeusz dostał w końcu urlop właśnie w czerwcu. Przygotowywał się do udziału w obchodach Bloomsday jak do wyprawy swoich marzeń. Zamówił u krawca specjalny kostium z epoki, bo jak wiadomo, wielbiciele Joyce'a przebierają się wtedy za Dublińczyków z przełomu wieku albo za samego mistrza, chodzą w charakterystyczny sposób i, co oczywiste, cytują fragmenty z „Ulissesa". Tadeusz miał tych fragmentów, wyuczonych na pamięć, całe mnóstwo i nie wahał się ich używać w mojej obecności. Pełnym głosem.

Nie byłabym sobą, gdybym nie usiłowała mu trochę dokuczyć.

– I jak wyglądam? – spytał któregoś dnia, obracając się wokół siebie w długim czarnym płaszczu. Biały szal, kapelusz i okulary w okrągłych oprawkach dopełniały obrazu. Cały Joyce.

– Jak Wyspiański? – zaryzykowałam, ciesząc się z jego miny.

– No, nieee... proszę cię... – jęknął zawiedziony.

– Leśmian? – poprawiłam się ze śmiechem, ale w końcu dałam spokój, bo mój ukochany w tym momencie zupełnie był pozbawiony poczucia humoru. – Nie, skarbie, żartowałam. Joyce, jak żywy!

– Naprawdę? – Spojrzał na mnie nieufnie.

– Kochanie, jesteś bardziej podobny do Joyce'a niż sam Joyce – nie wytrzymałam i znów zaczęłam się śmiać.

„Przyjechała pusta dorożka i wysiadł z niej Leśmian" – przypomniał mi się znany cytat, ale nie mogłam go użyć, ponieważ Tadeusz był wysokim, przystojnym mężczyzną z gęstymi czarnymi włosami spadającymi zawsze niesfornie na czoło i najpiękniejszym niebieskim spojrzeniem, jakie kiedykolwiek na mnie spoczęło. Zresztą zawsze miałam sentyment do niebieskookich facetów. Kochałam Tadeusza, co nie znaczyło, że nie zauważałam innych mężczyzn. Zawsze to przecież przyjemnie zawiesić oko na jakimś przystojniaku. Nie tylko panowie mają prawo oglądać się za kobietami na ulicy. Kobiety za mężczyznami również.

Teraz więc moją uwagę zwrócił siedzący po przeciwnej stronie, tuż za kabiną pilotów niezwykły mężczyzna. W duchu aż jęknęłam z zachwytu. Tak właśnie wyobrażałam sobie zawsze przystojnego Szkota z wyśmiewanego trochę przez Tadeusza cyklu „Obca" Diany Gabaldon. Wysoki, potężnie zbudowany, o dumnej postawie. Widziałam tylko jego profil z dużym, orlim nosem i stanowczo wysuniętym podbródkiem oraz niewiarygodnie długie i gęste złotorude rzęsy. Tego samego koloru włosy na głowie i zgrabną dłoń wybijającą niecierpliwie rytm na kolanie. I ten głos, którym zapytał stewardesę, czy aby na pewno nie będzie opóźnienia. Głęboki, zmysłowy...

– O czym tak myślisz, kochanie? – Tadeusz oderwał w końcu wzrok od chmur i uśmiechnął się do mnie ciepło. – Masz taki rozmarzony wyraz twarzy.

Najwyraźniej złość mu już minęła, na szczęście nigdy to zbyt długo nie trwało. Tym razem miał powód, przecież przeze mnie straciliśmy pyszną miodówkę, jego popisowy alkohol. Przygotowywał ją starannie i z nabożeństwem, co najmniej jak druid Panoramiks swój napój magiczny, a tu masz... Wylądowała w koszu na lotnisku.

– Tak jakoś... o niczym szczególnie – skłamałam szybko, czując, że czerwienię się jak nastolatka.

– Hm... – Spojrzał na mnie spod oka. – Zbyt dobrze cię znam, ale skoro nie chcesz się ze mną podzielić myślami, trudno.

– Po prostu cieszę się na ten wyjazd. I tyle – powiedziałam to trochę zbyt wysokim głosem, aż obiekt moich westchnień odwrócił się w naszą stronę zniecierpliwiony. O matko! I do tego wszystkiego miał niebieskie oczy! Uśmiechnęłam się przepraszająco, a on skinął mi tylko w odpowiedzi głową i wrócił do swoich myśli, nie poświęcając mi już więcej uwagi.

Samolot zaczynał podchodzić do lądowania, nad siedzeniami zaświeciło się polecenie zapięcia pasów. Dzieci przestały biegać, a pani Michalina zamilkła, pewnie modliła się cicho. Przystojny Szkot albo Irlandczyk już nie bębnił palcami na kolanie, teraz przypominał konia siłą wstrzymywanego przed gonitwą. Ciekawe, do kogo się tak spieszy? – pomyślałam z lekką zawiścią. Szczęściara jakaś.

Przez owalne okienko widać już było płytę lotniska w Dublinie.

– Na jak długo wybraliście się państwo do Irlandii? – spytałam w drodze po bagaże panią Michalinę, ale ona tylko rzucała przerażone spojrzenia na boki i wydawała się nie słyszeć pytania. Odpowiedział Władysław z przepraszającym uśmiechem:

– Nie wiemy jeszcze. Jackowi, synowi Misiaczka, urodziło się niedawno dziecko i przyjechaliśmy trochę pomóc młodym. To znaczy, Misiaczek będzie pomagał – sprecyzował szybko – ja się na niemowlętach nie znam, prawdę mówiąc. Młodzi już nie są tacy młodzi, trafiło im się to dziecko, kiedy stracili już wszelką nadzieję, i teraz potrzebują pomocy matki, bo sami boją się niemal dotknąć malucha.

– No tak, nie ma jak mama. – Uśmiechnęłam się życzliwie do pani Michaliny, a ona, ku mojemu zaskoczeniu, odpowiedziała również uśmiechem, który rozjaśnił jej surową do tej pory twarz. Po raz pierwszy odkąd ją znałam, nie była naburmuszona i wyglądała z tym całkiem sympatycznie.

Władysław ożenił się po raz drugi, będąc już na emeryturze. Z poprzednią, zmarłą w późnym wieku żoną nie miał dzieci, więc rzeczywiście nie mógł mieć żadnego doświadczenia.

– A teraz moja duszka trochę się denerwuje – dodał tonem usprawiedliwienia – bo nigdy nie wyjeżdżała z Polski, a tu jeszcze samolotem…

Duszka usłyszała tylko część tej wypowiedzi i zawrzała oburzeniem.

– Jak to, nie wyjeżdżałam nigdy z Polski?! A do NRD to się nie liczy? Byłam tam nawet dwa razy!

– Ależ Misiaczku, ja mówię o samolocie…

– A tak, samolotem to jeszcze nie latałam. Prawda – przyznała w końcu pojednawczo.

Na taśmę zaczęły wjeżdżać pierwsze walizy. Wynurzały się z otworu zasłoniętego wiszącymi luźno paskami ze sztucznego tworzywa. Nasze bagaże były na samym końcu, bo weszliśmy na pokład samolotu jako jedni z ostatnich. Wymieniliśmy jeszcze numery telefonów na wszelki wypadek i ruszyliśmy do hali przylotów, gdzie czekała na nas Marta. Z daleka poznałam jej przygarbioną lekko z powodu problemów z kręgosłupem sylwetkę. Ciemne, wijące się w naturalnych lokach włosy okalały jej piękną, szczupłą twarz. Zawsze zazdrościłam jej tych włosów, teraz były nadal gęste i bujne, chociaż, jak zauważyłam, obcięła je dużo krócej niż zwykle. Duże orzechowe oczy lśniły tym samym blaskiem co w czasach naszej młodości. Witając się z nią serdecznie, zauważyłam jeszcze kątem oka Władysława i jego żonę obejmowanych przez wysokiego, na oko ponadczterdziestoletniego mężczyznę. Rzeczywiście, syn pani Michaliny nie wyglądał na młodego tatusia. Lekko łysiejący, misiowaty z wyglądu pan z brzuszkiem całował swoją matkę z prawdziwą radością.

2

Miasteczko New Ross, w którym mieszkała Marta, było oddalone od Dublina o godzinę jazdy samochodem. Po drodze podziwialiśmy schludne, czyste domki otoczone żywopłotami z żółto kwitnących kolczastych krzewów i małe cmentarze na zboczach niewysokich wzgórz, wyrastające niemal pośrodku pastwisk otoczonych kamiennymi murkami. Widok ten psuły tylko wychudzone krowy i owce snujące się po tych pastwiskach. Patrzyłam na nie z niedowierzaniem i smutkiem, przyzwyczajona do zupełnie innych obrazków z Polski.

– Niestety – powiedziała Marta, widząc moją reakcję. – Irlandczycy chyba się tak bardzo nie przejmują zwierzętami. One wszystkie tu tak wyglądają.

Po godzinie zjechaliśmy z głównej drogi na boczną i po przekroczeniu bramy z drewnianym szlabanem znaleźliśmy się na rozległym obszarze pokrytym odgrodzonymi od siebie zielonymi pastwiskami. Na jej końcu widać było niskie kamienne zabudowania.

Dom, który wynajmowała Marta, był duży, solidny, zbudowany z ogromnych, spojonych zaprawą kamieni. W szczelinach między nimi wyrastały wątłe źdźbła trawy, te, których porywistym wiatrom nie udało się jeszcze wyrwać. Duże oszklone drzwi na dole prowadziły do salonu i kuchni, małe wąskie okienka na piętrze należały do trzech sypialń i do łazienki. Na niewielkim podwórku, w kącie, pod murem kwitły kolorowe roślinki w urządzonym ze smakiem skalnym ogródku. Za murem znajdowały się już tylko stajnie z zaniedbanymi końmi.

– Właściciel wciąż tu mieszka. – Marta pokazała nam mijany wcześniej po drodze piętrowy dom. – Zajmuje się hodowlą. Denerwuje mnie jego traktowanie zwierząt, ale, jak już wcześniej mówiłam, tak tu już jest. Surowe warunki życia i taki sam charakter mieszkających tu ludzi.

Przed drzwiami piętrowego kamiennego domu czekała już na nas Gosia, córka Marty, z nieodłącznym, jak się wkrótce okazało, czarnym kotem u nogi. Marta była ładną, dojrzałą kobietą, a jej córka – prawdziwą pięknością. Długie ciemnoblond włosy opadały jej lśniącymi pasmami na plecy i ramiona, oczy odziedziczyła po matce, ale jej miały bardziej złocistomiodowy odcień. No i ta piękna cera, niewymagająca żadnych kosmetyków. Całości dopełniała zgrabna sylwetka, długie nogi i kształtna pupa w obcisłych dżinsach. Nie mogłam oderwać od niej oczu. Z uroczego dziecka, które pamiętałam, wyrosła naprawdę piękna dziewczyna.

– Myślałam, że już nie dojedziecie – burczała teraz pod nosem, obejmując nas na powitanie. – Jeszcze chwila, a mięso spaliłoby się całkiem. Pewnie mama zatrzymała się na jednym z tych cmentarzy przy drodze?

Wszyscy wiedzieli o naszej wspólnej z Martą fascynacji starymi cmentarzami.

– A wyobraź sobie, że nie – odpowiedziała jej matka, zamykając za nami drzwi. Na zewnątrz właśnie zaczął padać deszcz, co w połączeniu z zimnym wiatrem stanowiło niezbyt przyjemną mieszankę. – Ale i tak pojedziemy tam po zmroku, kiedy będzie odpowiedni nastrój.

– Ciociu, czas chyba zatrzymał się dla ciebie. – Małgosia przytuliła mnie mocno. – Nawet nie posiwiałaś...

– Dziecko drogie, nie słyszałaś nigdy o farbach do włosów? Gdyby nie zdobycze techniki oraz przemysłu kosmetycznego, wyglądałabym już na swoje lata. Ale kochana jesteś...

To prawda. Miałam już ponad pięćdziesiąt lat i chociaż wciąż czułam się na nie więcej niż trzydzieści, naturę trudno oszukać. Sił miałam jeszcze wystarczająco dużo, ale pojawiające się nowe zmarszczki i siwe włosy przygnębiały mnie nieco. Siwiznę mogłam jeszcze pokryć farbą, co nie było trudne przy naturalnych blond włosach, lecz zmarszczki... Tych nie dało się niestety ukryć ani zamalować. Na szczęście trafiłam na mężczyznę, który też do najmłodszych nie należał, więc potrzebował okularów, żeby coś dokładniej zobaczyć. Ale i tak używał ich raczej tylko do czytania. Zresztą twierdził, że kocha każdą moją zmarszczkę. I za to między innymi ja też go kochałam. Dzień, w którym poznałam tego przystojniaka w bibliotece na ulicy

Sławkowskiej w Krakowie, był jednym z najpiękniejszych dni w moim życiu. Przedtem czułam się samotna i niekochana, a gdy los postawił go na mojej drodze, odżyłam. Zaiskrzyło między nami natychmiast. Tadeusz potem chętnie opowiadał wszystkim, że na jego widok tak zaświeciły mi się oczy, że jeszcze długo musiał mrugać, żeby pozbyć się powidoków, czyli dwóch zamazanych punkcików, które jakoby moje gorejące spojrzenie wypaliło na siatkówce jego oczu.

Bardzo zabawne, bo ja miałam dokładnie takie same odczucia...

Pomieszczenie, do którego weszliśmy, było jednocześnie kuchnią i salonem. Z jednej strony stała kanapa i fotele przy kominku dającym teraz przyjemne ciepło, po drugiej zaś znajdowała się, oddzielona kontuarem, część kuchenna oraz schody prowadzące do sypialń na górze. Na drewnianym stole leżały już przygotowane nakrycia do obiadu.

– Jeśli nie będzie zbyt mokro wieczorem, pójdziemy na cmentarz piechotą – powiedziała Marta. – To niedaleko od nas, nie musimy więc brać samochodu.

– Mamo! – zaprotestowała Małgosia. – Daj im trochę odpocząć, rozejrzeć się po okolicy. Na cmentarz jeszcze zdążycie pójść.

– Odpocząć? – zdziwił się Tadeusz. – Po czym? Krótki lot samolotem i jeszcze krótsza jazda samochodem. Ja tam nie czuję się wcale zmęczony. A ty, kochanie? – zwrócił się do mnie z porozumiewawczym uśmiechem. Wiedział doskonale, że nic mnie nie powstrzyma przed taką wyprawą. Jeszcze przed wyjazdem zapowiadałam, że pierwsze co zrobię, to wybiorę się na stary cmentarz o zmroku. Widziałam zdjęcia robione przez Małgosię w jednym z takich miejsc i unoszące się nad nagrobkami białe kule. Wprawdzie Tadeusz tłumaczył to wadą techniczną, ale ja wolałam tam widzieć duchy. Marzyłam, żeby zrobić podobne zdjęcie i sprawdzić, co na nim wyjdzie.

Usiedliśmy wszyscy przy stole, do którego, węsząc ostrożnie, na sztywnych łapach podszedł Borys, czarny kot Małgosi. Fuknął na mnie nieprzyjaźnie, kiedy usiłowałam go pogłaskać.

– To dzikus – ostrzegła mnie Marta. – Uważaj, bo może podrapać. Jedyną osobą, którą uznaje, jest Gośka. Uratowała go kiedyś z rąk pijanych gówniarzy, którzy usiłowali biedaka podpalić, i od tego czasu chodzi za nią jak pies. I tylko ona ma prawo go pogłaskać, ale też nie więcej niż dwa i pół raza.

– Jak to, dwa i pół raza? – zdziwiliśmy się.

– No tak, w połowie trzeciego głasku podnosi ostrzegawczo przednią łapę. Sam też decyduje, czy i kiedy ma ochotę na pieszczoty.

Borys, jakby na potwierdzenie jej słów, wykonał piękny skok z podłogi wprost na kolana swojej ukochanej pani i zaczął je udeptywać z głośnym mruczeniem.

– Skoro nie jedziemy samochodem, to pozwolę sobie... – Małgosia jedną ręką pogłaskała delikatnie kota, drugą sięgnęła po lampkę wina. – Prawdę mówiąc, nie lubię chodzić na ten cmentarzyk – kontynuowała, przełknąwszy łyczek. – Panuje tam jakaś dziwna atmosfera, jakby zagrożenia. Nie wiem, nie umiem tego określić, ale czuję się tam źle. Okoliczni mieszkańcy opowiadają o pojawiającej się co jakiś czas banshee, czyli upiorze zwiastującym śmierć.

– To jakiś duch? – spytałam zaciekawiona.

– To najbardziej znana istota nadprzyrodzona Irlandii. – Małgosia uśmiechnęła się lekko, gładząc czarne futerko Borysa, który trącał ją cały czas łebkiem, domagając się pieszczot. Widać było, że temat fascynuje ją równie mocno jak nas. – Wprawdzie zwiastuje śmierć rodom irlandzkim czystej krwi, ale boją się jej wszyscy. Ukazuje się często pod postacią pięknej kobiety ubranej w wytworny strój, innym zaś razem jako zgrzybiała starucha spowita w śmiertelny całun. Albo słychać tylko jej zawodzenie. Ma długie, powiewające włosy i oczy zaczerwienione od ciągłego płaczu. Ten jej płacz i krzyki zwykle zwiastują czyjąś śmierć.

Nagle kot podniósł lekko przednią łapkę, nie przestając przy tym mruczeć.

– O! – Marta lekko trąciła zajętą opowiadaniem córkę. – Koniec pieszczot.

Borys zeskoczył zwinnie z kolan swej pani i ruszył w stronę drzwi wyjściowych. Małgosia wstała i wypuściła go na zewnątrz.

– Nigdy nie słyszałam krzyku banshee – kontynuowała, siadając z powrotem przy stole. – Ale podobno wrażenie jest niesamowite.

Przeszedł mnie dreszcz i spojrzałam na Tadeusza. Jak się spodziewałam, z całej jego postawy przebijało niedowierzanie i rozbawienie. Na szczęście powstrzymał się od uwag. Marta i Małgosia nie znały go jeszcze zbyt dobrze, nie chciał więc pewnie robić złego wrażenia na początku.

22

Deszcz jednak pokrzyżował nam plany i nie wybraliśmy się na cmentarzyk tego wieczoru. Przesiedzieliśmy do późna w nocy przed kominkiem, sącząc drinki donoszone co chwilę z kuchni przez nasze gospodynie. One ciekawe były wieści z Polski, my wypytywaliśmy o ich życie w Irlandii. Wypłynął też główny powód, dla którego Tadeusz wybrał się ze mną na zieloną wyspę.

– Naprawdę masz kostium na Bloomsday? Super! – Małgosia aż klasnęła w dłonie z uciechy. – My z mamą, i pewnie z ciocią – spojrzała na mnie pytająco – przebierzemy się za dublińskie kobiety z tamtych czasów. Byłam na obchodach w zeszłym roku, ale pamiętam z nich tylko tłum na ulicach, wizyty w kolejnych pubach i ból głowy na drugi dzień. W sumie to tylko festyn, na którym piwo leje się strumieniami, i tyle.

– Festyn?! Nie poszliście do muzeum Joyce'a, tego w wieży Martello Tower, z pierwszego epizodu „Ulissesa"? – Tadeusz spojrzał na nią zgorszony. – To przecież tam w czasie trwania Bloomsday czyta się fragmenty powieści i wtedy czuje się właściwy nastrój...

– No... – Dziewczyna się zawahała. – Byliśmy tam, ale to przecież tylko muzeum, gdzie wystawione są listy, rękopisy, zdjęcia i rzadkie wydania jego dzieł, a poza tym to sklepik z joyce'owskimi gadżetami... No dobrze – dodała, wzruszając ramionami na widok jego spojrzenia – wiem, że w połowie wieży zrekonstruowane jest jego mieszkanie...

– Nie jego, tylko to opisane w powieści. A na samej górze prawdziwa mekka dla pielgrzymujących, czyli powierzchnia, na której można stanąć dokładnie w tych samych miejscach, w których stali bohaterowie powieści, i tam właśnie czyta się fragmenty „Ulissesa".

– Dobry jesteś! – Obie kobiety spojrzały na niego z uznaniem. Ja też, chociaż znałam już ogromną wiedzę mojego mężczyzny na temat Joyce'a i jego twórczości.

– Nie byliśmy tam – przyznała Małgosia – bo nikt z nas „Ulissesa" nie czytał. A już tym bardziej w oryginale, więc byłoby to dla nas jak tureckie kazanie. Ale teraz pójdę tam razem z tobą. Bardzo chętnie – dodała szybko, żeby zatrzeć nieprzyjemne wrażenie.

Niestety, Tadeusz był zupełnie pozbawiony poczucia humoru, jeśli w grę wchodził temat ukochanego pisarza i jego, jak dla mnie, zupełnie niedającego się przeczytać największego dzieła. Wprawdzie rozchmurzył się nieco, ale pionowa zmarszczka między jego brwiami, świadcząca o niezadowoleniu, nie znikała jeszcze długo.

Zastała nas północ. Marta wzięła urlop specjalnie na nasz przyjazd, ale Małgosia musiała rano wstawać. Pracowała w fabryce produkującej części do specjalistycznego sprzętu medycznego. Próbowała nawet jeszcze o tym opowiadać, ale przy kolejnych szczegółach zaczęły się nam zamykać oczy.

– Idziemy spać – zdecydowała Marta. – Jutro też jest dzień i czeka nas mnóstwo atrakcji. Wiem, że lubicie tajemnice, a my tu mamy jedną... – zawiesiła głos znacząco.

– No! – ożywiłam się natychmiast. To było zdecydowanie bardziej podniecające niż skomplikowane części produkowane przez Małgosię. – Jaką?

– Jutro. – Marta zdecydowanym ruchem pokazała nam schody prowadzące na górę do naszej sypialni.

– Dobranoc.

W nocy wiatr wył ponuro za oknem, deszcz zacinał wściekle o szyby naszego pokoiku, a w całym domu rozlegało się od czasu do czasu wyraźne, głuche: *guilty... guilty...*

Winny...?

Przytuliłam się mocniej do Tadeusza, który pomrukiwał coś przez sen, objął mnie ramieniem i tak udało mi się w końcu usnąć.

Przy śniadaniu siedzieliśmy we trójkę, bo Małgosia pojechała już wcześniej do pracy. Na stole leżał świeżo upieczony chleb. Jego zapach obudził nas rano i ściągnął na dół.

– To bardzo przydatny sprzęt. – Marta gestem dłoni wskazała piecyk. – Dzięki temu nie muszę co rano jeździć samochodem do piekarni. A stąd to naprawdę spory kawałek. Ale co ja wam o chlebie! Powiedzcie lepiej, jak wam się spało w tę pierwszą noc w Irlandii.

– Ja spałem jak niemowlę. – Tadeusz sięgnął po wędlinę i kromkę ciepłego jeszcze chleba.

– Ja też raczej nieźle – przyznałam – tylko budziły mnie bez przerwy jakieś dziwne odgłosy. Dałabym głowę, że słyszałam wyraźne...

– *Guilty?* – Marta uśmiechnęła się domyślnie. – Przyznam, że nas to z początku bardzo stresowało, ale później wyjaśniono nam, że to odgłosy z rur. Jak zapewne zauważyliście, wszystkie rury są tutaj na wierzchu i głośno „pracują". A brzmi to rzeczywiście jak *guilty*.

25

– Nic nie słyszałem. – Tadeusz spojrzał na nas zdumiony. – Muszę się wsłuchać w te rury dziś w nocy. Ale żeby zaraz *guilty*? Kto niby ma być winny? Chyba macie zbyt bujną wyobraźnię, dziewczyny! – Zaśmiał się i pocałował mnie w dłoń, którą sięgałam właśnie do półmiska z wędliną.

– Nie dziwiłbyś się tak, gdybyś znał historię tego domu… – Marta zrobiła tajemniczą minę, a w jej orzechowych oczach zapaliły się iskierki śmiechu. Wiedziała doskonale, jak przykuć naszą uwagę, i czułam, że tylko czekała na okazję, żeby nam tę historię opowiedzieć.

Spojrzeliśmy na nią oboje z zainteresowaniem. Tajemnicze historie to było to, co lubiliśmy najbardziej.

– To się wydarzyło ponad sto lat temu – zaczęła z wyraźnym zadowoleniem, przeczesując palcami bujne włosy. Znałam ten gest, w jej wykonaniu oznaczał podekscytowanie. Marta zawsze lubiła tajemnice, może dlatego między innymi zaprzyjaźniłyśmy się już w dzieciństwie. – Dom, w którym mieszkamy z Gosią, jest dość stary. Podobno była to stodoła, czy też inny budynek gospodarczy. Te stajnie za murem i pastwiska tworzyły sporą posiadłość. Właściciele tego majątku mieli piękną córkę, w której kochał się syn bogatych sąsiadów.

– A ona kochała kogoś innego… – przerwałam jej domyślnie.

– Nawet nie. – Marta pokręciła przecząco głową. – Nie miała nikogo innego, ale nie była też zainteresowana tamtym facetem. Tymczasem on prześladował ją swoją miłością. Podobno nawet się odgrażał, że prędzej ją zabije, niż pozwoli jej związać się z kimś innym.

– I rzeczywiście ją zabił? – nie wytrzymał Tadeusz.

– Nie wiadomo. Dziewczyna pewnego dnia zniknęła bez śladu i nigdy nie odnaleziono jej ciała. Pierwszym podejrzanym – ciągnęła dalej Marta – był oczywiście syn sąsiadów, ale zarzekał się, że nie miał z tym nic wspólnego. Tymczasem znaleźli się świadkowie, którzy słyszeli ich kłótnię tego dnia i pogróżki tego faceta. Ktoś widział też, jak uciekała w popłochu ze stajni.

– Ale udało mu się udowodnić swoją niewinność?

– Niestety, nie. Po paru miesiącach aresztu i po nieustających przesłuchaniach przestał w końcu czemukolwiek zaprzeczać. Facet chyba się po prostu załamał. Uznano zatem, że jest winny, i skazano go na śmierć. Wyrok wykonano mimo protestów rodziny i przyjaciół skazanego. Twierdzili oni, że mają dowody na jego niewinność, a w każdym razie dające podstawy do wszczęcia śledztwa na nowo.

Wiatr szarpnął drewnianą okiennicą, w niezapalonym jeszcze kominku zahuczało. Jeśli w czerwcu panuje tu taka pogoda, to jak jest w zimie? – pomyślałam, przysuwając się instynktownie do Tadeusza.

– I co, nikogo to nie zainteresowało? To aż niemożliwe… – Pogłaskał mnie w roztargnieniu po plecach, całą swoją uwagę skupiając na opowiadaniu Marty.

– Nawet jeśli były jakieś wątpliwości, to sędzia nie wziął ich pod uwagę. – Marta pokręciła przecząco głową. – Wyjątkowo uwziął się na tego chłopaka. Może to były jakieś osobiste porachunki? Nikt dokładnie nie wiedział. Rodzina odwoływała się podobno później jeszcze wiele razy, chcąc chociaż pośmiertnie zrehabilitować swojego krewnego, ale bez rezultatu. Póki żył sędzia, nie było o tym mowy.

– Skąd masz takie szczegółowe informacje na temat tej sprawy? – spytałam. – Przecież, jak sama mówiłaś, zdarzyło się to ponad sto lat temu.

– Znajomy Gośki, Roger, jest historykiem i odkrył w archiwum stare dokumenty z tego procesu. Z nich wynika, że śledztwo prowadzono nieudolnie, a chłopaka stracono tylko na podstawie poszlak.

– Czyli zachowały się jakieś dokumenty z tamtych czasów? – Zauważyłam w oku Tadeusza ten szczególny błysk, jak zwykle wtedy, gdy się do czegoś zapalał. Kochałam ten błysk.

– Tak, Roger znalazł je zupełnie przypadkiem przy okazji poszukiwań do swojej pracy naukowej. Podobno można by je pokazywać studentom prawa jako przykład nieudolności i stronniczości sądu. Wszyscy łaknęli krwi i wcale ich nie obchodziło, czy chłopak jest winien, czy nie. Potrzebowali kozła ofiarnego, tak jakby to miało zwrócić dziewczynie życie.

– A tymczasem prawdziwemu mordercy, jeśli to nie był ten skazany, pewnie się udało. – Pokiwałam głową.

– Jeśli to nie był on, to ktoś przecież musiał ją zabić – potwierdziła Marta. – Podobno jej matce przez długi czas ukazywała się w snach i próbowała coś mówić, krzyczała nawet, ale matka nic z tego nie rozumiała. Miała jednak wrażenie, że córka nie żyje i z zaświatów usiłuje jej coś ważnego przekazać.

Tadeusz skrzywił się wyraźnie na te „zaświaty", a ja otrząsnęłam się, jakby przeszły po mnie zimne dreszcze.

– Co za smutna historia – powiedziałam. – O matce też było w tych dokumentach?

– No nie, ale wiesz, jak to jest w przypadku takich tajemniczych zdarzeń, ludzie gadają między sobą. O matce słyszałam od znajomego Rogera, który jest potomkiem tamtej rodziny. Wprawdzie nie w prostej linii, ale spokrewnionym przez stryjecznego pradziadka czy jakoś tam. Zawsze się gubię w tych koligacjach.

– A może dziewczyna po prostu uciekła z innym mężczyzną? – Tadeusz wzruszył ramionami.

Spojrzałyśmy na niego oburzone.

– I zostawiłaby zrozpaczonych rodziców? Niemożliwe! – stwierdziła z mocą Marta. – Zresztą w tamtych czasach nie było samochodów, żeby mogła tak nagle stąd zniknąć. Musiałby ją ktoś widzieć, spotkać na drodze... Nie, to niemożliwe.

– Wygląda więc na to, że zabił ją gdzieś na tym terenie i zwłoki nadal tu leżą – podsumował Tadeusz, a ja odruchowo spojrzałam na podłogę kuchni. – Dziwi mnie tylko, że przez tyle lat nikt nie znalazł ciała. Ja stawiałbym jednak na to, że gdzieś wyjechała i zatarła za sobą ślady. Może rodzice zmuszali ją do tego małżeństwa?

– A wiesz, że możesz mieć rację? – Marta potarła w zamyśleniu nos. – Chłopak był z bogatej rodziny, więc w rozumieniu jej rodziców mogła to być całkiem niezła partia. O tym wcześniej nie pomyślałam.

– Ale podobno jej groził – wyraziłam swoje wątpliwości. – Ja jako matka na pewno nie lubiłabym takiego chłopaka.

Tadeusza to nie przekonało.

– Matka mogła być po jej stronie, ale z pewnością ojciec jako głowa rodziny decydował. To on mógł ją zmuszać. Zresztą o czym my mówimy? Ważne jest, że ten młody człowiek został stracony, chociaż, jak słyszę, nie udowodniono mu na sto procent winy. Musimy podpytać dziś Małgosię, co takiego znalazł ten jej facet.

– Jaki tam mój facet – obruszyła się Małgosia po powrocie do domu. – Zwykły znajomy, i tyle. On może chciałby, żeby to było coś innego, ale ja nie jestem zainteresowana. Poza tym nie lubię chudzielców.

– A, to rzeczywiście argument nie do odparcia – roześmiał się Tadeusz, udając, że nie widzi zmieszania dziewczyny. – Facet, nie facet, twój, nie twój, powiedz, co odkrył ciekawego.

– Najlepiej będzie, jak on sam wam o wszystkim opowie. Możemy go zaprosić na wieczór, jeśli macie ochotę.

– Pewnie, że mamy – odezwaliśmy się jednocześnie z Tadeuszem. – Lubimy takie historie i prawdę mówiąc, zastanawialiśmy się nawet, czy uda nam się spędzić ten urlop spokojnie i leniwie, bez żadnych niespodzianek – dodałam z uśmiechem.

– Dobrze prawi moja kobieta. – Tadeusz przygarnął mnie do siebie, a ja zauważyłam ciepły blask w oczach Marty. Wyraźnie go polubiła. – Wręcz baliśmy się – dodał z przesadną powagą – że tak właśnie może się stać.

Małgosia zadzwoniła do Rogera i zaprosiła go na kolację.

Deszcz przestał padać, wyszło słońce. Nisko nad domem i pobliskim pastwiskiem otoczonym drewnianym ogrodzeniem rozciągała się tęcza – najpiękniejsza, jaką kiedykolwiek widziałam. Kolory były tak intensywne, że aż wyglądało to nienaturalnie. Zupełnie jakby ktoś namalował je przed chwilą farbami. Zadarliśmy głowy i wpatrywaliśmy się w niebo z zachwytem. Do ogrodzenia podbiegła pasąca się na pastwisku klacz, za nią przytruchtał w podskokach wyrośnięty już źrebak. Uprzedzeni przez Małgosię mieliśmy ze sobą pokrojone w plasterki marchewki i jabłka, specjalnie w tym celu kupowane przez nią na targu. Dziewczyna uwielbiała konie, a one wydawały się wyczuwać jej sympatię na odległość. Rozpoznawały Gosię pewnie po małym plecaczku, z którym się nigdy nie rozstawała. W nim nosiła smakołyki dla koni, a dla siebie batoniki Mars, od których, jak sama przyznała, była wręcz uzależniona.

– Mam chyba za niski poziom cukru – tłumaczyła, pakując plecaczek przed wyjściem. – Wezmę dziś więcej, bo sami się pewnie z przyjemnością poczęstujecie. Powietrze tu jest takie, że człowiek zaraz robi się głodny.

– Na szczęście jeszcze nie zaczęła tyć. – Marta pokręciła z dezaprobatą głową. – Ale te słodycze kiedyś ją wykończą...

– Mamo! – Gosia spojrzała na nią z wyrzutem.

Klacz brała jabłka z mojej dłoni delikatnie, muskając ją aksamitnymi chrapami. Tadeusz jedną ręką karmił źrebaka, drugą czochrał go za uchem.

– Wyglądają na zadbane – powiedziałam, gładząc miękki pysk klaczy. – Zupełnie inaczej niż te, które widzieliśmy po drodze.

– Nie widziała ciocia jeszcze tych w stajniach. – Małgosia spochmurniała. – Aż serce się ściska, ale

31

gospodarz nie widzi w tym nic złego. Próbowałam nawet z nim rozmawiać na ten temat, ale bezskutecznie. Zajmuje się tylko tymi końmi, których używa do jazdy wierzchem. Tamte trzyma nie wiadomo po co. Chyba na handel, tylko kto kupi takie zaniedbane i chude konie?

Nie chciałam mówić o moich podejrzeniach co do losu tych zwierząt, bo i tak humory mieliśmy już zwarzone. Zepsuły się nam jeszcze bardziej, gdy doszliśmy do stajni. Tam przy żłobach z mizernymi resztkami siana stały szkielety koni, bo trudno było to inaczej nazwać. Ich żebra można było policzyć przez brudną, zmatowiałą skórę pokrytą wiszącymi strzępami sierści. Widać było wyraźnie, że te konie nigdy nie są czyszczone, a zgrzebło jest tam przedmiotem zupełnie nieznanym.

– Chodźmy stąd, bo zaraz mnie szlag nagły trafi! – pierwszy nie wytrzymał Tadeusz. – Jak można tak traktować żywe stworzenia? Nie macie tu czegoś w rodzaju Towarzystwa Opieki nad Zwierzętami? Przecież to trzeba gdzieś zgłosić!

– Próbowałam, ale nikogo to specjalnie nie obchodzi. – Małgosia machnęła z rezygnacją ręką. – Obiecywali, że przyjadą, raz nawet pojawiła się jakaś komisja, ale gospodarza chyba ktoś wcześniej uprzedził i zdążył gdzieś te konie wywieźć. Zostały tylko tamte, na pastwisku. Jedyne, co na tym zyskałam – pokazała palcami znak cudzysłowu – to niechęć gospodarza. Podejrzewa pewnie, że to ja dzwoniłam, bo jak do tej pory nikomu innemu to nie przeszkadzało. Teraz patrzy na mnie wilkiem i gdyby mógł, wypowiedziałby mi najem tego domu.

– A nie może? – spytałam.

– Może, ale musiałby znowu kogoś szukać, a to nie takie proste. Poprzedni lokatorzy zwinęli się kiedyś w nocy bez płacenia, a ja nie zalegam z czynszem. Zresztą zanim się zgłosiłam, dom długo stał pusty, bo nie było chętnych.

– Dlaczego? Przecież tu pięknie.

Rzeczywiście, okolica była przepiękna. Piętrowy dom Marty wraz z podwórzem otoczony był od zachodu kamiennym murkiem, miejscami zwietrzałym i kruszącym się na skutek silnych wiatrów i wilgotnego powietrza. Podwórko po przeciwnej stronie domu zamykały budynki stajni, z których dochodziło od czasu do czasu parskanie koni, stukanie kopyt i pokrzykiwania pracujących tam ludzi. Dalej rozciągały się już tylko oddzielane drewnianymi ogrodzeniami z pojedynczych, ułożonych poprzecznie żerdzi szmaragdowe pastwiska.

– Ciocia myśli jak ja – powiedziała Małgosia – ale inni wolą mieszkać bliżej miasta, bo i taniej, i wygodniej. A tu wszędzie daleko. I nie wszyscy lubią taki spokój. Poza tym trochę tu straszy – dodała po chwili milczenia.

– Trochę...?

– No tak... – Zmieszała się. – Jeśli nie brać na poważnie tych odgłosów z rur, to faktycznie czasami mamy wrażenie czyjejś obecności. Nie wiem, jak to ująć, bo ducha jako takiego nigdy nie widziałam, ale czasami czułam, jakby ktoś stał za moimi plecami.

– A ja – wtrąciła się Marta – widziałam kiedyś młodą dziewczynę na tle tego okna. – Pokazała dłonią szerokie

33

okno wychodzące na podwórze. – To było w nocy. Zeszłam na dół po wodę do kuchni i wtedy ją zobaczyłam. Młoda kobieta z długimi włosami stała tam i patrzyła na mnie, jakby mi chciała coś powiedzieć.

– I co dalej? – ponagliłam ją niecierpliwie.

– I nic. – Wzruszyła ramionami. – Uciekłam do sypialni i schowałam się pod kołdrę. Gośki wtedy nie było, bo wyjechała na Majorkę na tydzień, a ja zostałam tu sama i umierałam ze strachu.

– Jesteś pewna, że to nie był sen? – Tadeusz, jak zwykle w takich przypadkach, był sceptyczny. – Nie obraź się, ale nie wierzę w duchy. Musi być jakieś inne, racjonalne wytłumaczenie.

– Z całą pewnością to nie był sen. – Marta pokręciła przecząco głową. – Kiedy biegłam po schodach na górę, potknęłam się o stopień i tak stłukłam duży palec u nogi, że na drugi dzień miałam prawie czarny paznokieć. Gdybym spała, taki ból by mnie przecież obudził. Poza tym nigdy nie chodzę we śnie. To był duch, mówię ci.

– Może jakaś gra świateł… – Tadeusz nie dawał za wygraną.

– Wtedy widziałabym tylko samą sylwetkę, a ja zauważyłam rude włosy i ogromne, smutne oczy. To było straszne. – Otrząsnęła się na samo wspomnienie.

– Przecież Małgosia ma długie włosy i… fakt, mówiłaś, że jej wtedy nie było. Zapomniałem. No cóż… – Machnął dłonią. – Na razie nic mi nie przychodzi do głowy, ale uwierzę, jak sam spotkam tego ducha. Co wiadomo na jego temat? Bo przecież ludzie muszą coś opowiadać, skoro się mówi, że tu straszy.

– Wszystko wskazuje na to, że to właśnie Jane, tamta zaginiona dziewczyna.

– To by mogło znaczyć, że rzeczywiście została zamordowana w tym domu albo gdzieś w pobliżu.

– Tak. Wszystko na to wskazuje. – Marta pokiwała głową. – Tylko gdzie jest jej ciało? O ile mi wiadomo, nikt go nigdy nie odnalazł.

– Może znajdziemy jakieś wskazówki w dokumentach odgrzebanych przez Rogera – powiedziała Małgosia. – Pokazał mi tylko niektóre z nich, te z samego przesłuchania. Ale są i inne. Może one naprowadzą nas na właściwy trop.

– Zapowiada się ciekawie. – Tadeusz mrugnął do mnie porozumiewawczo i zatarł dłonie z zadowoleniem. – Już mi się tu podoba...

Ruszyliśmy przed siebie w stronę kępy drzew. Tęcza zblakła, pastwiska też już nie wydawały się takie szmaragdowe jak zaraz po deszczu.

– Zaprowadzę was teraz na ten cmentarz, o którym mówiliśmy wczoraj – powiedziała Marta, zmieniając temat. – Wprawdzie jest widno, ale chcę, żebyście go zobaczyli za dnia, a jeśli będziecie mieli ochotę, wrócimy tu wieczorem na poszukiwanie duchów.

– Ja chcę! – Podniosłam dwa palce w górę.

– A ja nie mam wyboru. – Tadeusz westchnął z rezygnacją, rozśmieszając wszystkich.

W lepszym już nastroju weszliśmy między drzewa. Pod nimi w wysokiej trawie rósł dziki czosnek, wypełniając swoją wonią całą okolicę. Ogromne połacie wilgotnej ziemi pokryte były kwitnącymi na biało roślinkami o soczyście zielonych, miękkich łodyżkach i liściach. Za drzewami widać już było wzniesienie z kamiennymi krzyżami i resztkami cmentarnej kaplicy, niemal zupełnie zasłoniętej przez chwasty. Byliśmy na miejscu.

Cmentarzyk cały porośnięty był od dawna niekoszoną trawą. Wyrastały z niej pionowe tablice nagrobne, w większości z zatartymi przez erozję napisami i pokryte jasnymi plamami grzyba na szarym, szorstkim kamieniu. Niektóre chyliły się ku ziemi, jakby za chwilę miały upaść i roztrzaskać się na sąsiednim nagrobku. Stojące pośrodku resztki kaplicy nie sprawiały lepszego wrażenia. Z niewielkiej i pewnie kiedyś pięknej budowli cmentarnej pozostały już tylko resztki ścian i ozdobne otwory okienne. Płaskie kamienie, z których zbudowana była kaplica, zdawały się nie mieć żadnej zaprawy, która by je spajała. Całość wyglądała jak bezładna kupa głazów wznosząca się w górę poszarpanymi murami jakby wbrew wszelkim prawom fizyki. Północną ścianę tych ruin porastały gęste krzaki i nawet nie próbowaliśmy tam wchodzić.

– Przygnębiające miejsce – przyznałam. – Miałaś rację, Małgosiu.

Dziewczyna objęła się ramionami, jakby nagle zrobiło jej się zimno.

– Niechętnie tu przychodzę, chociaż z reguły lubię cmentarze i ich spokój. Wieczorem te nagrobki sprawiają wrażenie wyciągniętych do nieba rąk, jakby wołały o pomoc... Chcecie batonika? – ocknęła się i sięgnęła do plecaczka.

Podziękowaliśmy oboje z Tadeuszem, a Marta tylko wzruszyła ramionami i poszła przed siebie.

– Niech się sama tuczy – mruknęła pod nosem, przechodząc obok mnie. – A zresztą te mordoklejki wyciągają mi plomby z zębów.

Rozdzieliliśmy się i każde z nas osobno spacerowało pośród starych nagrobków. Mijane przeze mnie tablice w większości miały napisy zupełnie zatarte, zwietrzałe. Tylko na niektórych mogłam odczytać nazwiska zmarłych. Leżały tu przeważnie całe rodziny, a ja jak zwykle zwracałam uwagę na groby małych dzieci, którym nie dane było dorosnąć. Wzruszały mnie takie nagrobki zawsze i na każdym cmentarzu świata.

– Widziałaś te krzyże? – Tadeusz podszedł do mnie tak cicho, że aż podskoczyłam ze strachu. Chyba udzieliła mi się atmosfera tego miejsca. Wysoka trawa skutecznie stłumiła odgłos jego kroków.

– To krzyże celtyckie – odparłam, rozglądając się wokół. – Wszystkie z okręgiem symbolizującym celtycki wianek.

– Tak, wiem, ale niemal każdy jest inny. Niby kształt ten sam, lecz przy niektórych jest serce, na innych są motywy roślinne, a jeszcze inne mają dodany jakiś szczególny detal.

– Sprawiają niesamowite wrażenie. Zwietrzały kamień, białe liszaje i porosty… Te krzyże są bardzo stare.

– Wracamy? – Marta wyłoniła się jak spod ziemi. – Chciałabym was zabrać jeszcze przed obiadem do miasta. A gdzie się podziała Gośka? – Rozejrzała się wokół zdziwiona. – Myślałam, że chodziła razem z wami.

Zguba znalazła się po dłuższej chwili, kiedy już zaczynaliśmy się zastanawiać, czy jednak nie wróciła sama do domu. Wiedzieliśmy, że nie lubi tego miejsca. Ale nie, nie wróciła. Znaleźliśmy ją krążącą wokół ruin starej kaplicy, gdzie przyciszonym głosem rozmawiała przez telefon komórkowy. Skończyła rozmowę natychmiast, gdy nas tylko zobaczyła.

– To Roger – powiedziała speszona. – Upewniał się, czy zaproszenie na dzisiejszy wieczór nadal aktualne.

Wymieniliśmy porozumiewawcze spojrzenia. Na nasze oko było to coś więcej niż zwykła znajomość.

3

Spacer po miasteczku okazał się niezwykle owocny. Zrobiliśmy niewielkie zakupy na kolację, zwiedziliśmy stojącą przy nabrzeżu rzeki replikę statku „Dunbrody", którym w czasie wielkiego głodu Irlandczycy podróżowali do Ameryki, a przy wyjściu spotkaliśmy Władysława. Stał na brzegu i podziwiał kołyszącą się na wodzie sylwetkę trójmasztowca.

– A co wy robicie w New Ross? – zdziwił się głośno na nasz widok.

– Mieszkamy tu u mojej przyjaciółki – odparłam, przedstawiając Marcie naszego znajomego.

Władysław skłonił się z galanterią, typową dla starszych, dobrze wychowanych mężczyzn. Przebijająca wyraźnie przez misternie zaczesane rzadkie siwe włosy łysina zalśniła w blasku bladych promieni słońca, przedzierających się przez pędzące po niebie chmury.

– Cóż za niezwykłe zrządzenie losu – ucieszył się, cmokając ją głośno w dłoń. – Irlandia wcale niemała, a ja znów spotykam moich przyjaciół. Czuję, że to jakiś znak... – zawiesił efektownie głos.

– Czyżby syn twojej żony też tu mieszkał? – Tadeusz spojrzał na niego z niedowierzaniem.

– Wyobraź sobie, że tak. Tak się cieszę, że was spotkałem! – Z radością zatarł pokryte wątrobianymi plamami dłonie. – Kobiety zajęte od rana do wieczora przy dziecku, pasierb w pracy, a ja błąkam się po mieście sam jak ta sierota. Już trzeci raz zwiedzam ten statek, ale ile można? Nudy...

– Zapraszam w takim razie do nas – powiedziała Marta z uśmiechem. – Nie gwarantujemy wprawdzie specjalnych rozrywek, ale w grupie zawsze weselej i raźniej.

– Z największą przyjemnością. – Władysław znów skłonił się nisko. – Jeśli tylko nie sprawię kłopotu... – Spojrzał na nią z niepokojem.

– To żaden kłopot – zapewniła go Marta. – Będzie pan mile widziany. Z żoną, oczywiście, jeśli też przyjmie nasze zaproszenie. A może wpadniecie państwo do nas dziś na kolację? Zapowiada się ciekawy wieczór.

Władysław dostał adres z wyrysowaną naprędce mapką dla pasierba, który miał ich przywieźć samochodem, a my ruszyliśmy z powrotem do domu. Po drodze opowiedzieliśmy Marcie o naszym znajomym i jego niezwykłych zainteresowaniach.

A było co opowiadać. Władysław zajmował się wszystkim, co dziwne i tajemnicze. Zawsze nosił przy sobie wahadełko, umiał posługiwać się różdżką, organizował (z różnym skutkiem) seanse spirytystyczne, a nawet próbował wróżyć z kart. Za każdym razem zaskakiwał nas czymś nowym, przyzwyczailiśmy się też do tego, że najczęściej były to próby nieudane i traktowaliśmy je z lekkim przymrużeniem oka. Zdecydowanie jednak był nietuzinkową postacią i trudno było nudzić się w jego towarzystwie.

– Słuchajcie! – zawołała Marta. – A może on nam się przyda w poszukiwaniach śladów Jane? Któraś z tych jego metod może w końcu zadziałać.

– Taaak… – mruknął sceptycznie Tadeusz. – Zepsuty zegar też pokazuje właściwy czas dwa razy na dobę.

– Ale wymyślił… – Spojrzałam na niego oburzona. – Nie rozumiem, dlaczego wyśmiewasz jego metody, przecież tyle już razy mi pomagał.

– Tak, skarbie, „pomagał” to dobre określenie. Czas niedokonany jest tu jak najbardziej na miejscu…

Śmiejąc się i żartując, dojechaliśmy w końcu do domu Marty.

Państwo Turowie przyjechali taksówką, tuż po obiedzie, więc Władysław miał czas, żeby rozejrzeć się po okolicy. Wprowadziliśmy go pobieżnie w historię zaginionej w ubiegłym stuleciu Jane i, co było do przewidzenia, starszy pan zapalił się natychmiast do poszukiwań.

– A już myślałem, że przyjdzie mi w tej Irlandii umrzeć z nudów! – zawołał uszczęśliwiony, korzystając z faktu, że jego małżonka wyszła przed dom, by podziwiać skalny ogródek Marty. Na wszelki wypadek jednak obejrzał się niespokojnie przez ramię. – A tu taka historia! Wziąłem ze sobą wahadełko, więc będę mógł wam pomóc w poszukiwaniach – dodał, klepiąc się znacząco po kieszeni. – Możemy też urządzić seans spirytystyczny i wywołać jej ducha...

Dyskretnie wymieniliśmy rozbawione spojrzenia, ale na szczęście był tak przejęty, że niczego nie zauważył.

– Mam pewne doświadczenia w tej mierze... – zaczął z dumą, ale pani Michalina, która pojawiła się właśnie w drzwiach salonu, najwyraźniej usłyszała końcówkę tej wypowiedzi i przerwała mu zdecydowanym ruchem ręki.

– Władysławie, umawialiśmy się...

Zabrzmiało to tak groźnie, że nie tylko jej małżonek skulił ramiona.

– Ależ Misiaczku... – zaprotestował nieśmiało Władysław, który przy swojej władczej małżonce przypominał raczej niepozornego poddanego. – To miało chyba dotyczyć tylko rodziny twojego syna...

Ku naszej ogromnej uldze w drzwiach pojawił się Roger i musieliśmy się nim zająć. Rzuciliśmy się wszyscy w jego kierunku, jakby był najmilszym, z dawna oczekiwanym gościem.

Znajomy Małgosi okazał się młodym, szczupłym człowiekiem o gęstej czarnej czuprynie i sympatycznej twarzy. Wyglądem zupełnie nie przypominał Irlandczyka. Zielone oczy spoglądały na świat życzliwie, szczególnie zaś życzliwie na Małgosię, która na jego widok oblała się rumieńcem.

– Witam – przywitał się ogólnie, a potem każdemu z osobna podał rękę. – Jestem Roger MacGowan, znajomy Margaret. To znaczy Gohy.

– Tak mnie właśnie nazywa. Goha – pospieszyła Małgosia z tłumaczeniem, widząc nasze pytające spojrzenia.

– MacGowan? – Władysław ścisnął mocno dłoń gościa. – Czyli pańscy przodkowie pochodzą ze Szkocji, prawda?

Kiedy przetłumaczyliśmy to pytanie, Roger pokręcił przecząco głową.

– Nie, to typowe nazwisko irlandzkie.

– Jak to? – Władysław nie dawał za wygraną. – Przecież prefiks „Mac" to domena Szkotów, o ile mi wiadomo?

Roger się uśmiechnął.

– Cóż, istnieje błędne przekonanie, że „Mac" to prefiks szkocki, a „O" irlandzki. Tymczasem prawda jest taka, że oba są irlandzkie, a Szkoci, do czego sami niechętnie się przyznają, zapożyczyli je sobie albo, jak kto woli, przywłaszczyli od irlandzkich osadników. Przedrostek „Mac" stawiany przed imieniem ojca oznaczał po prostu „syn", a „O" – „potomek".

– A to dopiero! – zdumiał się Władysław po wysłuchaniu naszego tłumaczenia. – Człowiek całe życie się uczy. – Podrapał się po łysinie. – Dałbym głowę, że to szkockie...

– Ty też się możesz czasem pomylić, mój drogi – pocieszyła go łaskawie pani Michalina, spoglądając przy tym na nas z lekkim wyzwaniem. Niepotrzebnie, nikt nie miał zamiaru zaprzeczać. Tylko Roger nachylił się do Gosi, szeptem prosząc ją o przetłumaczenie.

Żona Władysława źle odebrała ten gest.

– Ma jakieś wątpliwości? – Aż poczerwieniała na twarzy. – Otóż, mój panie – zwróciła się do Rogera głośno i wyraźnie, powoli wymawiając słowa – mój mąż jest człowiekiem niezwykle uzdolnionym. W każdej dziedzinie. Poza tym ma doktorat z…

– Ależ on nie ma żadnych wątpliwości – wkroczyłam szybko do akcji. – Po prostu nie zna polskiego i prosił Gosię, żeby mu przetłumaczyła pani słowa.

– Aha, o to chodzi. – Uspokoiła się nieco. – Trzeba się było uczyć polskiego! – nie darowała na koniec.

Kolacja przebiegała jednak w miłej atmosferze. Roger opowiadał, jak trafił na dokumenty z procesu i czego się dowiedział od żyjącego jeszcze potomka tamtej rodziny. Znaliśmy wprawdzie już te fakty z wcześniejszej opowieści Marty, ale słuchaliśmy z niesłabnącym zaciekawieniem. Nawet pani Michalina rozluźniła się nieco i widać było, że się wzruszyła, kiedy przetłumaczyliśmy jej opowiadaną przez młodego Irlandczyka historię zaginionej dziewczyny i prawdopodobnie niesłusznie skazanego chłopca.

Ale już przy deserze zaczęła się niespokojnie kręcić i spoglądać na zegarek.

– Władysław, podziękuj państwu za miłą gościnę i wracamy – zarządziła, odsuwając z hałasem krzesło od stołu. – Muszę sprawdzić, czy ta kobieta dobrze się zajmuje moim wnukiem. Jakoś nie mam do niej zaufania, a maleństwo jest takie kruchutkie. Dzwoń po Jacusia.

„Ta kobieta", czyli synowa, najwyraźniej nie zdobyła jeszcze serca swojej teściowej.

Syn pani Michaliny przyjechał dość szybko, jakby chciał się zrehabilitować za to, że nie mógł mamusi tu wcześniej przywieźć osobiście. Niestety, nie dał rady zwolnić się z pracy. Wpadł tylko na chwilę do nas, żeby się przedstawić i przywitać.

– Miło mi bardzo. – Nachylił się nad dłonią gospodyni. – Jestem Jacek Wiśniewski, pasierb pana Władysława. – Następnie przywitał się z każdym z nas, ale chwilę później, poganiany już przez matkę, pospiesznie się pożegnał i ruszył w stronę samochodu.

Spojrzałam ze współczuciem na Władysława, który bez słowa, z nieszczęśliwą miną zaczął się z nami żegnać.

– Następnym razem postaram się przyjechać sam – szepnął mi na odchodne. – Misiaczek jest aniołem, ale w tej chwili interesuje ją tylko wnuk. Na niczym innym nie potrafi się skupić.

– Aniołem? – zdziwił się Tadeusz, kiedy mu to powtórzyłam. – Chyba zagłady…

Rozsiedliśmy się wygodnie w fotelach.

– Roger, twierdzisz zatem, że rodzina była przekonana o niewinności Patricka? – Tadeusz wrócił do tematu.

– Tak. Podobno był to spokojny i pracowity chłopak. Jedynym jego grzechem była nieodwzajemniona miłość do Jane. Groził wprawdzie, że ją zabije, ale przecież zakochani wygadują różne głupstwa i nikt tego nie bierze poważnie.

– Tym razem jednak ktoś potraktował to bardzo poważnie i sprawa skończyła się dla chłopaka tragicznie. – Małgosia westchnęła ze smutkiem. – Szkoda mi go.

Roger spojrzał na nią ciepło i położył dłoń na jej dłoni.

– Mnie też go szkoda. Był młodszy ode mnie w chwili egzekucji. Mam pomysł! – ożywił się nagle. – Może chcielibyście odwiedzić mojego dziadka? Wprawdzie ma dziewięćdziesiąt sześć lat i pamięta już właściwie tylko to, co zdarzyło się w dzieciństwie i wczesnej młodości, ale o to przecież nam chodzi.

– A mówił kiedyś coś ciekawego na ten temat? – zainteresowałam się.

Zmieszał się lekko.

– No, sami wiecie, jak to jest... Dziadek w kółko opowiada jedno i to samo, więc już nikt go nie słucha. Ale jego ojciec w czasie procesu miał jedenaście lat, więc dużo z tamtych wydarzeń zapamiętał i opowiadał później o tym swoim dzieciom. Może więc dziadek przypomni sobie coś z tamtych opowieści? Zresztą pamięta też swojego dziadka, który był przyjacielem oskarżonego.

– Świetny pomysł. – Tadeusz zatarł ręce. – Wprawdzie przyjechałem tu głównie wypoczynkowo, a przy okazji poszukać materiałów ma temat wierzeń celtyckich, ale takiej smakowitej tajemnicy nie odpuszczę.

– Macie już jakiś plan, co chcecie tu zwiedzać? – Roger uśmiechnął się na wzmiankę o „smakowitej tajemnicy".

– Tajemnicze miejsca, straszne ruiny, duchy i inne niesamowitości, to Lucyna. – Tadeusz uchylił się ze śmiechem przede mną. – A ja muszę wziąć udział w obchodach Bloomsday i ruszyć śladami Leopolda Blooma. Szykuję się na to wydarzenie już od kilku lat i żadna siła nie jest w stanie mnie przed tym powstrzymać.

– Czyli też będziesz śledził duchy przeszłości. W dodatku fikcyjne – zauważyłam.

– Joyce nie był postacią fikcyjną, moja droga.

– Ale Leopold Bloom tak.

– Czytałeś „Ulissesa"? – zainteresował się nagle Roger. – Całego?

– Jasne. Ty też?

Po chwili panowie przestali zwracać na nas uwagę, usiedli razem w kąciku i zaczęli przerzucać się ulubionymi cytatami z książki. Co chwilę wybuchali śmiechem.

– Czytałaś? – spytała Marta przyciszonym głosem.

– Bo ja nie dałam rady. Ale próbowałam.

– Też próbowałam, lecz dla mnie „Ulisses" chyba za mądry. Tadeusz, który nie mógł się z tym faktem pogodzić, podsuwał mi co ciekawsze fragmenty.

– To jest cudne! – wykrzyknął nagle Tadeusz. – Musisz mnie tego nauczyć! Kochanie – spojrzał na mnie rozgorączkowany – to nasz ulubiony fragment, posłuchaj. Zacytuj, Roger, zacytuj jeszcze raz! A ja ci powiem, jak to brzmi po polsku.

Zadowolony Irlandczyk zaczął melodyjnym głosem:

– *And there was a vat of silver that was moved by craft to open in the which lay strange fishes withouten heads...*

Zrobił efektowną przerwę i spojrzał na Tadeusza, który natychmiast przejął pałeczkę:

– „A było w miejscu onym puzdro srebrne, sztuką otworzyć się dające, a w nim ryby przedziwne spoczywały, głów niemające"...

– ...„chocia niedowiarkowie rzeką, iże rzecz ta być nie może, póki nie ujrzą, iże prawdziwie jest im na przekór"... – popisałam się i ja.

– Ładnie brzmi, ale co w tym takiego śmiesznego? – Marta zrobiła zdziwioną minę.

– To, że w ten wymyślny sposób Joyce opisuje zwykłą puszkę sardynek w oleju – wyjaśniłam.

– Tak konserwę mógł opisać archaicznym językiem człowiek, który nigdy jej przedtem nie widział na oczy.

– A Maciej Słomczyński genialnie to przetłumaczył – dodał Tadeusz.

– Mówiłaś, że nie czytałaś „Ulissesa". – Marta spojrzała na mnie z wyrzutem. – A tu, proszę, cytujesz z pamięci...

– Bo tylko ten fragment znam i byłam z niego wiele razy przepytywana.

Roger się uśmiechnął.

– Mam pomysł. Jeśli chcecie zajrzeć do pubu, w którym na pewno był kiedyś Joyce, możemy się tam wybrać choćby zaraz.

– Przecież do Dublina co najmniej godzina drogi stąd – zdziwił się Tadeusz. – Za późno już.

– A kto tu mówi o Dublinie? Mam na myśli pobliski pub, właścicielem jest mój dobry znajomy, ten właśnie, o którym dziś rozmawialiśmy. Potomek straconego w dziewiętnastym wieku chłopaka.

– Joyce tutaj?

– A jednak. Wprawdzie żadna z jego biografii o tym nie wspomina, ale był tu kiedyś i podobno zostawił nawet swój autograf.

– Nie wierzę. – Mina Tadeusza świadczyła jednak o czymś zupełnie przeciwnym. – No to na co czekamy? Zbierajmy się tam czym prędzej.

Zerwał się z fotela i ruszył po kurtkę. Wprawdzie był już czerwiec, ale w Irlandii lato wyglądało zupełnie inaczej niż u nas. Wiejący niemal bez przerwy wiatr sprawiał, że mimo prawie osiemnastu stopni Celsjusza było nam po prostu zimno. Marta i Małgosia zdążyły się już do takich warunków przyzwyczaić, ale przyznały, że z początku im też doskwierał chłód. Teraz, kiedy przyjadą latem do Polski, jest im za gorąco. „Zupełnie jakbym się wybrała do ciepłych krajów", mawiała ze śmiechem Marta.

– Być w Irlandii i nie wychylić kufelka guinnessa? – Tadeusz stał już przy drzwiach i przebierał niecierpliwie nogami w miejscu. – A wiecie, że Joyce z początku pił tylko białe wino, bo pozował na paryżanina? Potem przerzucił się na guinnessa, mówiąc, że to czarne winko. A że miał słabą głowę, to szybko się upijał.

– Tak – podchwycił po chwili Roger. – Podobno musieli go wyprowadzać z pubu.

– A słyszałeś, jak kiedyś wychodzili pijani razem z Hemingwayem i napadli na nich chuligani?

– Tego nie znam.

– Zaczął podobno krzyczeć: „Bij ich, Hemingway, bij ich!", bo sam był zbyt pijany i za słaby, a Hemingway trenował boks.

– Słaby, ale silnego i walecznego ducha. Cały on.

W końcu wszyscy już byli gotowi do wyjścia. Małgosia, która musiała wstawać rano do pracy i nie mogła pić, zobowiązała się służyć nam za kierowcę.

Irlandzkie puby mają swój niepowtarzalny klimat. Może sprawia to dający przyjemne ciepło kominek z palącymi się na nim grubymi kłodami drzewa, może specjalny wystrój, przyćmione światło, nie wiem. Ten, do którego przyjechaliśmy, prowadzony był, jak się dowiedzieliśmy wcześniej od Rogera, przez byłego sportowca, zawodnika tradycyjnego irlandzkiego sportu, hurlingu, gry, w której używane są kije z drzewa jesionowego i mała skórzana piłka. Całe ściany tego pomieszczenia obwieszone były gęsto zdjęciami drużyn, poszczególnych zawodników i oprawionych w ramki pożółkłych stron gazet obwieszczających dużymi czcionkami ich zwycięstwa. Na jednym ze zdjęć kapitan drużyny podnosił z dumą do góry ogromny puchar.

Za punktowo oświetlonym barem, wśród całej masy butelek, kufli, szklanek i wiszących nad nim kieliszków stał sam właściciel, starsza wersja zwycięskiego kapitana ze zdjęcia z pucharem. Rzucił ścierkę, którą wycierał blat, i wybiegł na powitanie Rogera. Po obowiązkowym poklepywaniu po plecach i wzajemnym poszturchiwaniu dokonano prezentacji i Arthur, właściciel pubu, zaprosił nas na guinnessa.

– Na koszt firmy – powiedział, wskazując nam miejsca na wysokich stołkach.

– Ale tylko pierwszą pintę – zastrzegł się Tadeusz.

– Mam zamiar wypić ich dzisiaj kilka.

Nachyliłam się do niego dyskretnie.

– Kochanie, pamiętaj o swojej słabej głowie. Z umiarem, proszę, z umiarem…

– Kobieto! Mam zachować umiar w pubie, w którym bywał James Joyce? Żartujesz chyba. Raz się żyje! A, właśnie – powiedział już głośniej do właściciela. – Czy to prawda z tym Joyce'em? Podobno jest tu też gdzieś jego autograf?

– Tak, Joyce podczas swojej ostatniej wizyty w Dublinie w 1912 roku przyjechał też do New Ross i wstąpił tu na piwo. Ten pub prowadził jeszcze wtedy mój dziadek.

– A autograf? Gdzie go macie?

– Hm… Joyce miał coś napisać, nawet przymierzał się, cytował kawałek ze swojej ulubionej irlandzkiej pieśni, ale w końcu tak się upił, że nic z tego nie wyszło…

Tadeusz spojrzał na niego podejrzliwie.

– Słowo daję! – Gospodarz odebrał to jako niemy wyrzut. – To prawda. Dziadek i ojciec często o tym opowiadali. Ze szczegółami, więc nie mam powodów, żeby im nie wierzyć.

– No dobrze. To chociaż proszę mi powiedzieć, gdzie wtedy siedział. Bo o tym też przecież musieli opowiadać?

– Jasne. Siedział dokładnie na tym samym stołku, na którym teraz pan siedzi.

Tadeusz zerwał się jak oparzony i natychmiast ostrożnie poprawił rozkołysany podczas tego gwałtownego ruchu hoker.

– Spokojnie! – Właściciel się zaśmiał. – To tylko replika. Oryginał mamy na zapleczu w specjalnej gablocie.

– Taaak… pewnie z kuloodpornego szkła…

Ogólny śmiech rozładował napięcie, które zaczęło w nas narastać na widok naburmuszonego Tadeusza.

On sam też w końcu się rozluźnił i przyłączył do zabawy.

– Kawalarz z ciebie, kolego. – Pogroził palcem rozbawionemu właścicielowi pubu. – Kawalarz. Ale lubię takich.

– Ja też. Dlatego dla ciebie guinness dzisiaj jest gratis. Od Jamesa Joyce'a.

Jeśli ktoś myśli, że nalanie guinnessa do wysokiej szklanki o pojemności jednej pinty trwa tyle, co nalanie naszego piwa w barze, jest w błędzie. To cały rytuał, któremu przyglądaliśmy się teraz zafascynowani.

Na początek barman, lejąc ostrożnie po szkle, wypełnia szklankę w trzech czwartych jej objętości i czeka, aż piwo wypracuje swoje. Białe bąbelki przypominające jedwabną zasłonę wewnątrz kufla opadają wtedy na dół. Zajmuje to zwykle około pięciu minut. Po tym czasie dolewa się resztę piwa, ale już na sam środek płynu, aby uzyskać *guinness head*, czyli sztywną białą piankę o wysokości niecałych dwóch palców. Ale to jeszcze nie koniec, piwo musi dalej pracować przez około trzy minuty. Dopiero kiedy napój uzyska prawie czarną barwę, a pianka stanie się sztywna i kremowa, można się nim delektować.

Pierwszy łyk jest gorzki i wcale mi nie smakował, dopiero po paru następnych doceniłam niezwykły smak tego piwa. Marta zaproponowała mi lżejszą i słodszą wersję guinnessa z zagęszczonym sokiem z czarnej porzeczki. Nie powiem, dobre to było nadzwyczajnie. Następne kolejki zamawialiśmy z pewnym wyprzedzeniem, biorąc pod uwagę czas potrzebny na ich przygotowanie.

Sztywna pianka utrzymywała się aż do ostatniego łyka. Zrobiłam test i narysowałam na niej palcem uśmiechniętą buźkę. Ostatni łyk piwa zniknął z dna szklanki, ale buźka została nienaruszona.

W pubie nie było dużego ruchu, tylko my i paru stałych bywalców, którzy oglądali na ekranie wielkiego telewizora wyścigi konne, kolejny, jak się wydaje, sport narodowy Irlandczyków. Zapisywali coś przy tym w swoich notatnikach, porównywali wyniki z wynikami wcześniejszych gonitw, szeleścili gazetami. I pili guinnessa.

Mogliśmy więc spokojnie rozmawiać. Arthur okazał się niezwykłym gawędziarzem. Był dużo starszy od Rogera, ale połączyła ich miłość do sportu, był też przez jakiś czas jego trenerem.

– A co z tą zamordowaną dziewczyną z dziewiętnastego wieku? – spytałam, kiedy temat Joyce'a wydawał się już wyczerpany. – Podobno wie pan coś więcej na ten temat?

– Niewiele więcej niż teraz Roger, bo opowiedziałem mu chyba wszystko, co sam wiem. Chłopak, którego osądzono i skazano za jej śmierć, był moim dalekim przodkiem.

Rzeczywiście, nie dowiedzieliśmy się dużo, ale Arthur obiecał poszukać jeszcze w starych dokumentach dziadka, w nadziei że znajdzie tam coś ciekawego. Cieszył się, że ktoś znów zainteresował się tą zapomnianą od lat historią.

– Oboje z Lucyną lubimy takie niewyjaśnione tajemnice – rzekł mu Tadeusz. – I zawsze staramy się jakąś znaleźć podczas naszych wyjazdów, bo w końcu ile można zwiedzać? A my potrzebujemy adrenaliny, zwykłe wyjazdy bez dreszczyku emocji nas śmiertelnie nudzą. Takie zostawiamy sobie na stare lata – dodał, mrużąc porozumiewawczo oko.

– Ciekawe, kto ją zamordował – zastanawiałyśmy się tymczasem z Martą. – Ktoś musiał, bo dziewczyny nigdy nie odnaleziono.

Nagle zaalarmował mnie szklany wzrok Tadeusza. Zajęta opowieściami Arthura przestałam liczyć pinty guinnessa, które wypił mój miły. Uśmiechał się teraz błogo, z trudem utrzymując równowagę na wysokim stołku.

– To Joyce... – Czknął głośno i z przesadną ostrożnością odstawił pusty kufel na kontuar. – To Jo... Joyce ją zabił!

Gwałtowna czkawka i głośny śmiech zdmuchnęły go w jednej chwili z niewygodnego siedziska. Zdążyłam kątem oka zarejestrować rozpaczliwe wymachiwanie rękami, wyraz zaskoczenia na twarzy i już nic nie zasłaniało mi widoku na rząd błyszczących butelek stojących na półkach baru.

– To on, mówię wam – upierał się nadal pod naszymi nogami, zanim zerwaliśmy się, żeby go podnieść.

– Nie! – Usiłował odsunąć nas nieporadnym gestem. – Ja sam!

Z trudem postawiliśmy go na nogi, ponieważ kolejne ataki śmiechu sprawiały, że stawał się zupełnie bezwładny.

– Wracamy do domu, kochanie – zdecydowałam. Miałam lekki szmerek w głowie i poczułam się już zmęczona. Wiedziałam, że czeka nas ciężki dzień z syndromem *day after*. Zwłaszcza Tadeusza, który miał słabą głowę i w związku z tym raczej rzadko pił alkohol.

– Dobrze – zgodził się natychmiast i ruszył chwiejnym krokiem przed siebie. Po dwóch krokach zatrzymał się nagle. – Za stromo – stwierdził. – Sam nie podejdę, musicie mnie asekurować.

Chwyciliśmy go pod ramiona i razem ruszyliśmy do wyjścia.

– Co to za pomysły, żeby wyjście z knajpy robić tak wysoko – mamrotał niezadowolony. – Co kraj, to obyczaj, słowo daję...

Pożegnaliśmy się z gościnnym gospodarzem i wyszliśmy na parking przed pub. Nasz samochód stał tam jako jeden z ostatnich. W domach dookoła pogaszone już były wszystkie światła.

– Joysieee...! – Tadeusz zaczął nagle śpiewać na jakąś irlandzką melodię. – Joysieee... dlaczeeego ją zabiiiłeeeś?!

Z dużym trudem udało mi się lubego rozebrać i położyć go do łóżka. Chęć do śpiewu już mu przeszła, teraz prosił, żeby go zdjąć z tej pieprzonej karuzeli. W końcu uspokoił się i zaczął dla odmiany chrapać, a ja przewracałam się z boku na bok, nie mogąc usnąć.

Z pobliskich stajni dochodziły codzienne, zwykłe odgłosy. Gdzieś zabrzęczał łańcuch, koń zastukał w drewniane przepierzenie, zaszeleściło siano. Nad domem przeleciał nocny ptak, z pobliskich pastwisk napływał zapach skoszonej trawy. Wiatr niósł inny, obcy głos, brzmiący jak wycie w kominie, jak świst powietrza w szczelinie drzwi. Nieludzko.

Ratunku... Czy ktoś mnie słyszy?... Pomóżcie mi! Przecież jestem tak blisko...

4

Miałam bardzo dziwny sen. Słyszałam w nim wołanie o pomoc, żałosne zawodzenia i słowa, które jednak umknęły mi zaraz po przebudzeniu. Czułam, że było to coś bardzo ważnego, ale zupełnie sobie nie mogłam przypomnieć. Tyle że młoda dziewczyna pokazywała mi jakiś krzyż.

Rano przy śniadaniu Marta nie była zaskoczona.

– Kiedy tu zamieszkałyśmy, na początku ja również słyszałam jakieś głosy. Wydawało mi się, że to płacz kobiety albo dziecka. Miejscowi mi tłumaczyli, że to pewnie banshee znów się odezwała, ale... sama rozumiesz. To irlandzka legenda, nie nasza. Zresztą nie wierzę w takie rzeczy.

– I co się w końcu okazało? – spytałam zaciekawiona.

– Że to był po prostu wiatr. – Uśmiechnęła się. – W stajniach jest mnóstwo szpar, a tuż obok na cmentarzu sterczące nagrobki i ruiny kaplicy, czyli mnóstwo miejsc, gdzie wiatr może swobodnie hulać, wyć i świszczeć, wydając przy tym niesamowite odgłosy.

– Może to i racja – przyznałam niechętnie. – Ale dałabym sobie głowę uciąć, że słyszałam wyraźnie jakieś słowa.

– A gdzie Tadeusz? – zainteresowała się nagle Marta. – Nie zejdzie na śniadanie?

– Dogorywa po wczorajszej wizycie w pubie. Krzywi się za każdym szelestem i prosi, żeby mu dać spokojnie umrzeć. W ciszy, co najważniejsze, bo każdy dźwięk go boli.

– Oj, to rzeczywiście niedobrze. Dajmy mu czas, niech jeszcze pośpi. Do popołudnia powinno mu przejść.

Marta zajęła się kuchnią, a ja skuliłam się z książką na fotelu i okryłam kocem. Też odczuwałam skutki degustowania guinnessa z poprzedniego wieczoru. Po chwili usnęłam, obudził mnie tylko na chwilę stuk spadającej na podłogę książki. Jak przez mgłę zauważyłam podchodzącą cicho przyjaciółkę i poprawiającą na mnie zsuwający się koc.

– W życiu nie zgadniecie, moi drodzy, co mi się dzisiaj śniło! – Władysław, którego pasierb przywiózł do nas po południu, aż kipiał z emocji. – Jane! Ta zaginiona dziewczyna!

– Masz ci los, następny... – mruknął pod nosem Tadeusz, który zjawił się w końcu na dole z niezdrowym zielonym odcieniem twarzy. – Tylko błagam, nie krzycz tak. I nie tup! – Wyciągnął przed siebie rękę obronnym gestem.

Władysław spojrzał na niego zaskoczony. Po chwili uśmiechnął się ze zrozumieniem, powstrzymał się jednak od komentarzy. Był szczęśliwy, że żona pozwoliła mu przyjechać do nas samemu, i zachowywał się jak mały chłopiec, któremu pozwolono po raz pierwszy wyjechać na kolonie letnie.

– Niech zgadnę. – Marta rzuciła nam rozbawione spojrzenie. – Pewnie słyszał pan jakieś głosy?

– Nie... – Władysław spojrzał na nią zaskoczony. – A powinienem? Śniła mi się po prostu.

– Niemożliwe! – nie wytrzymałam. – Tobie też?

– Jak to, mnie też? To do kogoś jeszcze przyszła we śnie tej nocy?

Opowiedziałam przyjacielowi swój sen, a raczej to, co z niego zapamiętałam. Władysław kręcił się po salonie jak lew po klatce. Robił to zawsze wtedy, gdy był czymś podniecony, poza tym, jak twierdził, w ten sposób najlepiej mu się myślało.

– I pokazywała jakiś krzyż? – Zatrzymał się nagle w pół kroku. – Mnie tam niczego nie pokazywała – zabrzmiało to jak pretensja. – No cóż... – Wzruszył ramionami. – Czasami i zwykli ludzie mogą miewać prorocze sny. Chociaż zdarza się to bardzo rzadko – zaznaczył szybko. – Ale, oczywiście, nie możemy tego wykluczyć. Ciekawe, co ten krzyż może oznaczać?

W normalnych warunkach Tadeusz dopowiedziałby pewnie coś złośliwego, lecz tym razem tylko westchnął boleśnie.

– Wiem, wiem. Krzyż może oczywiście oznaczać miejsce, gdzie znajdują się zwłoki dziewczyny.

– Władysław pocierał czoło, nie zwracając uwagi na otoczenie, jak zwykle gdy pochłonięty był jakąś myślą.

– To jasne. – Tadeusz już nie mógł się powstrzymać. Zrobił swoją przemądrzałą minę. Jedną z tych, których nie lubię. – Dziewczyna zniknęła ponad sto lat temu. Cokolwiek się z nią stało, teraz już na pewno nie żyje. Czyli została pochowana. Gdzie? Z całym prawdopodobieństwem na cmentarzu, stąd krzyż. Zgaduję, że celtycki? Taki z wianuszkiem wokół ramion? – Zakręcił ręką młynka w powietrzu, pokazując, o jaki kształt mu chodzi.

Wyczerpany tym wywodem sięgnął po szklankę z jakimś tajemniczym naparem przygotowanym przez Martę i upił spory łyk. Skrzywił się z obrzydzeniem, ale najwyraźniej dochodził już do siebie.

– Tak – potwierdziłam. – Krzyż był celtycki. Z wianuszkiem, jak byłeś uprzejmy go nazwać. Ale… – zawiesiłam znacząco głos.

– Ale…? – Dwie pary oczu zawisły na moich ustach.

Przez chwilę delektowałam się sytuacją. Co tu dużo gadać, lubię być w centrum zainteresowania.

– Ale krzyż w moim śnie nie miał prawego ramienia i w związku z tym brak było z tej strony części okręgu. Na każdym cmentarzu są takie? – to sarkastyczne pytanie skierowane było do Tadeusza.

– No… – Mój miły jakby stracił rezon. – No, może niekoniecznie… To znaczy, że musielibyśmy szukać grobu z takim właśnie uszkodzonym krzyżem. Ale na starych, zniszczonych cmentarzach może ich być sporo – nie dawał za wygraną.

– A może nie mamy szukać grobu, tylko miejsca, gdzie będzie taki właśnie krzyż? – Do domu niepostrzeżenie weszła Małgosia w towarzystwie Rogera. Przyjechali pod dom niemal równocześnie. – Przecież krzyże były również na murach świątyń, na rozstajnych drogach. – Zmarszczyła nagle czoło. – Mam wrażenie, że gdzieś już taki widziałam.

– Naprawdę? – zapytaliśmy niemal jednocześnie. – Gdzie?

– Nie pamiętam, ale gdzieś był. Jest charakterystyczny przez ten brak prawego ramienia i uszkodzony okrąg... Tylko gdzie?

Wszyscy, nawet Tadeusz, spojrzeli na mnie z uznaniem. Wyglądało na to, że taki krzyż naprawdę gdzieś istnieje. A pod nim ciało Jane. Teraz trzeba było znaleźć to miejsce, choćby po to, by udowodnić, że kobieta o takim imieniu została tam pochowana. I sprawdzić kiedy. Czy wtedy, gdy zaginęła, czy wiele lat później.

– Jeśli to okaże się prawdą, nikt mi nie uwierzy. – Roger pocierał swoją gęstą czuprynę, aż na czubku głowy zrobił mu się zabawny wicherek. – Nikt nie uwierzy, że wyśniłaś miejsce pochówku Jane...

– Hola, hola! Jeszcze nic nie wiadomo – powstrzymałam jego zapał. – Ale to może być dobry trop.

– No właśnie – dodał szybko Władysław. – Nie wyciągajmy pochopnych wniosków, to w końcu tylko sen. I w dodatku osoby, która... wybacz mi te słowa, moja droga – skłonił się przede mną z zakłopotanym uśmiechem – która... przy całym moim dla niej szacunku... no, tego... że tak powiem... – Wreszcie odważył się wyartykułować: – Nie ma żadnych zdolności paranormalnych!

– Gdzie ja widziałam taki krzyż? – zastanawiała się tymczasem na głos Małgosia, marszcząc przy tym śmiesznie nos. – Gdzie ja go widziałam…?

Usiedliśmy do obiadu, na który Marta jeszcze wczoraj zaprosiła przez telefon Władysława i Rogera. Uznała, że skoro wszyscy interesujemy się sprawą zniknięcia Jane i oczyszczenia z zarzutów Patricka, powinniśmy się spotykać jak najczęściej. Przy wspólnym posiłku dobrze było wymieniać obserwacje. Wprawdzie Tadeusz ograniczył się tym razem tylko do wypicia gorącego bulionu, ale znikła już niezdrowa zieleń z jego twarzy i wyraźnie wracał mu dobry humor.

– Mówisz zatem, moja droga, że ta dziewczyna coś krzyczała? – Władysław nachylił się w moim kierunku. Wyraźnie miał żal do losu, że nie jemu przyśnił się tak sugestywny sen, ale ciekawość przeważyła. Reszta towarzystwa omawiała plany najbliższej wycieczki do Adare w hrabstwie Limerick. Tajemnica tajemnicą, ale chcieliśmy też wykorzystać pobyt w Irlandii na zwiedzanie, a tam znajdował się całkiem interesujący i zamieszkany do tej pory zamek. Władysław nie był pewien, czy żona zgodzi się na ten wyjazd, więc bardziej był teraz zainteresowany wyjaśnieniem zagadki Jane.

– Tak – odparłam. – Krzyczała, ale nie pamiętam słów.

– Pewnie wołała o pomoc. – Wzruszył ramionami. – To normalne przy zaginionych.

– Na pewno, ale coś jeszcze mówiła. Wiem, że to było coś ważnego, ale nie mogę sobie przypomnieć.

– Może gdzie jest? – podpowiedział.

– Może… – zgodziłam się. – Mam wrażenie, że właśnie to usiłowała mi przekazać.

– Przyniosłem kopie dokumentów, o których wam wspominałem – powiedział Roger, kiedy po obiedzie przenieśliśmy się na wygodną kanapę. – W archiwum pozwolono mi zrobić odbitki ksero. – Rozłożył papiery na niskim stoliku.

Poczułam przyjemny dreszcz, jak zawsze wtedy, gdy stałam w obliczu jakiejś tajemnicy. Roger miał niski, przyjemny głos i delikatne dłonie z długimi palcami. Aż miałam ochotę go spytać, czy gra na jakimś instrumencie, ale nie chciałam zmieniać tematu. Byłam ogromnie ciekawa tych dokumentów.

Podniósł jedną z kartek.

– Tutaj mam zeznanie Mary Steward, kucharki. Twierdzi ona, że tego dnia… – Zaszeleścił kartką. – To było… Już mam, to było piętnastego sierpnia 1896 roku. Czyli piętnastego sierpnia 1896 roku widziała, jak młody Patrick Murphy poszedł za Jane O'Brien do stajni, gdzie zaprowadziła konia po przejażdżce.

Wszyscy jak jeden mąż nachyliliśmy się w kierunku Rogera, żeby nie uronić ani słowa. Na kominku strzeliło polano i sypnęło wokół iskrami.

– Co jeszcze mówiła? – Tadeusz poruszył się niespokojnie w fotelu.

– Usłyszała stamtąd głośną kłótnię. – Roger przebiegł oczami tekst, chociaż znał już te zeznania. Starał się jednak przekazać je nam jak najdokładniej. – Patrick groził, że zabije i ją, i siebie, jeśli dziewczyna go nie zechce.

Władysław szarpał mnie niecierpliwie za rękaw, żebym szybciej tłumaczyła. Roger czytał dalej.

– Następnie zobaczyła, jak dziewczyna wybiega w popłochu ze stajni, a Patrick Murphy tuż za nią.

– I co było dalej? – spytaliśmy chórem.

– Nic. Kucharka podobno wróciła do swoich obowiązków i zapomniała o całej historii, aż do momentu gdy się okazało, że Jane nie wróciła na noc do domu. Wtedy opowiedziała wszystko rodzicom dziewczyny, a oni się postarali, aby chłopaka zaaresztowano. Dalej wszystko potoczyło się wiadomym torem. Patrick nie przyznawał się do morderstwa, ale zeznania kucharki bardzo go obciążały. Zresztą wszyscy wiedzieli o jego skłonności do Jane. A że nie miał nic na obronę, a w końcu załamał się w więzieniu, osądzono go i skazano na śmierć. I to już cała historia.

– A reszta dokumentów? – spytałam, wskazując plik kartek na stoliku.

– To są protokoły z przesłuchań. – Roger wziął do ręki następną. – Posłuchajcie tylko:

Sędzia: „Czy zabiłeś Jane O'Brien?".

Murphy: „Klnę się na Boga, że nie".

Sędzia: „Słyszano, że groziłeś dziewczynie śmiercią, i widziano, jak wybiegłeś za nią ze stajni".

Murphy: „Pokłóciliśmy się, to prawda, ale jej nie groziłem. Uderzyła mnie w twarz, bo chciałem ją...".

Sędzia: „Chciałeś ją pozbawić czci?!".

Murphy: „Boże, nie! Przysięgam! Poprosiłem, żeby za mnie wyszła. Mam spory majątek, mógłbym ją uczynić prawdziwą panią. Chciałem ją tylko pocałować, ale może myślała, że co innego".

Sędzia: „Prosiłeś ją o rękę? I co, zgodziła się?".

Tutaj krótki dopisek protokolanta: „Oskarżony machnął ręką".

Murphy: „Gdzie tam! Wyśmiała mnie. Powiedziała, że wyjdzie za mąż tylko z miłości. A mnie nie kocha i nigdy nie pokocha".

Sędzia: „Dlatego ją zabiłeś?".

Murphy: „Nie zabiłem!".

Sędzia: „Ale groziłeś, że ją zabijesz".

Murphy: „Nie! Chociaż... chyba tak, powiedziałem coś takiego w złości. I że sam się też zabiję. Ale przecież tak się tylko mówi...".

Roger odłożył kartkę na stolik. Przez chwilę panowało milczenie.

– No dobrze – pierwszy przerwał je Tadeusz. – To dlaczego w końcu skazano go na śmierć? Nie rozumiem. Tylko na podstawie poszlak? A co z ciałem?

– Znaleziono jakieś zmasakrowane zwłoki kobiety, których jednak nikt nie był w stanie rozpoznać, i pokazano mu je, a chłopak się załamał. Z dalszych dokumentów wynika, że zastosowano wobec niego „specjalne metody", czyli głodówkę i ciemnicę. Zamknął się w sobie i tylko kiwał ponuro głową w odpowiedzi na każde pytanie, a sędzia pewnie wziął to za przyznanie się do winy. Może Patrick czuł się winny jej zaginięcia. – Roger wzruszył ramionami. – W końcu pokłócił się z nią przecież, zagroził, że prędzej ją zabije, niż pozwoli związać z innym. – Podniósł kolejną kartkę. – Ale znalazłem też coś, co najwyraźniej uszło uwagi sędziego albo zlekceważono to celowo, żeby nie wprowadzać zamieszania.

– Tak? – Wszyscy jak jeden mąż spojrzeliśmy na młodego historyka.

– Jest tu jeszcze inne zeznanie, świadczące o tym, że kucharka mogła oskarżyć Patricka z zemsty. Okazuje się, że się w nim kochała.

– Trzeba ją natychmiast przepytać na nowo! – Władysław zawrzał świętym oburzeniem i aż wstał z fotela. – Przecież to ważny trop! Hm... – zorientował się szybko. – To znaczy, chodzi mi o to, że powinni byli to sprawdzić. Przecież wiem, że ona już dawno nie żyje. – Usiadł z powrotem w fotelu i zaczął strzepywać niewidoczny pyłek ze swoich spodni. – Ale mógłbym zorganizować seans spirytystyczny i wtedy przesłuchalibyśmy ją bezpośrednio – dodał pewnym głosem.

Zapanowała pełna konsternacji cisza.

– Hm... tak. Czyje to były zeznania? – spytał Tadeusz jakby nigdy nic, biorąc kartkę od Rogera.

– Chłopaka od koni, niejakiego Jamesa – odpowiedział Roger. – Proszę, oto jego zeznanie:

James: *„Wszędzie za nim chodziła, panie sędzio".*
Sędzia: *„Ona, to znaczy kto?".*
James: *„No, ta Mary, kucharka. Przecie mówię. Wszyscy o tym wiedzieli, ale on wolał Jane, córkę gospodarzy, a z tamtej się tylko śmiał. I ona powiedziała, że mu nie daruje. To po mojemu zemściła się i tyle".*

Sędzia: „To jest poważne oskarżenie. Powtórzysz to przy niej?".

James: „Mogę powtórzyć, wiem, co mówię. Tego dnia Mary od rana nie było w ogóle w gospodarstwie. Odwiedzała chorą matkę i wróciła dopiero wieczorem. Wtedy już wszyscy szukali panny Jane".

Sędzia: „To skąd wiedziała, że się pokłócili?".

James: „Sam jej o tym opowiedziałem. Inni pewnie też".

Sędzia: „A widziałeś, jak za nią pobiegł?".

James: „Nie. Ja tylko słyszałem kłótnię. Mieliśmy tego dnia problem z koniem. Miał kolkę i musiałem go przez cały czas prowadzać w kółko po podwórzu za stajnią, żeby się nie położył".

– I tyle – rzekł Roger, zbierając kartki w jeden plik. – Nic więcej na ten temat nie znalazłem.

– Wygląda więc na to, że dziewczyny w ogóle nie przesłuchano drugi raz. Skoro skazano go w końcu na śmierć, to znaczy, że nie wzięto pod uwagę zeznań stajennego. – Tadeusz odebrał od niego kartki i jeszcze raz sam rzucił na nie okiem. Chwilę później odłożył je z westchnieniem.

– Dobrze przejrzałeś dokumenty? – starałam się ukryć zawód w głosie. – Może coś się jeszcze zawieruszyło? Przecież powinno być jeszcze coś takiego jak sentencja wyroku czy protokół z egzekucji.

Roger rozłożył ramiona bezradnym gestem.

– To wszystko, co się zachowało do dzisiaj. Podobno więzienie paliło się w zeszłym stuleciu i większość dokumentów spłonęła. Tylko niewielką ich część zdołał uratować jeden z pracowników, który pilnował budynku nocą.

– Więc skąd twoje przypuszczenie, że Patrick był niewinny? Jedno niepotwierdzone zeznanie stajennego to chyba zbyt słaby dowód… – Tadeusz poklepał się po kieszeniach w poszukiwaniu papierosów. – Przepraszam, ale muszę zapalić. Lepiej mi się wtedy myśli. Ktoś idzie ze mną?

– Zaraz wyjdziemy razem, poczekaj chwilę – powiedziała Małgosia. – Ja też muszę puścić dymka. Ale dokończmy temat. Znajomy Rogera, ten z pubu, twierdzi, że rodzina od zawsze była przekonana o niewinności Patricka.

– To prawda – przytaknął Roger. – Ale, niestety, to tylko przekonanie, żaden dowód. W końcu każdej rodzinie trudno jest się pogodzić z myślą, że ich krewny mógłby być mordercą. Idźcie teraz spokojnie zapalić. Sam kiedyś paliłem i wiem, jak trudno się skupić, kiedy się ma ochotę na papierosa. Człowiek myśli tylko o jednym.

– Ja nie palę. – Władysław wstał z fotela i przeciągnął się z trzaskiem stawów. – Ale chętnie wyjdę rozprostować kości.

Małgosia i Tadeusz wyszli na podwórko, przez szerokie oszklone drzwi widzieliśmy, jak rozmawiają, wymachując zapalonymi papierosami w ręku. Najwyraźniej dyskutowali na temat usłyszanych przed chwilą rewelacji. Tymczasem Władysław z mocno zaaferowaną miną przechadzał się w pobliżu stajni.

– Czego on tam wypatruje? – Marta ruchem brody wskazała na okno.

Przysunęłam się bliżej szyby i zauważyłam charakterystyczny ruch dłoni.

– Sprawdza coś wahadełkiem. – Zaśmiałam się.

– Już od dłuższego czasu zauważyłam, że kręci się niespokojnie i maca po wewnętrznej kieszeni marynarki, jak Tadeusz za papierosem. Pewnie szuka ciała Jane.

Miałam rację. Władysław wrócił lekko zbity z tropu. Poszukiwania najwyraźniej się nie powiodły.

– Usiłowałem sprawdzić, czy ciało Jane znajduje się na terenie tej posesji – powiedział, chowając bulwiaste wahadełko do woreczka z miękkiej irchy.

– To ono może też wskazać miejsce pochowania zwłok? – zdziwił się Roger, kiedy przetłumaczyliśmy mu słowa Władysława.

– Oczywiście! – Starszy pan aż się żachnął na taką ignorancję młodego Irlandczyka. – Wystarczy tylko zadać odpowiednie pytanie i wahadełko da odpowiedź na niemal wszystko.

– A jakie pytanie pan zadał? – chciał wiedzieć Roger.

– Jak to jakie? Czy są tu zwłoki, oczywiście.

– I...?

– No cóż... – Władysław zmieszał się lekko. – Odpowiedzi były niejasne, muszę je dopiero zinterpretować.

– Obawiam się, że to miejsce może wprowadzić w błąd, jeśli zadał pan takie właśnie pytanie. A swoją drogą pan naprawdę w to wierzy? To znaczy: w wahadełko? – Roger wskazał palcem irchowy woreczek.

– Zawsze uważałem to za zwykłe zawracanie głowy.

– Nagle zdał sobie sprawę z nietaktu i spojrzał na nas spłoszony.

Na wszelki wypadek nie przetłumaczyliśmy całej tej wypowiedzi Władysławowi.

– Co miałeś na myśli, mówiąc, że to miejsce może wprowadzać w błąd? – Małgosia weszła do salonu, wnosząc za sobą zapach dymu papierosowego. Za nią wkroczył zaciekawiony Tadeusz.

– Słyszeliśmy waszą rozmowę na zewnątrz – powiedział, siadając w fotelu.

– Chodzi o to, że wahadełko powinno się tu kręcić jak szalone – zaczął Roger, spoglądając na nas z zadowoleniem. Widać było, że lubi się popisywać swoją wiedzą historyka. – Otóż na tych właśnie ziemiach, na północ od miasta, w 1643 roku odbyła się bitwa pod New Ross.

– Czyli gdzieś tu? – Marta zatoczyła dłonią krąg, jakby pole bitwy obejmowało salon i podwórko przed domem.

– No, może nie dokładnie tutaj. – Młody człowiek pokręcił przecząco głową. – Ale z pewnością gdzieś w pobliżu. To było w trakcie irlandzkiej wojny konfederackiej. Armia angielska pod wodzą Jamesa Butlera pokonała irlandzkie oddziały dowodzone przez Thomasa Prestona. Poległo wtedy pięciuset żołnierzy irlandzkich.

– Przecież nie zostawiono ciał na polu bitwy. – Tadeusz spojrzał na niego z niedowierzaniem.

– Nie, ale z pewnością zostali gdzieś tu pogrzebani. Widzę tylko takie możliwe wytłumaczenie.

– To ma sens – przyznaliśmy wszyscy zgodnym chórkiem.

– Ale przecież… – Władysław pocierał czoło, jakby chciał zetrzeć sobie z niego skórę. – No tak! – wykrzyknął. – Ależ bałwan ze mnie!

Spojrzeliśmy na niego zdumieni. Starszy pan zerwał się z fotela i zaczął przemierzać salon szybkimi, nerwowymi krokami.

– Sam wam przed chwilą tłumaczyłem, że trzeba zadać wahadełku odpowiednie pytanie. – Popatrzył na nas, jakby chciał, żebyśmy dopowiedzieli resztę.

– Spytałeś, czy są tu zwłoki – domyśliłam się.

– Brawo! – Władysław nagrodził mnie krótkimi oklaskami. – I wahadełko wskazało mi JAKIEŚ zwłoki, prawdopodobnie stare cmentarzysko. Tymczasem powinienem był zadać konkretne pytanie. Na przykład takie: „Czy są tu zwłoki Jane O'Brien?" – Z patosem uniósł ramię w górę. – Zaraz wrócę – dodał krótko i wybiegł na zewnątrz, wyjmując po drodze wahadełko z kieszonki koszuli.

Siedzieliśmy przez chwilę w milczeniu, spoglądając niepewnie na drzwi na podwórko. Oboje z Tadeuszem byliśmy przyzwyczajeni do dziwnych zachowań naszego przyjaciela, ale reszta towarzystwa musiała się dopiero z tym oswoić. Na początku to zawsze szokuje.

– Nie ma jej tutaj – oświadczył Władysław chwilę później. – Ale dla pewności sprawdzę jeszcze jutro całą okolicę. Chciałbym też dostać mapę tego terenu.

– Może być stara mapa? – spytał Roger, który chyba najszybciej zaakceptował starszego pana. – O taką mógłbym się postarać, może nawet mam ją u siebie w domu. Te ziemie obok należały do mojej rodziny jeszcze kilka lat temu, dopóki ojciec nie sprzedał ich swojemu dalekiemu kuzynowi. Rodzice zostawili sobie tylko mały dom, w którym mieszkają teraz wraz z dziadkiem. Wychowałem się tutaj. – Uśmiechnął się do swoich wspomnień.

– Świetnie! – Władysław zatarł ręce z zadowoleniem. – Jak będę miał mapę, znajdę naszą Jane choćby pod ziemią. To znaczy… pewnie tylko tam mogę ją znaleźć – poprawił się szybko. – Jeśli nigdzie wtedy nie uciekła, rzecz jasna.

Niestety, jak to było raczej do przewidzenia, pani Michalina nie zgodziła się, by Władysław udał się z nami na wyprawę do hrabstwa Limerick. Zdążyliśmy się o tym dowiedzieć jeszcze tego samego wieczoru. Władysław zadzwonił z domu Marty, mając nadzieję, że żonie trudno będzie odmówić w takiej sytuacji. Nic bardziej mylnego. Wyglądało na to, że nabrała jeszcze większych podejrzeń, czując jakiś podstęp. Widocznie doszła do wniosku, że skoro mąż nie rozmawia z nią na ten temat w cztery oczy, tylko zasłania się naszą obecnością za plecami, to ma jakieś niecne zamiary. Żadne dalekie wycieczki, powinno mu wystarczyć, że może przyjeżdżać bez niej do Marty.

– Wiecie, mój Misiaczek jest szalenie o mnie zazdrosny – tłumaczył się później z zażenowanym uśmiechem. – A tu trzy kobiety, do tego piękne…

Pamiętałam tę „szaloną zazdrość", która o mało nie zepsuła naszej przyjaźni kilka lat wcześniej. Władysław po długim okresie wdowieństwa ożenił się niespodziewanie z poznaną w sanatorium panią Michaliną. Długo nie wiedziałam, co się z nim dzieje, i nawet martwiłam się, że starszemu panu mogło przydarzyć się coś złego. Nie był już przecież pierwszej młodości. Ani nawet nie drugiej. Tymczasem pewnego dnia zauważyłam go przypadkiem na rynku w Krakowie, w kawiarnianym ogródku. Ogromnie uradowana popędziłam w jego stronę, żeby się przywitać, a Władysław zaczął nieudolnie udawać, że mnie nie zna. Pocierał czoło, marszczył brew, stukał się pięścią w głowę, ale nijak nie mógł mnie z nikim znajomym skojarzyć. Zmartwiłam się tym bardzo. Podejrzewałam sklerozę, nawet alzheimera, aż tu nagle tego samego dnia po południu zadzwonił z przeprosinami i przyznał, że udawał tak ze względu na żonę, która „jest szalenie zazdrosna". Wymyślił nawet wzorzec naszego zachowania, gdybyśmy mieli się spotkać kiedyś przypadkiem na ulicy: Jeśli żona będzie obok, on uda, że mnie nie widzi. Jeśli natomiast mnie zauważy, będzie to znak, że żony nie ma w pobliżu i mogę się z nim przywitać.

– Tak, rozumiem to doskonale – uspokoiłam go.
– Dobrze, że chociaż nie ma nic przeciwko twoim wizytom u Marty.

– No właśnie – przyznał z westchnieniem. – Bo to byłoby już zbyt ciężkie dla mnie. Po co ja, głupi, się przyznałem, że Roger z wami nie jedzie?! – zawołał, stukając się kułakiem w głowę. – Ot, stary dureń ze mnie i tyle.

Okazało się bowiem, że Roger też nie będzie mógł z nami jechać na wycieczkę do Adare. Nadarzyła mu się sposobność spędzenia paru dni w archiwach w Dublinie, gdzie miał zbierać materiały do swojej pracy na temat wojen irlandzkich. Już dawno się o to starał, nie mógł więc tak po prostu zrezygnować. Zostawił nam adres i numer telefonu, żebyśmy sami mogli się umówić na rozmowę z dziadkiem. Marta zrobiła to od razu i zapowiedziała naszą wizytę na następny dzień.

– Małgosia również do Adare nie jedzie, bo nie ma urlopu. Ale nie martw się – pocieszyłam Władysława. – Nie będzie nas tylko przez jeden, góra dwa dni, a ty tymczasem możesz obmyślić plan naszych poszukiwań. Za to jutro moglibyśmy wybrać się razem do dziadka Rogera, co ty na to?

– Chętnie. A podczas waszej nieobecności sprawdzę wahadełkiem mapkę, którą da mi Roger. Może, jak już wrócicie, będę znał miejsce pochówku Jane? – rozmarzył się. – Mam przeczucie, że coś znajdę. Przywiozłem z Polski runy, więc z nich powróżę. Albo…

– Umiesz wróżyć z run? – zdziwiłam się.

– Hm… – Poprawił się niespokojnie na krześle. – Dużo czytałem na ten temat przed wyjazdem do Irlandii, więc pewnie poradzę sobie bez trudu. Najważniejsze to mieć runy przygotowane zgodnie z zasadami sztuki. Należy je zrobić nocą na leszczynowych lub w razie ich braku na innych drewienkach i pomalować znaki czerwoną farbą zamiast rytualnej krwi. Zrobiłem je jeszcze przed wyjazdem, z jabłoni. Wiesz, być tutaj i nie spróbować na miejscu zabawy z runami? Ale nawet w najśmielszych marzeniach nie przypuszczałem, że będę miał prawdziwą okazję do wypróbowania ich mocy.

– Życzę powodzenia – mruknęłam bez przekonania.

– Zaraz, co miałeś na myśli, mówiąc „albo"? Planujesz jeszcze coś innego?

Władysław popatrzył na mnie tryumfalnie.

– Oczywiście. Zapomniałaś o seansie spirytystycz-
nym, moja droga. I tu ją będziemy mieli! – Klepnął się
z całych sił w kolano, aż reszta towarzystwa spojrzała na nas zaskoczona niespodziewanym klaśnięciem.
– Znajdziemy Jane. – Starszy pan uspokoił ich gestem
dłoni. – To znaczy, ja ją znajdę – uściślił.

Kiedy układając się do snu, przypominaliśmy sobie
opowieści naszego przyjaciela o runach, Tadeusz rzekł
ze śmiechem:

– Założę się, że runy Władysława są wykonane
zgodnie z regułami sztuki. Łącznie z tą odrobiną rytualnej krwi.

– Skąd wiesz?

– Myślisz, że się przy tym nie skaleczył...?

Wiatr znów nie dał mi spać w nocy. Starałam się
ignorować odgłosy dobiegające z rur, ale trudno było nie słyszeć szeptów, świstów i zawodzenia wiatru.
Przez małe okienko sączyła się niewyraźna poświata
księżyca zasłanianego przesuwającymi się w szybkim
tempie chmurami. Na przeciwległej ścianie tworzyły
się niesamowite obrazy.

– Nie śpisz? – Przytuliłam się mocniej do pleców
Tadeusza, wciskając mu pod uda swoje kolana. – Hej,
kotku! Nie śpisz?

– Mmm... teraz już nie – mruknął rozespany. – Co
się dzieje?

– Nic. Chciałam tylko wiedzieć, czy śpisz. Nie,
to nieprawda... – wyszeptałam w jego plecy. – Przepraszam, specjalnie cię obudziłam, bo tak mi jakoś
straszno...

Odwrócił się ze stęknięciem w moją stronę.

– Gorzej jak dziecko – zaczął marudzić, głaszcząc mnie delikatnie po twarzy. – Sama wymyślasz historie o duchach, a potem się boisz. Pomyśl, że to poszukiwanie zaginionej ponad sto lat temu dziewczyny może być całkiem fajną przygodą, ale niczym więcej. Nie chcę, żebyś to przypłaciła rozstrojem nerwowym. Za bardzo się przejmujesz.

– Wiem, ale mam wrażenie, że czuję tu jej obecność. Samo to miejsce napawa mnie lękiem, zwłaszcza w nocy. Chyba rzeczywiście mam zbyt bujną wyobraźnię.

– Możesz spać spokojnie. Przegonię każdą zmorę, która będzie miała zamiar cię nękać. Moje drugie imię to Nieustraszony Pogromca Duchów.

Zachichotałam w poduszkę.

– Naprawdę? Myślałam, że na drugie masz Teodor.

– Takie widnieje w metryce – przyznał, udając śmiertelną powagę. – Na to imię natomiast musiałem sobie solidnie zapracować.

– Zadziwiasz mnie, skarbie. – Potarłam pieszczotliwie nosem o jego lekko kłujący policzek. – I nigdy chyba nie przestaniesz...

– Mam jeszcze kilka innych imion – zapewnił, przyciągając mnie mocniej do siebie. – Chcesz teraz poznać jedno z nich...?

Chciałam i muszę przyznać, że spodobało mi się to imię. Kiedy wtuliłam się później w ciepłe zagłębienie jego ciała, poczułam się zrelaksowana i bezpieczna.

Spałam mocno i bez snów. A w każdym razie żadnego z nich nie zapamiętałam.

5

Pod dom Marty podjechał samochód i zatrzymał się przed oszklonymi drzwiami. Zobaczyliśmy wysiadającego w pośpiechu Władysława.

– Witajcie, moi kochani! – zawołał już od progu, równocześnie pospiesznie żegnając swojego kierowcę. – Witajcie! Mam ze sobą runy! – Z tryumfalną miną wyjął zza pazuchy biały lniany woreczek. – Będę wróżyć.

Marta zaprosiła pasierba Władysława do środka, ale wszedł tylko na chwilę, żeby się przywitać. Jak zwykle nie miał czasu, małe dziecko absorbowało całą rodzinę. Poprosił tylko, żeby dać mu znać, kiedy ma przyjechać po teścia.

Tymczasem Władysław już porozkładał runy na stoliku.

– Tak? – zainteresowała się uprzejmie Marta. – Naprawdę sam je pan zrobił? Kiedy?

– Jeszcze przed wyjazdem do Irlandii – odparł z dumą. – Wyciąłem je z gałęzi jabłoni, bo tylko taką miałem pod ręką. Najpierw, rzecz jasna, poprosiłem drzewo o pozwolenie...

– I co, pozwoliło? – spytał podejrzanie łagodnym tonem Tadeusz, aż musiałam go kopnąć w kostkę pod stołem.

– Nie oponowało. – Władysław spojrzał na niego uważnie, ale po chwili uspokojony kontynuował swoją opowieść: – Potem podziękowałem za dar, bo tak należy, i już w domu pociąłem gałąź na dwadzieścia cztery kawałki albo plasterki, jak kto woli. Potem...

– Napije się pan czegoś? – przerwała nagle Marta.

– Nie, dziękuję, nie teraz. A więc, jak już miałem te plasterki, to wypaliłem znaki runiczne na każdym z nich.

– Czym wypaliłeś? – zainteresował się Tadeusz.

– Gwoździem rozgrzanym na palniku kuchenki gazowej. To była spora robota, bo musiałem zrobić cały futhark.

– Fu... co? – zdziwiłam się.

– Futhark, czyli alfabet runiczny. – Władysław wyjaśnił to z całą godnością i wyrozumiałością dla niewiedzy maluczkich. – A potem musiałem go naładować energią żywiołów, więc...

Wysłuchaliśmy szczegółowych opowieści o tym, jak nasz przyjaciel „ładował" runy energią ognia, powietrza i wody. I jak się skaleczył w palec przy ich wycinaniu. Udałam, że nie widzę porozumiewawczego błysku w oku Tadeusza.

– No to co, wróżymy? – Władysław spojrzał na nas zachęcająco.

– Może wieczorem? – zaproponowała Marta. – Dziś po południu wybieramy się do dziadka Rogera. Może będzie pamiętał coś ciekawego z dzieciństwa. Pan przecież też jest zaproszony.

– A, zapomniałem. – Władysław niechętnie, ale w końcu zgodził się na zmianę planów i chwilę później wyruszyliśmy na piechotę w stronę małego cmentarza, za którym widać już było pierwsze zabudowania.

Rodzinny dom Rogera, jak niemal wszystkie w tej okolicy, był z szarego kamienia. Gęste zarośla żółto kwitnącego kolcolistu stanowiły naturalny żywopłot oddzielający go od posesji sąsiada i ściany niewielkiego lasku od strony północnej.

– Witam. – Starszy, mocno łysiejący pan z twarzą pokrytą licznymi piegami uśmiechnął się życzliwie na nasz widok. – Roger dużo mi o was opowiadał.

– O! – zdziwiłam się. – Widzieliśmy się zaledwie raz albo dwa...

– Ciekawych ludzi wystarczy spotkać raz, żeby chcieć ich zaliczać do swoich przyjaciół – odparł sentencjonalnie.

Po wymianie grzeczności przeszliśmy do dużego pokoju, w którym na fotelu, z kraciastym pledem na kolanach siedział przed rozpalonym kominkiem senior rodu. Resztki siwych włosów sterczały mu na wszystkie strony, chociaż po mokrych pasmach widać było, że ktoś usiłował nad nimi zapanować. Z uszu i nozdrzy władczo wyglądającego staruszka również sterczały kępki włosów. Podeszliśmy bliżej, żeby się przywitać.

– Mama? – zdziwił się uszczęśliwiony na mój widok. – Jak mnie tu mamusia znalazła?

Stałam speszona, nie bardzo wiedząc, jak się zachować.

– Zapomniałem panią uprzedzić – szepnął mi do ucha gospodarz. – Ojciec ma czasami chwile zupełnego splątania i nie rozpoznaje ludzi. A to, że wziął panią za swoją matkę, można odczytać jako rodzaj zaszczytu, bo matka była dla niego zawsze jedyną wyrocznią i najbardziej ukochaną osobą na świecie. Nawet mojej matki, a swojej żony tak nie kochał – dodał z lekkim żalem.

Staruszek jednak zapomniał niemal natychmiast o tym i przywitał się z nami uprzejmie. Tylko przy Władysławie zawahał się i mrużąc groźnie oko, zawołał gromkim głosem:

– A ciebie, ptaszku, nie spodziewałbym się tutaj! Ale niech ci będzie. Nie wracajmy do starych spraw. – Machnął łaskawie wielką dłonią pokrytą starczymi plamami.

Przetłumaczyliśmy zdumionemu Władysławowi tylko tyle, że dziadek Rogera wziął go za kogoś znajomego i niekoniecznie lubianego.

– No proszę! – Staruszek tymczasem aż się rozkaszlał ze śmiechu. – A teraz zapomniał języka w gębie i udaje, że nie rozumie! Cóż, jak mówiłem, nie wracajmy do tego. Stare dzieje. Chociaż, Bóg mi świadkiem, chętnie bym ci przyłożył. Ale nie przy gościach. Bóg w dom i tak dalej... A więc, co was do mnie sprowadza, robaczki? – Ostentacyjnie odwrócił się plecami do Władysława.

– Chcielibyśmy się dowiedzieć, co panu opowiadał ojciec o sprawie Patricka Murphy'ego – wtrąciłam szybko, widząc wymianę niechętnych spojrzeń między starszymi panami.

– Sami go o to spytajcie. – Dziadek Rogera spokojnie poprawił pled na kolanach.

– Wolelibyśmy usłyszeć to od pana. – Uśmiechnęłam się swoim najpiękniejszym, według mojego własnego mniemania, uśmiechem.

– Nie pamiętam, to było chyba z miesiąc temu albo i dłużej... – Zamyślił się. – Tak, chyba ponad miesiąc temu. Ale mam dokumenty! – Ucieszył się nagle. – Tam wszystko jest napisane.

– Jakie dokumenty? – odezwał się milczący do tej pory Tadeusz. – Ojciec dał panu jakieś dokumenty?

– Wątpię – mruknął ojciec Rogera. – Nic nie wiem o żadnych dokumentach.

– A, bo ciebie to nigdy nie interesowało. – Staruszek nie stracił czujności i doskonale słyszał, co się działo wokół niego. – Nieraz ci o nich mówiłem, ale nie chciałeś słuchać.

Ojciec Rogera oblał się rumieńcem, aż zniknęły niemal wszystkie piegi z jego twarzy.

– Może faktycznie wspominał kiedyś o jakichś dokumentach – przyznał cicho – ale nie pamiętam. Ojcu już niestety myli się przeszłość z teraźniejszością, więc nie słucham go zbyt uważnie. Proponuję tymczasem szklaneczkę czegoś mocniejszego przed jedzeniem. Bo zostaniecie państwo na obiedzie, prawda? Żona już coś tam wyczarowuje w kuchni.

Nie chcieliśmy sprawiać mu zawodu, więc przyjęliśmy zaproszenie, tym bardziej że senior rodu zrobił sobie mały odpoczynek. Od strony kominka doszło nas głośne chrapanie.

– To nie potrwa dłużej niż kwadrans – uspokoił nas gospodarz. – Zdążymy wypić w tym czasie po łyczku whiskey.

Rodzice Rogera okazali się sympatycznymi starszymi ludźmi, przyjaźnie nastawionymi do świata. Roger był ich późnym dzieckiem, urodził się w chwili, gdy pani MacGowan zupełnie straciła już nadzieję na macierzyństwo.

– To był dar od Boga. – Jej pomarszczona twarz rozjaśniła się w uśmiechu. – Prawdziwy dar.

Od razu polubiłam tę ciepłą, pracowitą kobietę. Była niewysoka, drobna, miała starannie uczesane siwe włosy i łagodne spojrzenie. Opowiadała o swoim jedynym synu z taką miłością, że nie mieliśmy serca jej przerwać. Zrobił to dopiero jej mąż, pan MacGowan.

– Matko – wtrącił się, kiedy jego żona przerwała na nabranie oddechu. – Państwo przyszli tutaj dowiedzieć się czegoś na temat Patricka Murphy'ego, a nie naszego syna.

– O, przepraszam... – spłoszyła się. – Myślałam, że skoro pani tu przyszła – spojrzała wymownie na Martę – to będzie mowa o naszych dzieciach. Roger nie mówi o nikim innym, tylko o Goha. Dziwne imię, ale syn wytłumaczył mi, że polskie.

Marta uśmiechnęła się, przyjemnie zaskoczona.

– Tak, widać wyraźnie, że młodzi są sobą bardzo zainteresowani. Córka też często o nim wspomina.

Naprawdę ma na imię Małgorzata – wymówiła to powoli i wyraźnie. – Mówimy na nią Gosia. Nie dziwne imię, u nas by się nazywała Margaret.

– No tak, to brzmi normalniej. Ale Goha też mi się podoba – powiedział pan MacGowan.

Głośna rozmowa obudziła seniora rodu, który rozejrzał się półprzytomnie.

– O, mamy gości! – zawołał gromkim głosem, zupełnie niepasującym do niemal stuletniego staruszka.

– Chyba się nie znamy? Przedstaw mi ich. – Trącił syna laską.

Przeszliśmy jeszcze raz przez ceremonię przedstawiania się i witania. Tym razem starszy pan zupełnie na widok Władysława nie zareagował. Ponownie zadałam pytanie dotyczące Patricka.

– To było dawno temu – odpowiedział całkiem logicznie. – I ojciec pamiętał tylko to, co opowiadał wcześniej jego ojciec.

– No właśnie – nie wytrzymał Tadeusz – a co takiego opowiadał pana dziadek?

– Cały czas powtarzał, że jego przyjaciel był niewinny. Sam to pamiętam doskonale. – Starszy pan pociągnął potężnym nosem i spojrzał na syna. – A gdzie moja szklaneczka whiskey? Na samych ziółkach moja pamięć daleko nie zajedzie... – Z obrzydzeniem odsunął parujący kubek, który postawiła przed nim synowa.

Uśmiechnęliśmy się wszyscy na ten jawny szantaż.

– Dobra whiskey jeszcze nikomu nie zaszkodziła. – Mrugnął do nas porozumiewawczo, wycierając kapkę spod nosa wierzchem dłoni.

Po chwili, trzymając w ręce szklankę z grubego, ciętego szkła wypełnioną bursztynowym płynem, wrócił do tematu.

– Ojciec opowiadał, że podobno Patricka odwiedziła w więzieniu ta kucharka, co go przedtem oskarżała.

– Może miała wyrzuty sumienia, że go wydała? – zastanowiłam się głośno.

– Nie. Był świadek, który słyszał, jak się przyznała, że zrobiła to z zemsty, bo wolał tamtą od niej. I że należy mu się jakaś kara za to wszystko.

– Jaki świadek? – Ja pytałam, a Tadeusz po cichu tłumaczył wszystko Władysławowi.

– A był taki jeden, chłopak od koni, ale nikt mu nie chciał wierzyć, bo siedział kiedyś za oszustwo. – Staruszek machnął ręką i pociągnął zdrowy łyk ze szklaneczki. Rozkaszlał się, łzy stanęły mu w oczach, pociekło z nosa. – A niech to! Przestańcie mnie tak klepać, bo mi złamiecie kręgosłup! – wykrztusił z trudem, odpychając syna i synową od siebie. – Już jest dobrze!

– Bo ojciec pije tak zachłannie, jakby mu ktoś tę szklankę zabierał – nie wytrzymał zdenerwowany gospodarz.

– Gdyby tu nie było gości, tobyś mi ją zabrał... – Starszy pan zrobił przebiegłą minę. – Znam cię.

Ojciec Rogera machnął tylko niecierpliwie dłonią.

– Może wróćmy lepiej do tej kobiety – zaproponował.

– Jakiej kobiety? – zainteresował się żywo senior.

– Tej, która podobno odwiedziła Patricka w więzieniu.

– A, do tej... No mówiłem, podobno nagadała na niego z zemsty, wtedy jej wcale w domu nie było, więc nie mogła niczego widzieć.

– A co z tym świadkiem?

– Uprzedzałem, że nikt mu nie chciał wierzyć, bo siedział za oszustwo.

Gospodarz uzupełnił nasze szklaneczki, udając, że nie widzi, jak jego ojciec podstawia swoją, jeszcze w połowie pełną. Tylko Władysław wymówił się uprzejmie, ponieważ tego jeszcze wieczoru planował wróżenie z run.

– Tak – mruknął Tadeusz. – W papierach, które pokazywał nam Roger, również była wzmianka o tej kobiecie. Czyli James, chłopak stajenny z tych dokumentów, to właśnie ten oszust?

– Pewnie tak – potwierdziła Marta i opowiedziała naszym gospodarzom o dokumentach znalezionych przez Rogera. Nie widzieliśmy ich jeszcze, ale młody historyk obiecał poszperać jeszcze raz w archiwum i zrobić dla nas kserokopie w najbliższym czasie.

Dyskusję kontynuowaliśmy podczas obiadu, na który zawołała nas pani domu.

– Wspominał pan coś o dokumentach, które przekazał panu ojciec – przypomniał sobie nagle Tadeusz.

– O, właśnie – podchwyciłam. – To mogłoby być ciekawe.

Staruszek przełknął wielki kęs chleba, popił go wodą i spojrzał na nas ze zdumieniem.

– Jakie dokumenty? W życiu nie mówiłem o żadnych dokumentach. Coś wam się pomyliło...

– Mówiłem... – szepnął ojciec Rogera. – Wiedzielibyśmy przecież coś na ten temat.

Do końca naszej wizyty niczego ciekawego już się nie dowiedzieliśmy. Staruszek znów stracił kontakt z rzeczywistością i na nowo zaatakował Władysława, tym razem nie siląc się nawet na uprzejmości.

– Jego zapytajcie! – krzyczał, wskazując naszego przyjaciela zakrzywionym palcem. – Zapytajcie, dlaczego pozwolił, żeby tego chłopaka skazali na śmierć. Przecież wiedział, że on nie zabił tamtej dziewczyny!

Próbowaliśmy go wszyscy uspokoić, ale na próżno. Wpadł niemal w szał.

– Przez tyle lat się nie pokazywałeś i nagle przychodzisz tu jakby nigdy nic! Wiedziałeś, kto zabił tamtą kobietę, i nic nie powiedziałeś!

– Kim jest ten człowiek? – wskazałam na bladego i przejętego Władysława. – I co ma wspólnego ze śmiercią Jane?

– To Joseph Casey, pieprzony sędzia! – Staruszek wymachiwał laską. – Pokazali mu ciało jakiejś zabitej prostytutki, a on powiedział, że to Jane. Tak mówił mój dziadek, a jemu wierzę!

Spojrzeliśmy wszyscy po sobie ze zgrozą. To było coś zupełnie nowego.

– Tato, przecież rodzice Jane rozpoznali chyba swoją córkę? – próbował go uspokoić nasz gospodarz.

– Jak ją mogli rozpoznać, skoro nie miała twarzy? Była zmasakrowana, a oni też się specjalnie nie przyglądali. Poznali po sukience, chociaż wtedy prawie wszystkie nosiły podobne. Ale ten – znów zwrócił się w stronę Bogu ducha winnego Władysława – ten drań wiedział, że to nie była Jane. Znał tamtą kurwę, bo sam korzystał z jej usług! A potem jakby nigdy nic przychodził do mojego dziadka. I dawał mi cukierki! Ale je wyrzucałem – dodał wojowniczym tonem.

Ojciec Rogera zaprowadził staruszka do jego pokoju i położył go spać. My tymczasem zastanawialiśmy się gorączkowo nad usłyszanymi przed chwilą rewelacjami. Nawet wziąwszy pod uwagę stan umysłu starszego pana, wydawało się to bardzo prawdopodobne. Widocznie Władysław był na tyle podobny do tamtego sędziego, że obudziło to w seniorze rodu wspomnienia z dzieciństwa. Mógł pamiętać sędziego z tamtego procesu jako starszego już pana, który odwiedzał jeszcze długo potem jego dziadka. W rodzinie pewnie często rozmawiało się na ten temat.

– Przepraszam za ojca, ale nie spodziewałem się takiej reakcji – powiedział pan MacGowan po zejściu do nas na dół. – Nigdy się aż tak nie zachowywał. Przepraszam głównie pana. – Skłonił głowę przed Władysławem.

– Nie szkodzi. – Nasz przyjaciel, wprawdzie jeszcze nieco blady, ale już spokojny, zrozumiał bez naszej pomocy i odkłonił się z godnością.

– Tym bardziej wydaje się nam prawdopodobne to, co mówił – stwierdził Tadeusz, przekazując gospodarzowi nasze przemyślenia.

– Tak, pamiętam, ojciec wspominał kiedyś, że sędzia odwiedzał jego dziadka i że wszyscy się go bali.

– Czy to znaczy, że były jakieś wątpliwości co do rozpoznania zwłok? – zapytała Marta.

– Pierwsze słyszę. – Gospodarz wzruszył ramionami. – Zawsze wydawało mi się, że ciała nie odnaleziono i że Patricka skazano na podstawie poszlak. Nigdzie przecież nie było o tym wzmianki.

– Może pański ojciec przypomniał sobie jakąś inną sprawę?

– To całkiem możliwe. Ojciec ma już daleko posuniętą sklerozę i rzeczywiście może wspominać zupełnie inne morderstwo.

Pożegnaliśmy gościnnych rodziców Rogera i wróciliśmy do domu.

– Teraz powróżę. – Władysław zatarł niecierpliwie ręce. – Specjalnie dziś nie piłem whiskey...

Zabrzmiało to trochę jak pretensja i lekki szantaż, więc zgodziliśmy się wszyscy bez oporów. Nawet Tadeusz, ku mojemu zdziwieniu, darował sobie złośliwe docinki.

– Ja też się znam trochę na interpretacji run – przyznał po cichu. – Zobaczymy, jak Władysław sobie z tym poradzi.

Aha, pomyślałam, szykuje się następna rywalizacja między panami. Jak dzieci...

Wyszliśmy przed dom, na rozległe i puste teraz pastwisko. Sąsiad zabrał gdzieś konie albo pasły się dalej. Na trawie zaczęła już osiadać rosa, a może były to po prostu krople ledwie widocznego deszczu.

Władysław kręcił się przez chwilę z kompasem w dłoni.

– Gdzie tu jest północ? – mruczał pod nosem, spoglądając z uwagą na drgającą wskazówkę. – Hm... chyba tu. – Wskazał dłonią kierunek, schował kompas i z namaszczeniem rozłożył przed sobą białe prześcieradło, które, nie bez pewnych oporów, wypożyczyła mu Marta.

Staliśmy w milczeniu, starając się nie rozpraszać jego teatralnego skupienia.

– Odsuńcie się trochę – poprosił nagle tonem nieznoszącym sprzeciwu. – Wasze myśli zakłócają mi odbiór.

Popatrzyliśmy po sobie rozbawieni, ale bez sprzeciwu odeszliśmy od prześcieradła na odległość paru kroków.

– Tadeusz – odezwał się znów Władysław. – Mam nadzieję, że masz przy sobie coś do pisania i jakąś kartkę, tak jak cię o to wcześniej prosiłem?

– Mam – zameldował Tadeusz krótko.

– To dobrze. Runy mają wiele znaczeń, więc dobrze będzie zapisać te, które wypadną w czasie wróżby, i potem zinterpretować je dokładnie w domu. Nie mam jeszcze takiej wprawy, żeby robić to na gorąco.

– Słusznie – szepnął Tadeusz i spojrzał z uznaniem na starszego pana. – Jak na razie dobrze do tego podchodzi.

– Czy mogę prosić o ciszę? – Władysław odwrócił się zniecierpliwiony. – Muszę się skupić.

Uciszyliśmy się jak niesforne dzieci skarcone przez nauczyciela, a Władysław wyjął z kieszonki biały woreczek z runami, położył go przed sobą i przycisnął palce do skroni. Skupiał się.

Niebo poczerwieniało już na zachodzie, od strony cmentarza powiało chłodem, a rosnące obok niego drzewa spowił wilgotny mrok. Poczułam nieprzyjemny dreszcz wzdłuż kręgosłupa i zapragnęłam nagle znaleźć się w domu, w kręgu przyjaznego światła kominka.

Nagle moją uwagę zwrócił gwałtowny ruch. To Władysław wyrzucił przed siebie runy z białego woreczka. Wypadły i rozsypały się na prześcieradle. Wstrzymaliśmy oddech i z uwagą śledziliśmy każdy ruch naszego przyjaciela.

– Wybieram trzy, które upadły najbardziej na północ – oznajmił cichym głosem, aż musieliśmy się nieco przybliżyć, żeby dokładnie słyszeć. – Najdalej spadła Isaz.

Kątem oka zauważyłam, że Tadeusz wyjął notatnik i szybko notował.

– Potem Haglaz. – Władysław ostrożnie zbierał małe drewienka. – I w końcu Dagaz. – Odłożył wszystkie trzy na małą kupkę. – Niedobrze. – Pokręcił głową. – Niedobrze...

Zebrał pozostałe runy, wrzucił je do woreczka i z cichym stęknięciem wstał z prześcieradła.

– Zinterpretujemy je w domu – powiedział. – Mam nadzieję, Tadeusz, że zanotowałeś kolejność?

– Tak. I faktycznie te runy nie wróżą niczego dobrego, jeśli, oczywiście, wziąć pod uwagę ich aspekty negatywne.

– A co mogą dobrego wróżyć, skoro dziewczyna prawdopodobnie została zamordowana? – nie wytrzymałam. – Ameryki tu nie odkrywacie...

– To jasne, że nie spodziewaliśmy się pomyślnych wróżb. – Tadeusz nagle stanął po stronie Władysława. – Ale może uda się znaleźć jakiś ślad, jakąś sugestię, w jaki sposób zginęła.

– A to się tak da? – Marta popatrzyła na niego zdziwiona. – Przecież to tylko zabawa...

– Mówcie sobie, co chcecie, ale coś w tych runach jest...

Tylko Władysław nie brał udziału w dyskusji, pogrążony we własnych rozmyślaniach. Kiedy zaszliśmy do domu i Tadeusz rozpalił w kominku, starszy pan ocknął się i zwrócił z nieśmiałym uśmiechem do Marty.

– No, teraz mogę spokojnie napić się łyczek whiskey, jeśli można.

Tadeusz poszedł do naszego pokoju i po chwili wrócił z grubym zeszytem.

– Nie myślcie sobie, że się nie przygotowałem do tematu. – Uśmiechnął się z lekką dumą. – Wprawdzie nie sądziłem, że przyjdzie mi tę wiedzę wykorzystać w praktyce, ale teraz może się przydać. Pamiętacie, że mam napisać cykl artykułów na temat wierzeń celtyckich – dodał, widząc nasze miny. – Dobrze! – Klasnął w dłonie. – Władysław, bierzemy się do dzieła!

Starszy pan nie był zbyt zadowolony z takiego obrotu sprawy, ale odchrząknął z godnością, poprawił się w fotelu i zerknął na kartkę, na której Tadeusz zapisał wyrzucone wcześniej runy.

– A więc, moi kochani – zaczął uroczyście – pierwsza runa, czyli Isaz. Pozwolicie, że ja też zajrzę do swoich notatek. – Wyjął z wewnętrznej kieszeni marynarki mały zeszycik. Chwilę kartkował go w milczeniu, w końcu zatrzymał się na jednej ze stron. Podniósł palec. – Otóż runa ta oznacza lód, bezruch, zatrzymanie i czekanie. Nic z tego nie rozumiem. – Wzruszył ramionami. – Dziewczyna została gdzieś zamrożona czy co?

Teraz Tadeusz zerknął do swoich notatek.

– W negatywnym aspekcie oznacza ona lód, ale jako „zamrożenie" czegoś, czarną otchłań i w ogóle niebezpieczeństwo grożące człowiekowi. Lód w każdej chwili może pęknąć, co grozi śmiercią w „czarnej otchłani". To tylko symbole.

– No dobrze – wtrącił niecierpliwie Władysław, zaglądając do swoich notatek. – Później to zbierzemy do kupy, teraz weźmy następną runę, Haglaz. Jest ona runą Hell, bogini świata umarłych. Symbolizuje mrok, wejście do świata podziemnego.

– Czyli grób – nie wytrzymałam. – Przecież ta dziewczyna już od dawna jest w grobie, gdziekolwiek on się teraz znajduje. Nie potrzeba run, żeby dojść do takiego wniosku.

– Masz rację. – Tadeusz kiwnął głową. – Ale nie możemy odczytywać run w sposób tak dosłowny. To są symbole, sugestie. Co jeszcze może kojarzyć się ze światem podziemnym oprócz grobu? Zastanówmy się. Sam nie wiem, może to być piwnica, w której dziewczyna była przetrzymywana wbrew własnej woli. Z całą pewnością ta runa oznacza niebezpieczeństwo i zagrożenie życia.

– Można przyjąć takie tłumaczenie – pochwalił niechętnie Władysław. – O tym samym pomyślałem, ale nie zdążyłem powiedzieć...

Tadeusz uśmiechnął się z wyraźnym zadowoleniem.

– Przejdźmy więc do ostatniej runy. – Zerknął na kartkę. – To Dagaz.

– Dagaz – podjął Władysław – w negatywnym aspekcie oznacza lęk, mrok i poczucie beznadziei. A ty masz coś jeszcze na jej temat?

– Chyba nic więcej, rzeczywiście oznacza ona mrok i lęk oraz utratę orientacji. Zbierzmy teraz te wszystkie znaczenia i zobaczmy, co nam z tego wyjdzie.

Marta i ja siedziałyśmy z boku i patrzyłyśmy na obu mężczyzn jak na dużych bawiących się chłopców. Bo że bawili się dobrze, widać było po ich pełnym zaangażowaniu.

– A zatem co tu mamy? – Tadeusz pochylił się nad notatkami. – Lęk, ciemność, utrata orientacji i poczucie beznadziei.

– Do tego zimno i zagrożenie życia – dodał Władysław. – Czyli...?

– Czyli dziewczyna mogła być przetrzymywana przez mordercę w jakiejś zimnej piwnicy i tam zginęła. Albo od razu ją tam zabił. Są jakieś piwnice pod waszym domem? – Tadeusz zwrócił się do Marty.

– Chyba są – odparła zaskoczona. – Powinny być w każdym razie.

– Spróbujemy się tam rozejrzeć po powrocie z wycieczki. Szkoda, że zaplanowaliśmy ją na jutro, bo chętnie zaraz bym tam poszedł.

– O nie! – zaprotestował żywo Władysław. – Nie zrobicie tego beze mnie przecież! A teraz muszę już iść, bo chyba pasierb po mnie już przyjechał.

Rzeczywiście, usłyszeliśmy chrzęst kół na podjeździe wysypanym kamyczkami. Światła samochodu omiotły okna i oszklone drzwi wejściowe, znieruchomiały na ścianie pobliskiej stajni. Po chwili Jacek stanął w drzwiach.

– Mam nadzieję, że nie przyjechałem za późno? – spytał, patrząc ze skruchą na gospodynię.

– Ależ nie – zaprotestowała Marta. – Nawet nie zauważyliśmy, że zrobiło się już ciemno. Mieliśmy wyjątkowo udany wieczór.

– Jak dla mnie – odezwał się Władysław, wstając niechętnie z fotela – to nawet za wcześnie przyjechałeś, ale rozumiem, musisz jutro do pracy. Zatem – zwrócił się do nas – udanej wycieczki i mam nadzieję, że spotkamy się zaraz po waszym powrocie!

Małgosia, która przyjechała z popołudniowej zmiany, zdążyła się tylko przywitać oraz pożegnać z Władysławem i usłyszeć od niego o dzisiejszych wróżbach.

– O nie...! – jęknęła zawiedziona. – Nie mogliście z tym poczekać na mnie? Zrobię sobie szybko coś do zjedzenia i musicie mi wszystko dokładnie opowiedzieć – zażądała tonem nieznoszącym sprzeciwu.

Siedzieliśmy do późna w nocy, do chwili gdy oczy zaczęły się nam zamykać, a języki plątać ze zmęczenia. Wypita whiskey miała w tym też swój niewielki udział.

6

Jazda samochodem w Irlandii to wyczyn stanowczo nie na moje nerwy. Musiałam się przesiąść do tyłu, bo wydawało mi się cały czas, że Marta jedzie wprost na zderzenie czołowe. Wbijałam nerwowo nogę w podłogę, gdy tylko widziałam z daleka jakiś samochód.

– Szybko byś się przyzwyczaiła do ruchu lewostronnego. – Marta śmiała się z moich niekontrolowanych okrzyków. – Mnie też było z początku trudno, ale to kwestia wprawy.

– Zanim nabrałabym tej wprawy, spowodowałabym parę wypadków – burczałam nieprzekonana. – Co za pomysł, żeby jeździć lewą stroną.

Tadeusz natomiast chętnie przesiadł się do przodu, a nawet zmienił Martę za kierownicą po jakimś czasie. Niewielkie kłopoty miał tylko na małych wysepkach pośrodku drogi, bo okrąża się je z drugiej strony, ale poza tym był zachwycony jazdą.

Parę godzin wcześniej wstaliśmy razem z Małgosią, która wybierała się do pracy, i przy śniadaniu słuchaliśmy jej wskazówek dotyczących dojazdu do zamku Matrix.

– Gdyby właścicielki nie było na miejscu, macie tu jej numer na komórkę – powiedziała, spisując go ze swojego telefonu. – Zamek nie jest oficjalnie dostępny dla zwiedzających, ale ona za drobną opłatą oprowadzi was chętnie wszędzie tam, gdzie da się wejść.

– To znaczy, że niektóre pomieszczenia są zamknięte? – spytałam.

– Nie. – Uśmiechnęła się zagadkowo. – Wszystkie teoretycznie są otwarte, ale nie do wszystkich da się wejść. Zresztą sami zobaczycie, nie będę wam psuła zabawy.

Nic więcej nie udało się z niej wyciągnąć mimo naszych usilnych prób. Zapewniła nas tylko, że będziemy zaskoczeni.

– Spotkamy się pewnie jutro rano, bo dziś wrócicie późno. To spory kawałek stąd. No, chyba że zostaniecie gdzieś na noc. A ja tymczasem wykorzystam ładną pogodę i po południu zrobię parę zdjęć w plenerze. Przy okazji poszukam miejsca z naszym krzyżem. Chyba mi coś świta...

– Tak? – zainteresowaliśmy się wszyscy. – Wiesz już, gdzie to jest?

– Nie chcę uprzedzać faktów. Zrobię zdjęcia i obejrzycie je po powrocie. Powiesz, ciociu, czy to jest krzyż z twojego snu. Jestem niemal pewna, że tak właśnie będzie – zwróciła się do mnie z tajemniczym uśmiechem.

– Jak się Małgośka uprze, to nie ma przeproś. – Marta machnęła ręką. – Musimy poczekać do jutra.

Kiedy wyjeżdżaliśmy spod domku Marty, zobaczyliśmy gospodarza prowadzącego konia na pastwisko.

Spojrzał spode łba na Małgosię, na szczęście nie zauważyła tego, machając nam na pożegnanie.

– Udanej wycieczki! – zawołała i dodała coś jeszcze, ale szum silnika zagłuszył jej słowa. Odkręciłam boczną szybę samochodu.

– Co mówiłaś?

– Mówiłam, że zrobię wam chyba niespodziankę! – krzyknęła i z uśmiechem odwróciła się w stronę domu.

Mijane przez nas małe kamienne domki były ładnie utrzymane i w większości otoczone żywopłotami. Gdzieniegdzie na wysokich skarpach przy drodze kłębiły się całe połacie kwitnących na żółto krzewów. Rzadko spotykane drzewa miały wygięte w jedną stronę konary, prawdopodobnie na skutek wiejących tu ciągle porywistych wiatrów, a na dalekich, otoczonych niskimi ogrodzeniami z kamieni pastwiskach pasły się wychudzone krowy i konie. Łąki wysoko w górze upstrzone były białymi kropkami – tak wyglądały z daleka stada owiec, tu i tam widać było malutkie cmentarze z kamiennymi murkami. Od czasu do czasu zza zakrętu drogi wyłaniały się ruiny starych wież, pozostałości zamków i kościołów. Czasami były to tylko pojedyncze ściany, w niepojęty sposób zachowujące równowagę, innym razem niemal nietknięte całe budowle pozbawione tylko dachów i okien. Przez ozdobne otwory okienne przebijało niebieskie niebo, wyjątkowo bezchmurne tego dnia. Mieliśmy doskonały nastrój. Zapowiadał się ciekawy dzień i czekała nas niespodzianka szykowana przez Małgosię. Mówiła to z taką pewnością, że nie mieliśmy wątpliwości, iż udało jej się zlokalizować krzyż z mojego snu.

– Nie chciałabym być wścibska – zaczęła cicho Marta, gdy Tadeusz siedział za kierownicą – ale mówiłaś mi w zeszłym roku, że on ci się oświadczył. To kiedy ten ślub? Bo muszę się jakoś przygotować... – Odwróciła się do mnie przodem.

Wzruszyłam zakłopotana ramionami.

– Hm. To znaczy, tak, oświadczył mi się, ja te oświadczyny przyjęłam, ale jeszcze nie ustaliliśmy terminu...

Tadeusz rzucił mi krótkie spojrzenie w lusterku wstecznym. Wyczytałam w nim coś na kształt żalu, pretensji czy smutku, i zrobiło mi się przykro. Wszystko przeze mnie. Kochałam go, ale nie potrafiłam się zdecydować na ten ostateczny krok. Może to było tchórzostwo, może lenistwo i zadowolenie z obecnego stanu rzeczy. Nie umiałam sama tego określić.

– Chyba jestem już za stara na pannę młodą – próbowałam zażartować, ale nikt się nie roześmiał. – Prawie sześćdziesięcioletnia panna młoda, to już brzmi śmiesznie.

– Ale jesteś też dostatecznie stara – moja przyjaciółka była bezlitosna – żeby myśleć o dobrych stronach takiego kroku. Każde z was ma swoje, dorosłe już dzieci, wspólnych przecież nie macie. Kto się wami zaopiekuje, jak nie wy sami?

– To jest właśnie to, co mnie w tym wszystkim denerwuje – nie wytrzymałam. – Nie chcę jak Władysław brać ślubu tylko dlatego, że „co dwie emerytury to nie jedna" i „będzie mi miał kto szklankę wody na starość podać". To jest takie... przygnębiające. Jesteśmy teraz ze sobą, bo tak chcemy, a nie dlatego, że warunki nas do tego zmuszają.

– Czyli żyjecie w konkubinacie? – drążyła nadal.

– Tak. I co w tym złego? Wiele par tak teraz żyje.

– Ale co innego młodzi, a co innego starsi. U młodych to się nazywa „wolny związek" i nikogo to nie razi.

– A co takiego złego w wolnym związku osób starszych?

– Że to się nazywa konkubinat – uściśliła Marta z wesołym błyskiem w oku. – A wiesz, z czym mi się to kojarzy? Z doniesieniami z brukowców. Już widzę wasze zdjęcia z czarnymi prostokątami na oczach, wy sami zastygli w nienaturalnych pozach, a pod spodem notka: „Poprzedniej nocy w Krakowie podczas libacji alkoholowej konkubent zarżnął w pijackim szale swoją konkubinę".

– Taka notka w brukowcu to już cały artykuł – mruknęłam rozbawiona.

Atmosfera rozluźniła się nieco i wszyscy zaczęliśmy się śmiać.

– A wiesz, że może w końcu do tego dojść? – Tadeusz rzucił mi cieplejsze spojrzenie w lusterku. – Tyle zabiegów mnie kosztowało, żeby zgodziła się żyć ze mną chociaż w tym konkubinacie, że teraz nie mam już takiej cierpliwości. Muszę chyba poczekać na jakąś libację alkoholową...

– Już się boję. – Wzruszyłam ramionami.

Czułam się niekomfortowo. Z jednej strony bardzo chciałam zalegalizować nasz związek, romantyczne oświadczyny Tadeusza sprawiły mi ogromną przyjemność, z drugiej zaś... No właśnie. Nie wiem dlaczego, ale nie mogłam się zdecydować na ten krok i ucinałam każdą rozmowę na ten temat krótkim: „jeszcze nie teraz".

– Prawdę mówiąc... – Tadeusz poklepał się po kieszeniach w poszukiwaniu papierosów.

– Nie w samochodzie! – jęknęłyśmy obie jak na komendę.

– OK. Przepraszam, zapomniałem się na chwilę. Otóż chciałem powiedzieć, że taka sytuacja ma też i swoje dobre strony. Teraz, kiedy się pokłócimy, a zdarza się to nam równie często jak innym parom, teoretycznie zawsze mogę wyjść i wrócić do swojego mieszkania.

– Teoretycznie? – zdziwiła się Marta.

– Tak, bo mieszka tam teraz moja bratanica z mężem.

– Czyli praktycznie nie masz jednak takiej możliwości. – Roześmiała się.

– Cóż... Praktycznie nie mam – przyznał. – No, więcej dobrych stron nie widzę.

Nie wytrzymałam w końcu.

– Jest nam cudownie, ale po ślubie sielanka się skończy. Teraz jestem kobietą, o którą musisz zabiegać, a potem będę tylko starą żoną i... I przestaniesz mnie kochać! – wyrzuciłam to w końcu z siebie.

Tadeusz gwałtownie zjechał na pobocze drogi. Pasące się obok ruin jakiejś wieży chude krowy rzuciły nam znudzone spojrzenie i niemal natychmiast wróciły do swojego monotonnego zajęcia.

– Muszę zapalić! – rzucił krótko i wyszedł z samochodu.

– Nie chcę się wtrącać, ale… – zaczęła Marta.

– To się nie wtrącaj! Przepraszam… – Uśmiechnęłam się przez łzy. – Nie gniewaj się, ale dla mnie to drażliwy temat. Tadeusz jest przystojny, mądry i młodszy ode mnie. Kiedyś może zechce ułożyć sobie życie z inną, a ślub tylko to skomplikuje.

– Wariatka jesteś i tyle! – Marta przerwała mi zniecierpliwionym gestem dłoni. – Przede wszystkim, co to za różnica wieku? Rok, czy nawet dwa? Oboje już nie jesteście młodzi. Poza tym dlaczego uważasz, że on zechce odejść od ciebie? A może to ty właśnie coś szykujesz? Znając twoją romansową naturę, nie byłabym zdziwiona.

– No wiesz co?! – Aż mnie zatchnęło z oburzenia. – Kocham Tadeusza i nie mam zamiaru od niego odchodzić.

– To mu to powiedz, a nie certol się jak święta dziewica. Teraz! – Nachyliła się nade mną i otworzyła drzwi samochodu od mojej strony.

Tadeusz stał na poboczu drogi tyłem do samochodu. Podeszłam bliżej i bez słowa stanęłam tuż za jego plecami.

– Już kończę – powiedział, nie odwracając się. – Jeszcze tylko dwa razy się zaciągnę i…

– Ja nie dlatego – przerwałam mu pospiesznie. – Przepraszam, ale tak bardzo cię kocham, że aż boję się tego ślubu, żeby wszystkiego nie zepsuć…

Tadeusz rzucił niedopałek i wgniótł go mocno czubkiem buta w miękkie podłoże, po czym odwrócił się z poważną miną.

– To najbardziej pokrętne tłumaczenie, jakie kiedykolwiek słyszałem. – Wzruszył ramionami. – Dlaczego miałbym cię przestać kochać po ślubie?

– Nie wiem... Jestem już stara i...

– Stara? A ja jestem młody? Jak myślisz, dlaczego mimo wszystko chcę się z tobą ożenić?

– Bo się do mnie przyzwyczaiłeś?

– W życiu się do ciebie nie przyzwyczaję, a w każdym razie nie do twoich pomysłów. – W jego oczach zauważyłam błysk zapowiadający koniec burzy. – Inna, żeby nie wiem ile siedziała i myślała, nie wymyśli takich bzdur jak ty. Nie, nie przyzwyczaję się, ale chcę się z tobą ożenić, bo cię kocham. Bo chcę się razem z tobą starzeć. Bo w zimne noce chcę się w ciebie wtulać i zasypiać w cieple i poczuciu bezpieczeństwa. Pocieszać cię, kiedy masz złe sny. I dlatego że w twoim towarzystwie nigdy się nie nudzę. Wystarczy?

– Ja też cię kocham i chyba z tych samych powodów. – Przytuliłam się do niego. Wiatr zawiał mocno i zakręcił pyłem na poboczu drogi. Potarłam oczy, udając, że wpadły mi tam drobinki piasku. – Przepraszam, głupio wyszło.

– Hej, gołąbeczki! – Marta wychyliła się z samochodu. – Wracajcie na ziemię, jeśli chcecie jeszcze za dnia dotrzeć do zamku Matrix. Nie chciałabym was popędzać, ale trochę mi już zimno.

Rzeczywiście, słońce zaszło za chmury, a wiatr przyniósł chłodny powiew z wysoko położonych łąk. Wyglądało na to, że znowu spadnie deszcz.

Nastrój w samochodzie wyraźnie się poprawił.

– Przepraszam – powiedziała Marta, kiedy ruszyliśmy w dalszą drogę. – Gdybym wiedziała, że to taki zapalny temat, w ogóle bym go nie ruszała.

– Dobrze zrobiłaś. – Tadeusz uśmiechnął się pod nosem. – W przeciwnym razie nigdy bym się pewnie nie dowiedział, że Lucyna mnie kocha, tylko boi się, że ją zostawię. I dlaczego ucinała wszelkie rozmowy na temat daty ślubu. Powinienem ci raczej podziękować.

Nie wracaliśmy już do tematu i skupiliśmy się na drodze. Wokół widzieliśmy tyle ciekawych miejsc do zwiedzenia, że grzechem było się w nich nie zatrzymywać. Niemal za każdym zakrętem drogi wyłaniały się ciekawe ruiny lub zupełnie dobrze zachowane kościółki czy wysokie wieże, pozostałości po zamkach. Jedynymi mieszkańcami tych opustoszałych ruin były ptaki gnieżdżące się w załomach murów i pustych otworach okiennych.W końcu Marta musiała nas przywołać do porządku, twierdząc, że w takim tempie dojedziemy na miejsce nocą i cała wyprawa nie będzie miała sensu.

Mimo dokładnych instrukcji danych nam przez Małgosię przegapiliśmy zjazd do zamku. Musieliśmy się zatrzymać na parkingu małego zajazdu B&B tuż przy drodze i zadzwonić po dalsze wskazówki.

– Mówiłam przecież, że to taka mała, zarośnięta dróżka i jak mrugniecie okiem podczas jazdy, to możecie jej nie zauważyć. – Małgosia miała doskonały humor. Wytłumaczyła nam raz jeszcze i na szczęście okazało się, że nie zajechaliśmy zbyt daleko.

– Wyobraźcie sobie – przekazała nam później Marta, której oddałam telefon, by porozmawiała jeszcze chwilę z córką – że Gośka dostała pięć dni urlopu i mogliśmy spokojnie zaplanować tę wyprawę na jutro, pojechalibyśmy razem z nią.

– Oj, to rzeczywiście szkoda – zmartwiłam się. – Byłoby jej raźniej z nami, a tak to zostanie sama w domu.

– Niezupełnie. – Marta puściła do mnie oko. – Zapowiedziała właśnie, że wybiera się dziś wieczorem do Dublina na te parę dni.

– A czy przypadkiem Roger nie pojechał tam w delegację?

– Przypadkiem tak! – Zaśmiała się. – I teraz zaczynam nawet podejrzewać, że ten ich wyjazd został wcześniej zaplanowany. Powiedziała, że skorzysta z okazji i gdy on będzie zbierał swoje materiały w archiwum, ona poszuka dokumentów w sprawie śmierci tamtej dziewczyny.

– Brzmi to całkiem rozsądnie – zgodziliśmy się razem z Tadeuszem.

– A może coś ciekawego wyniknie z tego ich wspólnego pobytu w Dublinie? – rozmarzyłam się. – Wyraźnie ciągnie ich do siebie, choćby Gosia nie wiem co na ten temat mówiła.

– To widać na kilometr – potwierdziła Marta.

– Jesteście okropne – mruknął Tadeusz rozbawiony. – Wszędzie wietrzycie miłosne afery. Ale – dodał już nieco poważniej – to faktycznie widać. Macie rację.

O mały włos nie przegapiliśmy po raz drugi zjazdu do zamku. Wąska, zarośnięta drzewami i krzakami dróżka była niemal niewidoczna z głównej drogi i zauważyliśmy ją dosłownie w ostatniej chwili. Przez kilkanaście metrów jechaliśmy krętą, nieutwardzoną alejką, w końcu zza drzew wyłoniła się wysoka na kilka pięter, kwadratowa baszta zamku i porośnięty trawą dziedziniec z zabytkową studnią pośrodku.

Niestety, jak się po chwili okazało, właścicielki nie było w domu. Umówiliśmy się z nią przez telefon, że za pół godziny do nas dojedzie, a tymczasem postanowiliśmy rozejrzeć się po okolicy. Przez grube, stare szybki w kwaterach okien na dole nic nie mogliśmy zobaczyć. W półmroku majaczyła nam tylko figura ubranego w kapelusz, kryzę i obcisły kaftan mężczyzny, a za nim coś, co wyglądało na sterty śmieci. Ze starej studni na dziedzińcu została już tylko wystająca nad ziemię cembrowina z okrągłych kamieni i poprzeczna belka u góry z wyrytym w drewnie wypukłym napisem *matres*. Na początku i na końcu napisu widniały wpisane w okrąg dziwne symbole. Pierwszy przedstawiał odwrócony półksiężyc albo rogi, drugi pięcioramienną gwiazdę z wierzchołkiem ustawionym do góry.

– *Matres*? – Tadeusz podszedł bliżej ze zmarszczonym czołem i moją ulubioną miną. Wiedziałam, że za chwilę dowiemy się czegoś ciekawego na temat tego napisu. I się nie myliłam. – *Matres*? – powtórzył. – Z pewnością od słowa *Matrones*, symbolizującego w mitologii celtyckiej boginie matki lub Potrójną Boginię. Tylko co tutaj robi pentagram?

– To symbol magiczno-okultystyczny i satanistyczny – popisałam się swoją wiedzą.

– Niezupełnie. – Pokręcił głową. – O symbolice satanistycznej można by mówić, gdyby ten znak był odwrócony. To pentakl, czyli pentagram wpisany w koło. Uważany jest za amulet chroniący przed zgubnym wpływem magii oraz przed klątwami. Pisałem niedawno artykuł na temat symboliki neopogańskiej. – Roześmiał się na widok naszego zdziwienia. – Nie zapominajcie, że jestem dziennikarzem i będę pisał także na ten temat. Musiałem się przecież przygotować. Symbolizuje też religię feministyczną Wicca – wrócił do tematu. – Słowo *wicca* w języku gaelickim znaczy „czarownica".

Podszedł jeszcze bliżej i delikatnie wodził palcami po gwieździe.

– Punkt szczytowy jest odpowiednikiem ducha – mówił dalej – a pozostałe punkty styczne reprezentują wiatr, ogień, ziemię i wodę. Ten znak, jak już mówiłem, ma siłę błagania dobrych duchów o ochronę od złych mocy.

– A rogi? – spytałam, pokazując palcem drugi symbol.

– To nie rogi, tylko symboliczna triquetra Wielkiej Bogini, która obrazuje zasadę: Cokolwiek zrobisz, wróci to do ciebie z potrójną siłą. To właśnie symbol Potrójnej Bogini.

– Czy jest coś, czego twój facet nie wie? – spytała żartem Marta. Mówiła szeptem, ale nawet gdyby nie zniżała głosu, Tadeusz pewnie by jej i tak nie usłyszał. Myślami przebywał gdzieś bardzo daleko od nas.

– Na pewno jest, ale ja jeszcze tego nie odkryłam – odpowiedziałam jednak równie cicho.

– Co tam szepczecie, dziewczyny? – Tadeusz wyglądał na wyrwanego ze snu.

– A, nic, nic – odparłyśmy jednocześnie. – Zastanawiamy się nad tymi symbolami.

– No właśnie, ciekawe – mruknął jakby do siebie.

– Może na tym zamku odprawiane były jakieś czary czy też inne praktyki magiczne? Właścicielka powinna o tym chyba wiedzieć.

Niestety, właścicielka, która nadjechała właśnie swoim zdezelowanym samochodem, niewiele wniosła do sprawy. Owszem, pojawiają się w tym zamku duchy, zwłaszcza duch młodej dziewczyny, ale o studni, napisie i dziwnych symbolach mówiła niechętnie i niewiele. Za to ochoczo zgodziła się nam pokazać zamkową wieżę. Przeprosiła, że tak długo musieliśmy czekać, ale miała jakiś problem z samochodem po drodze. Zbliżał się wieczór. Straciliśmy sporo czasu, zatrzymując się po drodze na obiad, zwiedzając ruiny starych kapliczek i okoliczne cmentarze. Nigdzie nam się nie spieszyło i mieliśmy teoretycznie cały dzień na zwiedzanie, teraz jednak zrobiło się już trochę późno.

– Niestety, nigdzie nie ma światła – powiedziała, wprowadzając nas do środka. – Już dawno odłączyli mi prąd, bo nie płaciłam rachunków. Nie stać mnie na to.

– To jak pani tu mieszka? Bez prądu, bez ogrzewania? – zdziwiliśmy się.

– Kwestia przyzwyczajenia. – Machnęła niedbale ręką. – Mam świeczki, a zimą trochę marznę, ale nie jest najgorzej. Mury tu są grube, trzymają ciepło. Zamek zbudowany został około 1400 roku, wtedy umieli jeszcze budować. – Pokazała w uśmiechu niepełne uzębienie.

– Ale mimo wszystko...

– Zeszłego roku miałam szczęście, bo złamałam nogę i całą zimę spędziłam u siostry, w cieple. Czułam się u niej jak na wakacjach.

– Rzeczywiście, niebywałe szczęście… – mruknął Tadeusz po polsku.

To, co przez grube, zakurzone szybki okna wyglądało na sterty śmieci, okazało się… ogromnymi stertami śmieci. Salon na parterze wyglądał jak wysypisko, wszędzie leżały wypełnione po brzegi plastikowe worki zakrywające niemal całkowicie piękne zabytkowe meble. Do wielu z nich można było dojść wąskimi „dróżkami" między hałdami śmieci. Spoglądaliśmy na to wszystko zdumieni, nie wierząc własnym oczom, ale właścicielka zachowywała się, jakby to był najnormalniejszy stan rzeczy. Zmieszała się tylko trochę, gdy potknęłam się na rozerwanym worku i plącząc się w wyłażących ze środka skotłowanych częściach garderoby, wylądowałam na równie zaśmieconym stole.

– Dopiero niedawno tu sprzątałam, ale nie zdążyłam ze wszystkim – powiedziała, ogarniając gestem dłoni pobojowisko. – Jutro muszę się do tego zabrać…

Niestety, pomieszczenie wyglądało na niesprzątane od miesięcy, jeśli nie od lat. Z pewnością tę „niespodziankę" miała na myśli Małgosia. Jeśli tak, to mogliśmy spokojnie darować sobie parę godzin jazdy tutaj i wybrać się na jakieś najbliższe wysypisko śmieci. Poczułam złość i niechęć.

– Stracony czas – mruknęłam do Marty po polsku, wiedząc, że właścicielka tego nie zrozumie. Tymczasem zafascynowany Tadeusz przekopał się do stojącej w głębi, zasypanej do połowy starej harfy.

– Niekoniecznie. – Moja przyjaciółka się uśmiechnęła. – Nie widziałaś jeszcze góry wieży. Tam trudno jest wnieść śmieci, więc naprawdę jest co zwiedzać. Nie pożałujesz.

– Ta harfa ma ponad trzysta lat – powiedziała z dumą właścicielka, widząc zainteresowanie Tadeusza. – To jeszcze z kolekcji mojego męża. Proszę tylko zobaczyć, jakie ma piękne celtyckie symbole na pudle rezonansowym.

Rzeczywiście, po zdjęciu wiszącej na niej reklamówki z resztkami czegoś, nie chciałam wiedzieć czego, zobaczyliśmy piękne celtyckie zdobienia. Jak się później okazało, nieżyjący już mąż właścicielki, który kupił i odrestaurował tę wieżę wiele lat temu, był amerykańskim podróżnikiem i kolekcjonerem. Z każdej podróży przywoził ciekawe eksponaty i meblował nimi zamek. Stąd też, między innymi, wzięła się drewniana figura przedstawiająca jakiegoś żeglarza z czasów Krzysztofa Kolumba stojąca pod oknem. Kiedy zamek był jeszcze udostępniany zwiedzającym, wisiała na nim tabliczka zabraniająca palenia.

– Zapraszam na górę. – Gospodyni ruszyła w kierunku kamiennych kręconych schodów wieży. Wcześniej wręczyła nam latarki, ponieważ robiło się już szarawo, a przez głęboko osadzone okna z grubymi, brudnymi szybkami wpadało do środka niewiele światła.

Wzdłuż ściany biegła kamienna, wytarta przez wieki, zimna w dotyku poręcz. Latarka zaczęła przygasać, a ja poczułam nieprzyjemny dreszcz wzdłuż kręgosłupa. Wysokie stopnie schodów pięły się spiralnie i stromo pod górę, przed sobą widziałam tylko majaczące w półmroku nogi Marty. Tadeusz szedł przodem z właścicielką zamku, słuchając z uwagą jej opowieści. Kiedy weszliśmy na pierwsze piętro, latarka zgasła mi zupełnie. Jeszcze przed chwilą było tylko szarawo, teraz wokół zapanowała ciemność. Szłam, macając zimną, chropowatą ścianę, widząc przed sobą tylko trzy ciemne sylwetki. Wyobraźnia zaczęła mi płatać figle i w pewnej chwili ujrzałam, że pomieszczenie, do którego weszliśmy, aż roi się od cieni obcych ludzi.

– Gdzie jesteś? – Zaniepokojony Tadeusz zatrzymał się i poświecił w moją stronę. – Mój Boże, wyglądasz, jakbyś zobaczyła ducha... – Podszedł bliżej i złapał mnie za rękę. – Nic ci nie jest?

– Nie. – Usiłowałam pokonać nagłą suchość w gardle. – Zniknęliście mi na schodach, a na dodatek zgasła mi latarka. Trochę się przestraszyłam – przyznałam.

– To jest biblioteka ze zbiorem kilku tysięcy książek z całego świata – usłyszeliśmy tymczasem głos gospodyni i weszliśmy z okrągłej klatki schodowej do olbrzymiego pomieszczenia, którego wielkości można się było tylko domyślać w świetle omiatających je latarek. Z ciemności wyłaniały się wysokie oszklone szafy biblioteczne z połyskującymi złoconymi grzbietami starych ksiąg. We wnęce nad małymi drzwiami, prowadzącymi do położonego kilka schodków niżej pomieszczenia, lśniła połowa rycerskiej zbroi, u sufitu wisiał misternie pleciony metalowy żyrandol z tkwiącymi w nim na wpół wypalonymi świeczkami, a w kącie na ogromnym stole o grubych rzeźbionych nogach leżało mnóstwo papierów i zrolowanych dokumentów. Kiedy podeszliśmy bliżej, zauważyliśmy w świetle latarek rozwiniętą do połowy starą mapę.

– Jak w pracowni geografa z obrazu Vermeera – jęknęłam zachwycona, wyjmując aparat fotograficzny. Zdjęcia robiłam praktycznie po omacku, widząc obiekt tylko przez kilka sekund w błysku flesza, co dodawało tylko smaczku całemu przedsięwzięciu. Krótkie rozbłyski światła wydobywały z ciemności szczegóły zapewne niezauważalne za dnia. Właścicielka zamku umilkła, ale my byliśmy zbyt przejęci odkrywaniem pogrążonej w mroku biblioteki, żeby zwracać na nią uwagę. Pozwalała nam dotykać wszystkiego, wyraźnie ciesząc się naszą fascynacją.

– Chodźcie, coś wam pokażę! – Z głębi ciemnego pomieszczenia dobiegł nas głos Marty.

Ruszyliśmy w jej kierunku, oświetlając sobie drogę latarką Tadeusza. Pod oknem na niewielkim stoliku leżał stos rzuconych w bezładzie książek ze zniszczonymi przez wilgoć okładkami. Marta stała nad jedną z nich i machała do nas dłonią.

– Patrzcie tylko! – W jej głosie zabrzmiały dziwne nutki. – Mamy chyba odpowiedź na pytanie, skąd się wzięły na studni symbole okultystyczne.

– „Witchcraft, Magic & Alchemy" – przeczytałam półgłosem. – Czyli „Czary, Magia i Alchemia", słynna księga napisana przez Emile Grillot de Givry. Zbiór zaklęć, symboli i praktyk czarnoksięskich. Tadeusz, ktoś tu naprawdę zajmował się magią i alchemią!

– Tak. – Nachylił się nad księgą. – Wygląda na to, że ten zamek był miejscem kultu Wicca.

Za naszymi plecami rozległ się nagle hałas i rumor. Coś ciężkiego spadło na ziemię, za chwilę usłyszeliśmy dosadne przekleństwo.

– Nie dotykajcie tego! – wrzasnęła właścicielka zamku. – Nie wolno!

Za późno. Marta właśnie przewracała stronę z widniejącym na niej kolorowym wizerunkiem postaci składającej się w jednej połowie z mężczyzny ubranego w kryzę i bufiaste szarawary, w drugiej z kobiety w długiej sukni. Mężczyzna trzymał w wyciągniętej ręce symbol słońca, kobieta księżyca, a każde z nich miało po jednym skrzydle. U ich stóp leżał gad z czerwonymi błoniastymi skrzydłami.

– Dlaczego? – zdziwiliśmy się wszyscy naraz. – Nie uszkodzimy księgi, będziemy ostrożni.

– Nie o to chodzi. – Kobieta była wyraźnie zdenerwowana. – Ta księga przynosi nieszczęście, nie powinny jej dotykać osoby niewtajemniczone.

– Ale leżała tu na stoliku razem z innymi…

– Otóż to. Nie powinna tu leżeć, sama ją schowałam parę dni temu do szafy! O, tam! – Skierowała snop światła ze swojej latarki na wysoką, oszkloną i zdecydowanie zamkniętą szafę biblioteczną.

– My nie… – zaczęłam, ale mi przerwała.

– Nie, to nie wy. Drzwiczki są zamykane na klucz i tylko ja go mam, razem z innymi. – Na dowód usłyszeliśmy klepnięcie, a następnie stłumione dzwonienie kluczy w kieszeni. – Co nie zmienia faktu, że księga często, w tajemniczy sposób, wraca na ten stolik.

– Jak to: przynosi nieszczęście? – Nie musiałam widzieć miny Tadeusza, żeby domyślić się malującego

112

się na jego twarzy niedowierzania. – Przecież to jakieś przesądy. A w dodatku sama przecież nie wyszła z tej szafy.

– To nie są żadne przesądy – zaprzeczyła grobowym głosem. Jej twarz podświetlona od dołu latarką wyglądała demonicznie. Poczułam się nieswojo. – Każdego, kto jej dotknie, spotyka jakieś nieszczęście. Ostatnio oglądali ją turyści amerykańscy i parę dni później zginęli w wypadku samochodowym.

– Bzdury! – Tadeusz objął przestraszoną Martę ramieniem. – Mamy dwudziesty pierwszy wiek, a pani nam tu jakieś bajki opowiada. Jest tu jeszcze coś ciekawego do zobaczenia? – spytał z widocznym rozdrażnieniem. – Bo jeśli nie, to będziemy się już zbierać.

Okazało się, że była jeszcze bardzo ciekawa, prywatna kaplica na samym szczycie. Zaniedbana, jak cała reszta pomieszczeń w tej wieży. Przepiękny, ręcznie malowany ołtarzyk z niemieckim napisem na froncie pokryty był ptasimi odchodami. Nad nim we wnęce okiennej leżała sterta gałązek, które okazały się gniazdem kruka. Ślady ptaków i spowodowane przez nie zniszczenia widać było wszędzie, na wszystkich sprzętach tej niewielkiej kaplicy. Jakby na potwierdzenie swojej obecności ogromne ptaszysko wynurzyło się nagle z otworu z wiszącym niewielkim dzwonem na grubym sznurze.

– Ciii! – Kobieta przyłożyła palec do ust. – Niedawno wylęgły się młode, nie spłoszcie ich.

Pożegnaliśmy się z dziwną gospodynią, zostawiając jej datek na „prace remontowe", i wyjechaliśmy stamtąd z niesmakiem. Przygnębił nas widok tych wszystkich przepięknych, zabytkowych, niszczejących mebli i książek. Jeszcze kilka lat i niczego już nie da się uratować. Właścicielka najwyraźniej nie radziła sobie z tym wszystkim.

– To jest choroba. – Marta, która studiowała w Polsce psychologię, podsumowała to krótko. – I ma swoją nazwę: patologiczne zbieractwo. Ludzie toną w śmieciach, bo nie są w stanie niczego wyrzucić. Wszystko ich zdaniem może się przydać.

– Dobrze, że chociaż w bibliotece na górze nie ma śmieci – powiedziałam.

– To może być tylko kwestia czasu. – Pokręciła głową. – Kiedyś zabraknie miejsca na parterze. Ciekawi mnie ta księga – zmieniła nagle temat. – Zadzwonię do Gośki i zapytam, czy widziała ją podczas swoich wizyt w tym zamku, czy to właścicielka zrobiła przedstawienie specjalnie na naszą intencję.

Wyjęła komórkę z torebki i wcisnęła numer.

– Dziwne – powiedziała po chwili. – Komórka jest wyłączona. Bateria się wyczerpała czy Małgosia wyłączyła telefon?

– Może jest teraz z Rogerem i wyłączyła komórkę – uspokoiłam ją. – Pewnie nie sądziła, że mamusia będzie do niej dzwonić tak późno.

Marta spojrzała na zegarek.

– Jeszcze nie jest zbyt późno, ale masz rację, mogła ją wyłączyć. Trudno, zadzwonię jutro. Tymczasem pomyślmy o jakimś noclegu, bo nie będziemy przecież wracać po nocy.

Zatrzymaliśmy się w B&B, czyli Łóżko i Śniadanie (Bed & Breakfast), zajeździe, przy którym już dzisiaj byliśmy. Uroczy mały domek z uśmiechniętą właścicielką sprawiał przyjemne wrażenie. Salonik z masą nagromadzonych bibelotów przytłaczał nieco i sprawiał wrażenie skupiska odpustowych kramów z ustawionymi wszędzie zdjęciami rodzinnymi w wymyślnych ramkach, sztucznymi kwiatami, zajączkami i drewnianymi kaczkami, ale miało to też swój niezaprzeczalny urok.

Usypiając w wygodnym, miękkim łóżku, nie mogłam się jednak pozbyć przykrego uczucia zagrożenia. Zło czające się w ciemnościach było wręcz namacalne.

Rano wstaliśmy dość wcześnie i po szybkim prysznicu i ubraniu się przeszliśmy do obszernej jadalni z zastawionym już stołem. Z pobliskiej kuchni dochodziło do nas skwierczenie tłuszczu na patelni i smakowite zapachy irlandzkiego śniadania. Bo takie właśnie, tradycyjne, zażyczyliśmy sobie poprzedniego wieczoru. Zasiedliśmy przy stole przykrytym białym obrusem i udekorowanym sztucznymi kwiatami. Na pięknej, pewnie rodzinnej zastawie przygotowane już były kawałki żółtego sera, dżem i miód, a w malutkich koszyczkach kilka rodzajów ciepłego jeszcze pieczywa. Było i ciemne, i z ziarnami zbóż, były też puszyste białe bułeczki. W wysokich dzbankach sok pomarańczowy, do tego herbata i kawa. Do wyboru.

Gospodyni weszła z tacą, na której na okrągłych półmiskach jeszcze skwierczały kiełbaski.

– Dobrze się państwu spało?

– Rewelacyjnie – potwierdziliśmy zgodnym chórem, spoglądając łakomie na pachnące upojnie talerze.

Ludzie, co to było za śniadanie! Smażone kiełbaski, chrupiące kawałki bekonu, smażona biała i czarna kaszanka, czyli *white pudding* i *black pudding*. A do tego smażony pomidor i jajko. Wszystko tłuste, ale niebiańsko dobre. Takie śniadania jadali irlandzcy chłopi wychodzący na zimne, wietrzne pola i pastwiska na cały dzień, ponieważ tyle kalorii zapewniało im potrzebną ilość ciepła. My nie potrzebowaliśmy ich aż tak dużo, a niektórzy z nas wręcz nie powinni byli z nimi przesadzać. Ale musieliby mnie związać, żebym nie zjadła tych wszystkich pyszności.

– Kocham Irlandię – oświadczyłam, popijając kawę i „dobijając się" jeszcze ciepłymi drożdżówkami na deser. – Kochanie, przeprowadzimy się tutaj? – Z trudem nachyliłam się w kierunku Tadeusza.

– Nie sądzę, skarbie. – Otarł usta serwetką. – Bo w krótkim czasie łatwiej byłoby cię przeskoczyć, niż obejść…

Pożegnaliśmy się z miłą właścicielką serdecznie, zapewniając ją, że zarówno Bed w jej zajeździe, jak i Breakfast były wyjątkowej jakości.

7

Już z daleka zauważyliśmy stojący na podjeździe samochód Małgosi.

– Nie wyjechała jednak do Dublina? – Zaniepokojona Marta zaparkowała obok i wysiadła, nie czekając na nas.

Drzwi wejściowe były zamknięte, a dom pusty. Zauważyliśmy tylko kota Małgosi kręcącego się niecierpliwie pod naszymi nogami.

– Wyjechała i zostawiła kota samego? – zdziwiłam się. – To chyba do niej niepodobne?

– Nie, ale wiedziała, że dzisiaj przyjedziemy.

Marta wyjęła z szafki torbę z suchą karmą i usiłowała nasypać ją do miseczki, w czym skutecznie przeszkadzał wygłodniały zwierzak. Wpychał się jej pod ręce i trącał łebkiem torbę, mrucząc przy tym głośno.

– Taki jesteś głodny? – Delikatnie odsunęła namolny pyszczek na bok i wsypała jedzenie do miski. Niemal natychmiast rozległo się głośne chrupanie. – Paniusia nie nakarmiła cię wieczorem ani nie zostawiła zapasów? – Przyglądała mu się z troską. – Coś mi się tu nie podoba...

Odstawiła torbę z jedzeniem i pobiegła do pokoju córki. Przez chwilę słyszeliśmy jej kroki na górze, w końcu zeszła powoli ze schodów z wyrazem zamyślenia na twarzy.

– Nie ma jej rzeczy. Kosmetyków w łazience też nie ma. Ani plecaczka, z którym się nigdy nie rozstaje...

– No widzisz, czyli jednak pojechała do Dublina, tak jak planowała – usiłował ją pocieszyć Tadeusz.

– Ale dlaczego nadal ma wyłączoną komórkę? – Marta wcale nie wyglądała na uspokojoną. – Nawet jeśli padła jej bateria, to od wczorajszego wieczora powinna już ją była naładować... No tak! – krzyknęła nagle i roześmiała się z ulgą. – Cała Gośka!

Na szafce pod oknem leżała komórka podłączona do prądu. Na ciemnym ekranie widać było tylko, że bateria jest już pełna.

– To nie pierwszy raz, jak ta ofiara losu zapomina o komórce. – Marta usiadła ciężko na krześle. – Kiedyś wyjechała na tydzień na Kretę i byłyśmy bez kontaktu, bo zostawiła aparat w kieszeni żakietu, w domu. Możecie sobie wyobrazić, co ja wtedy przeżywałam! No, wszystko w porządku. – Westchnęła głęboko. – Chyba ją zabiję po powrocie. Narażać matkę na taki stres!

Coś jednak nie dawało mi spokoju.

– Dlaczego jej samochód stoi na podjeździe?

– Pewnie pojechali samochodem Rogera. Co za sens jechać w dwa samochody?

– Niby tak, racja – przyznałam, chociaż nadal czułam lekki niepokój. Może to było przewrażliwienie,

118

a może wpływ wczorajszego incydentu z księgą na zamku. Usiłowałam sama siebie przekonać, że przecież Marta lepiej zna swoją córkę i skoro ona przestała się martwić, to ja też powinnam, ale niezbyt mi się ta sztuka udała.

Wątpliwościami podzieliłam się tylko z Tadeuszem, kiedy wyszliśmy na spacer. Marta zabrała się do przygotowywania obiadu i niemal siłą wyrzuciła nas z kuchni.

– Gdzie kucharek sześć i tak dalej… – powiedziała stanowczo, zdejmując ze mnie fartuch, który zdążyłam już włożyć. – Przyjechaliście tu odpocząć, a ja w kuchni nie lubię konkurencji. Idźcie na spacer.

Wyszliśmy przed dom i Tadeusz natychmiast zapalił papierosa.

– Mnie też to trochę niepokoi – przyznał, kiedy powiedziałam mu o swoich odczuciach. – Ale skoro już nieraz się tak zdarzało i Małgosia jest zapominalska, to może nie ma się czym martwić? W końcu zapowiedziała, że będzie w Dublinie przez parę dni, nie ma jej rzeczy, więc wszystko wskazuje na to, że naprawdę wyjechała z Rogerem.

– To dlaczego nie zadzwoniła dzisiaj z komórki Rogera?

– Może się jeszcze nie zorientowała, że nie ma swojej przy sobie? Albo zbyt są zajęci sobą? Przecież widać było wyraźnie, że coś między nimi iskrzyło.

– Prawda, o tym nie pomyślałam.

Nakarmiliśmy marchewkami i jabłkami konie, które na nasz widok przygalopowały z głębi pastwiska. Szybko się zorientowały, że ci dwoje też pachną jedzeniem

119

i warto im podstawiać łby do czochrania, bo w nagrodę można dostać coś smacznego. Z niecierpliwym parskaniem obwąchiwały nasze ręce i kieszenie, ale nie mieliśmy już nic więcej.

– Żarłoki! – Roześmiałam się, odpychając miękkie chrapy od mojej głowy. – To był tylko poczęstunek, reszta rośnie pod waszymi kopytami.

Zawiedzione konie podrzucały jeszcze przez chwilę łbami, w końcu odeszły z godnością od parkanu, skubiąc po drodze soczyście zieloną trawę.

Poszliśmy przed siebie. Zza kępy drzew wyłoniły się kamienne krzyże małego cmentarza. W wysokich chaszczach przy kaplicy mignęło coś, prawdopodobnie promień słońca odbił się w kawałku szkła. Spojrzeliśmy obydwoje w tamtą stronę.

– Coś się tam rusza, popatrz! – Trąciłam Tadeusza w ramię.

– To chyba kot Małgosi – powiedział, wytężając wzrok. – Pewnie poluje na myszy.

Wzdrygnęłam się na myśl o tym, czym myszy mogą się żywić w takim miejscu.

– Idziemy za nim? – Wdeptał dokładnie niedopałek papierosa w trawę.

– Nie, jakoś nie mam dziś nastroju na cmentarze. Chodźmy gdzieś dalej.

Włóczyliśmy się bez celu, podziwiając piękną okolicę. Mijane przez nas konie i krowy podnosiły na chwilę z zaciekawieniem łby i niemal natychmiast wracały do skubania trawy. Za kępą drzew leniwie płynął strumyk, chwilami ginął, to znów pojawiał się między bujnymi zaroślami. Rosnący wszędzie dziki czosnek pachniał intensywnie.

– Nie mogę przestać myśleć o naszej wczorajszej wyprawie na zamek i o tej nieszczęsnej księdze – powiedziałam, przygryzając w zamyśleniu zerwaną wcześniej delikatną roślinkę. – Niby nie powinnam wierzyć w takie bzdury, a jednak nie daje mi to spokoju. Ta kobieta naprawdę napędziła mi strachu.

– Masz rację, to bzdury. – Tadeusz wzruszył ramionami. – Ja też w to nie wierzę, ale i mnie udzielił się ten nastrój niepokoju. Nawet tłumaczenie Marty, że Małgosia jest taka zapominalska i już zdarzyło jej się kiedyś zostawić komórkę, nie uspakaja mnie zbytnio. Coś tu jest nie tak.

Gdy wróciliśmy ze spaceru, obiad był już gotowy. Przez oszklone drzwi z daleka widać było Martę siedzącą w fotelu z rozłożoną na kolanach książką. Nie czytała jej jednak, niewidzący wzrok skierowała gdzieś w przestrzeń.

– O, to wy! – Podskoczyła nerwowo na nasz widok.

– Co się dzieje? – spytałam, podchodząc bliżej.

– Nic, tak się jakoś zamyśliłam. Denerwuje mnie, że Gośka nie dzwoni, chociaż powinnam się do tego już przyzwyczaić. Nie rozpieszcza mnie nigdy telefonami, kiedy gdzieś wyjeżdża, a potem śmieje się z mojego niepokoju, powtarzając, że „złego diabli nie wezmą".

– Do tego nigdy nie można się przyzwyczaić. – Rozumiałam ją doskonale. – Ja też odchodzę od zmysłów zawsze, gdy nie mam wiadomości od dzieci. Dorosłe nie dorosłe, zawsze to jednak dzieci.

– Jesteście po prostu nadopiekuńcze – podsumował krótko Tadeusz, zaglądając do garnka. – A co tu tak ładnie pachnie? Trochę zgłodniałem po spacerze.

– No, to siadamy do stołu. – Marta zerwała się z fotela w nagłym przypływie energii. – Marsz do łazienki, myć rączki!

– Się robi, proszę pani – odpowiedzieliśmy zgodnym chórkiem.

Podczas obiadu Marta wróciła jednak do tematu.

– Najgorsze, że nie znam numeru telefonu do Rogera. Byłabym spokojniejsza, gdybym z nimi porozmawiała.

– A nie możesz sprawdzić w komórce Małgosi?

– Nie, bo jest wyłączona, a ja nie znam PIN-u.

– Cholera, że też musiała czekać, aż jej się aparat całkiem rozładuje. Rzeczywiście jest problem – zmartwiłam się. – Przyznam, że ja też byłabym spokojniejsza, gdyby był z nimi kontakt. Może ojciec Rogera nam pomoże? Przecież musi znać numer do własnego syna.

– To jest pomysł! – Marta się ożywiła. – Zaraz do niego zadzwonię.

Niemal w tej samej chwili rozległ się dzwonek telefonu. Poderwaliśmy się wszyscy na równe nogi, ale Marta pierwsza dobiegła do aparatu. Po paru sekundach widać było po niej, że to, niestety, nie Małgosia.

– Dzień dobry – powiedziała matowym głosem. – Nie, nie przeszkadza pan, absolutnie. Mnie również jest miło znów pana słyszeć. O! Naprawdę? Tak, oczywiście, zapraszam serdecznie… Nie, nie, to żaden kłopot…

Nie mieliśmy już żadnych wątpliwości, że po drugiej stronie kłania się i stokrotnie przeprasza Władysław.

– O nie! – jęknął Tadeusz. – Tylko nie to! Pewnie jakiś sen albo, co gorsza, rozmowa z duchem. Chyba nie jestem w nastroju.

– Przestań – upomniałam go. – Przecież umawialiśmy się, że wpadnie tu po naszym powrocie. Możemy co najwyżej zadzwonić i przełożyć tę wizytę na jutro.

Marta pokręciła przecząco głową, przetrząsając w tym czasie gorączkowo torebkę.

– Za późno. Już jest w drodze, bo dzwonił z samochodu pasierba – mruknęła. – Gdzie ja, do cholery, wsadziłam ten karteluszek? W tej torebce to tylko dziada z babą brakuje.

Roześmiałam się głośno.

– Dziada z babą? To było ulubione powiedzenie mojej mamy.

– Zapominasz, że obie wychowałyśmy się w Krakowie i to pewnie powiedzonko krakowskie. O, mam! – pomachała tryumfalnie skrawkiem papieru. – Że też od razu nie wpadłam na ten pomysł.

Niestety, okazało się, że ojciec Rogera zgubił komórkę kilka dni temu i nie mógł nam pomóc. Numer do syna miał w swoich kontaktach i nigdzie indziej go nie zapisywał, ale słyszał, że Małgosia miała jechać do Dublina, więc przez dłuższą chwilę starał się Martę uspokoić. Nie było to jednak łatwe zadanie. Skończyła rozmowę i spojrzała na nas zdenerwowana.

– To nie może być zwykły przypadek – szepnęła.
– Komórka Gośki się rozładowuje i nie możemy jej

włączyć, ojciec Rogera gubi swój telefon... Zaczynam powoli wierzyć w przekleństwo tej cholernej księgi.

– Przestań gadać głupstwa... – zaczęłam, ale sama poczułam nieprzyjemny dreszcz na plecach. Niby nie byłam przesądna, ale nie tak znowu do końca.

– A jeśli przydarzyło jej się coś złego...?

Nie zdążyliśmy odpowiedzieć, bo za oknem już było słychać zwalniający na podwórzu samochód. Władysław wyskoczył z niego, jak zwykle w pośpiechu. I równie szybko pożegnał się z pasierbem, który machnął nam tylko ręką na powitanie przez uchyloną szybę w drzwiach.

– I jak tam wyprawa? – pytał nasz przyjaciel niecierpliwie już od progu. – Opowiadajcie! Jak było w zamku?

– Świetnie – odparłam za wszystkich. – Dużo by opowiadać, nie da się tak w paru słowach. Usiądziemy, pooglądamy zdjęcia. Sam zobaczysz.

– Ale nie słyszę entuzjazmu w twoim głosie. Reszta też jakby milcząca. – Nagle spojrzał w naszą stronę, jakby zobaczył nas po raz pierwszy. – A co wy jesteście jacyś tacy? Stało się coś?

– No właśnie, sami jeszcze nie wiemy – pospieszyłam z wyjaśnieniem. – Zniknęła Małgosia, chociaż nie jesteśmy do końca pewni, czy naprawdę zniknęła.

– Nie rozumiem. – Władysław zmarszczył czoło. – To w końcu zniknęła czy nie?

– Nie ma jej, w każdym razie. Zapowiadała wprawdzie, że wyjeżdża na parę dni do Dublina z Rogerem, ale nie dała do tej pory znać, więc nie wiemy, czy jest tam, czy nie.

– A nie możecie po prostu zadzwonić do niej?
– Władysław popatrzył na nas zdumiony i rozbawiony. – To chyba najprostsze wyjście.

– Byłoby najprostsze, gdyby Małgosia nie zostawiła telefonu w domu. W dodatku wyłączonego... – wtrącił się Tadeusz z lekko urażoną miną. – Chyba nie myślisz, że jesteśmy aż tak niepozbierani?

– Nie, nie! – Władysław zatrzepotał dłońmi w powietrzu, jakby odpędzał chmarę komarów. – W życiu nie przyszłoby mi coś takiego do głowy! – Mina, z jaką to powiedział, świadczyła jednak o czymś zupełnie przeciwnym. – A gdyby tak... – zaczął po chwili namysłu.

– Do Rogera też nie możemy zadzwonić – uprzedziłam jego pytanie. – Nie znamy jego numeru telefonu.

– No to, cholerka, kłopot – podsumował Władysław, pocierając czoło. – Mogłaby zadzwonić z telefonu Rogera, kiedy już się zorientowała, że swój zostawiła w domu.

– Właśnie – potwierdziła Marta. – I to mnie najbardziej martwi. Ale niczego tu nie wymyślimy. Musimy poczekać. Prędzej czy później się odezwie. Chodźmy obejrzeć zdjęcia.

Opowiadania o zamku Matrix przerywane były co chwilę okrzykami oburzenia, zachwytu lub niedowierzania w wykonaniu podskakującego z emocji Władysława.

– Nie wierzę! – krzyczał, zaglądając do komputera, na którym wyświetlaliśmy zdjęcia z tej wyprawy. – Wysypisko śmieci w takich pięknych wnętrzach!... No nie... za tę harfę chętnie bym babę udusił! A tu

co?! – krzyknął znowu, pokazując palcem ołtarzyk.
– Takie cudo obesrane przez ptaki?!

Z wrażenia używał brzydkich wyrazów, zapominając o obecności kobiet, co nigdy dotąd mu się nie zdarzało. Szarpał wianuszek siwych włosów okalający łysinę, pocierał nos i klepał się ze złością w kolano.

– Dobrze, że z wami nie pojechałem – powiedział w końcu. – Jak mi Bóg miły, nie zdzierżyłbym tego. I jeszcze te piękne stare księgi niszczejące w wilgoci. Skandal i zbrodnia!

Uspokoił się trochę przy zdjęciu przedstawiającym pierwszą stronę księgi czarów i alchemii. Zwłaszcza zainteresował go dziwny rysunek.

– A to ciekawe... – Przybliżył twarz do monitora, dotykając go niemal nosem. – Przepiękne nawiązanie do astrologii, dawno tego nie widziałem.

– Tak? – zainteresowaliśmy się wszyscy. – Nam te rysunki nic nie mówiły, oprócz może tego gada na dole, który pewnie uosabia Szatana.

Uśmiechnął się z wyższością.

– Zdziwicie się, ale nie o Szatana tu chodzi...

Zawiesił teatralnie głos i odczekał chwilę dla wzmocnienia efektu.

– A więc, moi drodzy – powiedział w końcu z wyraźną satysfakcją – to nie jest Szatan, tylko skrzydlaty smok, emblemat astrologii i alchemii.

Tadeusz wyjął szybko swój notatnik i zaczął w nim coś skrupulatnie zapisywać.

– Nie wiedziałeś, co? – spytał Władysław ze źle skrywaną nutką tryumfu.

– Nie muszę wszystkiego wiedzieć – mruknął Tadeusz niechętnie. – A co z resztą symboli? Ta postać na przykład: pół kobiety, pół mężczyzny?

– To animus i anima, czyli wewnętrzny obraz kobiety w psychice mężczyzny i wewnętrzny obraz mężczyzny w kobiecie. Każde z nich trzyma w ręce inny symbol, mężczyzna słońce, a kobieta księżyc.

– Logiczne – wpadł mu w słowo Tadeusz – bo słońce we wszystkich kulturach to mężczyzna, bóstwo władcze i wojujące.

– A księżyc – wyrwałyśmy się razem z Martą – związany jest z kobietą. Choćby przez dwudziestoośmiodniowy cykl menstruacyjny u kobiet. Czyli cykl księżycowy.

– Właśnie – podsumował Władysław. – Rozszyfrowaliśmy zatem wszystkie symbole. Zazdroszczę wam tylko, że widzieliście tę księgę z bliska i mogliście jej dotknąć. Eh... – westchnął ciężko. – Mój Misiaczek czasami naprawdę przesadza z tą swoją zazdrością.

Duże zainteresowanie wzbudziły w nim też zdjęcia studni i wyrytych nad nią symboli.

– Tak, to symbole potrójnej bogini – przyznał zafascynowany. – Z całą pewnością w tym zamku odprawiano rytuały magiczne, o czym świadczy księga. Myślę też, że był on miejscem kultu Wicca. Tadeusz ma rację – przyznał niechętnie.

– Czy sądzi pan, że ta księga naprawdę mogła mi przynieść pecha? – spytała nieśmiało Marta. – Podobno nie można jej dotykać, a ja to zrobiłam. I teraz mam wrażenie, że coś złego przytrafiło się Małgośce...

– Nie wydaje mi się, żeby to miało jakikolwiek związek z księgą. – Władysław uciekł spojrzeniem w bok. – Kto dziś wierzy w takie rzeczy? – powiedział bez przekonania. – Wiecie co? Pójdę powróżyć – zmienił nagle temat. – Może runy dadzą nam jakąś odpowiedź?

Zabrał złożone na kanapie białe prześcieradło, pozostałość po poprzednich wróżbach, i wyszedł szybko z domu, jakby bał się, że go ktoś zatrzyma.

Podeszliśmy do okna i dyskretnie obserwowaliśmy jego poczynania. Nie chcieliśmy Władysława peszyć, ale też nikt z nas nie miał ochoty wychodzić na zewnątrz. Zaczął wiać nieprzyjemny zimny wiatr.

Za oknem robiło się już ciemno, więc Władysław zatrzymał się w plamie padającego z okna światła. Mocując się z wiatrem, rozłożył prześcieradło na trawie i z widocznym trudem usiadł na jego brzegu. Po chwili wyjął z wewnętrznej kieszeni marynarki woreczek z runami i rzucił je przed siebie. Zamiast jednak siedzieć jeszcze przez chwilę w skupieniu, zerwał się na nogi i zaczął czegoś gorączkowo szukać w trawie.

– Zgubił runy… – Nie mogłam się opanować, czułam, jak wzbiera we mnie nerwowy chichot.

Marta podeszła do nas zaciekawiona.

– Co się dzieje?! – zawołała do Władysława przez okno.

Starszy pan machnął tylko zdenerwowany ręką i dalej szukał.

– Mówię wam, że zgubił runy w tych ciemnościach… – Trzęsłam się już jak w ataku malarii. – Przepraszam, nie powinnam, wiem… ale nie mogę… – Ryknęłam już niepohamowanym śmiechem.

Marta popatrzyła na mnie zaskoczona, ale po chwili i jej zaczęła drgać broda. Kiedy zrozpaczony Władysław wszedł do salonu, cała nasza trójka śmiała się już jak szalona.

– Runy wpadły mi gdzieś w trawę i nie mogę ich znaleźć – jęknął, nie zwracając na nas uwagi. – Za ciemno, żeby... – Dopiero teraz zauważył nasz nastrój.

– A co was tak śmieszy?

Żadne z nas nie potrafiło mu dać odpowiedzi, chociaż próbowaliśmy parę razy.

– Nikt nie wie, co się dzieje z panią Małgosią, a wam wesoło. – Spojrzał na nas z niesmakiem.

Zrobiło nam się trochę głupio. Miał rację. Ale całkiem niepotrzebnie dodał po chwili:

– Wygląda na to, że tylko ja się przejąłem i próbuję coś w tej sprawie robić. Z całą skromnością muszę stwierdzić – dodał z zupełnie nieskromną miną – że spadłem wam z nieba ze swoimi umiejętnościami i powinniście to docenić...

To wywołało tylko kolejny atak śmiechu.

– Nie gniewaj się – powiedziałam, wycierając łzy wierzchem dłoni – ale ostatnio panuje taka napięta atmosfera, że wystarczyło jakieś głupstwo, żeby nas rozśmieszyło. To typowo nerwowa reakcja. A teraz trudno ją powstrzymać. Wystarczy w takiej sytuacji, że kiwniesz palcem, i będziemy umierać ze śmiechu.

Władysław spoglądał jeszcze przez chwilę podejrzliwie, ale zbyt był przejęty swoim niepowodzeniem, żeby długo się nami przejmować. Palcem, na wszelki wypadek, też nie próbował kiwać.

– Może zamiast się śmiać, pomożecie mi ich poszukać? – burknął, rozglądając się wokół siebie. – Potrzebna będzie jakaś dobra lampa.

– Nie mam takiej w domu. – Marta rozłożyła bezradnie ręce. Zastanawiała się przez chwilę. – Chyba jest mocna latarka w bagażniku u Gośki. Zaraz przyniosę, tylko znajdę zapasowe kluczyki od jej samochodu.

– Jedna runa mi ocalała, leżała na samym brzegu prześcieradła. – Władysław wyciągnął przed siebie dłoń z drewnianym krążkiem. – To Nauthiz, która symbolizuje ból, niedolę i zły los.

– Jest również traktowana jak dzwonek alarmowy i oznacza przymus szybkiego działania – popisał się znów swoją wiedzą Tadeusz.

– Tak! – zapalił się Władysław. – Mówiłem wam, że znajdę odpowiedź. Małgosia jest w dużym niebezpieczeństwie i potrzebuje natychmiastowej pomocy. Mówiłem wam! Takich znaków nie należy lekceważyć.

– Przymus szybkiego działania? – udałam, że się zastanawiam. – A może to oznacza, że powinniśmy szybko poszukać pozostałych run, bo w nocy będzie padać i zamokną?

Tym razem nawet Władysław nie wytrzymał i też się roześmiał.

Kątem oka zauważyłam wchodzącą do salonu Martę. Odwróciłam się do niej rozbawiona.

– Znalazłaś latar…? – Śmiech zamarł mi nagle na ustach.

Przyjaciółka wyglądała, jakby zobaczyła upiora. Szeroko otwarte ciemne oczy stanowiły ostry kontrast z przeraźliwie bladą twarzą.

– Boże! – jęknęła, opadając bezwładnie na oparcie fotela. – Boże, ona nigdzie nie wyjechała... Zobaczcie sami...

W otwartych drzwiach na podwórze widać było samochód Małgosi z wysoko uniesioną klapą bagażnika.

8

Przez dłuższą chwilę siedzieliśmy wszyscy jak skamienieli. Nikt nie miał odwagi podejść do samochodu, w obawie że znajdzie tam zwłoki Małgosi. Marta zorientowała się w końcu i energicznie zaczęła kręcić głową.

– O Boże, nie! To nie to, co myślicie! To tylko... – Machnęła ręką i rozpłakała się głośno.

Wybiegliśmy przed dom, omal nie rozdeptując korzystającego z otwartych drzwi kota. Pod uchyloną klapą bagażnika widać było przygotowaną do drogi torbę podróżną. A obok wrzuconą w pośpiechu torebkę z dokumentami. Najwyraźniej Małgosia była już spakowana do wyjazdu, ale coś jej w tym przeszkodziło. Albo ktoś. Tylko dlaczego torebkę zamknęła w bagażniku?

– Może miała już wyjeżdżać, lecz w ostatniej chwili postanowiła coś jeszcze załatwić i wrzuciła tam torebkę, żeby jej nie zostawiać na przednim siedzeniu? – zastanawiał się na głos Tadeusz. – Wprawdzie małe jest prawdopodobieństwo, żeby ktoś zaglądał do auta na jej podwórku, ale w końcu kręcą się tu obcy ludzie. Choćby pracownicy stajni na przykład.

– Trzeba natychmiast zgłosić jej zaginięcie policji! – Złapałam go za rękaw swetra. – Proszę, zrób to, bo Marta chyba nie da rady w tej chwili.

Rzeczywiście, moja przyjaciółka, która wyszła za nami, siedziała teraz na brukowanym podwórku po turecku, wpatrując się tępo w otwarty bagażnik samochodu. Podeszłam bliżej i delikatnie zmusiłam ją do wstania.

– Chodź do domu – powiedziałam najłagodniej, jak potrafiłam. – Przeziębisz się.

Weszłyśmy do salonu, gdzie Tadeusz miotał się z telefonem w ręce i wykrzykiwał coś po angielsku. W końcu wyłączył słuchawkę i rzucił ją ze złością na kanapę.

– Szlag by ich wszystkich trafił! „To dorosła kobieta i może sobie nie życzyć, żeby jej ktoś szukał. Zapewne ma jakiś romans" – przedrzeźniał policjanta. – Kurwa! Nic nie możemy zrobić przed upływem czterdziestu ośmiu godzin! Dopiero po tym terminie można zgłosić zaginięcie.

Zaczęliśmy się głośno zastanawiać, ile czasu od tego momentu mogło upłynąć. Każdemu z nas wychodziło coś innego.

– Czekajcie! – Tadeusz uciszył nas gestem dłoni. – Rozmawialiśmy z nią wczoraj po południu przez telefon, kiedy nam tłumaczyła drogę do zamku. Czyli dopiero dwadzieścia cztery godziny. Cholera!

– Zaraz, zaraz. Jaki romans? – Marta powoli wracała do siebie po pierwszym szoku. – Chyba że z Rogerem.

Może jednak są razem? – dodała z nadzieją. – Że też nie mam do niego telefonu...

– Gdzie komórka Małgosi? – Tadeusz zaczął się rozglądać po salonie. – Może PIN nie jest zbyt skomplikowany? Na przykład data urodzenia lub coś podobnego? – Spojrzał pytająco na Martę.

– Spróbujmy – powiedziała bez przekonania. – Ale, jak znam swoją córkę, to może być równie dobrze przypadkowy, tylko jej znany ciąg cyfr.

– Mamy trzy szanse, zaczynamy od daty urodzenia. – Tadeusz wcisnął przycisk uruchamiający telefon. – Podaj mi... a niech to! – krzyknął nagle.

Usłyszeliśmy sygnał informujący nas, że aparat został prawidłowo włączony.

– Nie było żadnego zabezpieczenia... – Tadeusz patrzył z niedowierzaniem na rozjaśniony ekran komórki. – Czekajcie, jest siedem nieodebranych połączeń. Sprawdźmy. To od Marty – mruczał pod nosem. – To też... O, jest Roger! Pięć nieodebranych rozmów.

– Czyli nie są razem. – Marta usiadła na brzegu fotela, jakby nagle nogi odmówiły jej posłuszeństwa. – Ktoś ją porwał!

Tadeusz wcisnął ostatnie połączenie, to od Rogera.

– Nie, nie... – przerwał szybko młodemu Irlandczykowi, który natychmiast odebrał telefon. – To ja. Przykro mi...

Przez dłuższą chwilę tłumaczył mu, co się stało, i odpowiadał na pytania. Nagle przerwał zaskoczony i spojrzał na wyświetlacz, po czym wzruszył ramionami i odłożył komórkę na stolik.

– Roger wsiada do samochodu i zaraz tu będzie
– odpowiedział na nasze niezadane pytanie.
– Z Dublina? – zdziwiłam się. – Przecież to dobre
dwie godziny drogi, a już jest dość późno. – Spojrzałam
na zegarek.

Okazało się jednak, że Roger parę minut wcześniej przyjechał na jeden dzień do ojca, był dosłownie o krok od nas. I tak miał się wybrać przy okazji
do Małgosi, żeby sprawdzić, dlaczego nie przyjechała,
co jej przeszkodziło. Miał nadzieję, że Goha zabierze
się teraz z nim z powrotem do Dublina.

Usiedliśmy przy kominku, wpatrując się bez słowa
w trzaskający ogień, gdy nagły dźwięk telefonu poder-
wał nas wszystkich na nogi. Marta pierwsza podbiegła do aparatu, obijając się po drodze o meble, a my
zastygliśmy w oczekiwaniu, że może...

Był to jednak ojciec Rogera, zaniepokojony informa-
cjami o zaginięciu Małgosi. Niestety, niewiele dowiedział się od zdenerwowanego syna, dlatego zadzwonił
do Marty. Wróciliśmy na swoje fotele, słuchając jej
monotonnego głosu, kiedy opowiadała całą historię
na nowo. Ożywiła się tylko na moment.

– Naprawdę? – usłyszeliśmy nagle. – To rzeczywiście dziwny zbieg okoliczności.

Okazało się, że dziadek Rogera wczoraj znów słyszał krzyki banshee, które, jak wiadomo, zapowiadają
nieszczęście, a nawet śmierć. Skojarzył to z wydarze-
niami sprzed lat, kiedy to po zniknięciu tamtej dziewczyny banshee długo zawodziła, szarpiąc nerwy oko-
licznych mieszkańców.

– No proszę! – Władysław uniósł znacząco palec w górę. – Następny znak. A śmialiście się z moich wróżb...

Nie zdążyliśmy nic odpowiedzieć, bo w tej samej chwili przed dom zajechały niemal równocześnie dwa samochody. Z jednego wyskoczył zdenerwowany Roger, z drugiego wysiadł zdziwiony tym pośpiechem Jacek, pasierb Władysława.

Wprowadziliśmy szybko obu panów w sprawę. Roger krążył zdenerwowany po salonie, a Władysław niechętnie zbierał się do domu. Pasierb ochoczo zadeklarował swoją pomoc. Jego poczciwa, okrągła twarz poczerwieniała z emocji.

– Idę jutro na popołudniową zmianę, to mogę dzisiaj posiedzieć dłużej przed komputerem – powiedział. – Zrobię plakaty i rozwieszę je do południa, gdzie tylko się da w mieście. Macie jakieś aktualne zdjęcie pani Małgosi? Nagłośnię też sprawę wśród znajomych Polaków. Będzie dobrze – pocieszył Martę. – Niech się pani nie martwi.

Władysław westchnął ciężko i ruszył za pasierbem do wyjścia. Rozumiałam go doskonale. Wiedziałam, że jemu, tak jak i nam, będzie dziś trudno zasnąć.

– Przyjadę jutro najszybciej, jak tylko będzie można – rzekł na pożegnanie. – Znajdziemy ją, spokojnie. Mam przeczucie, że ją znajdziemy.

– Oby nie było za późno. – Marta znów miała łzy w oczach. – Noce są takie zimne, a jeśli jakiś psychopata przetrzymuje ją w piwnicy... – nie dokończyła, chowając twarz w ręcznik, który mięła w dłoni przez cały czas.

– Ale się narobiło… – Zmartwiony pasierb Władysława kiwał głową. – Ale się narobiło…

Obaj panowie pożegnali się i wsiedli do samochodu, a my przetłumaczyliśmy Rogerowi naszą rozmowę.

– Jaki psychopata? Jaka piwnica? – Spojrzał zaskoczony na Martę. – Coś już wiadomo na ten temat?

– Nie – wtrącił się Tadeusz. – To tylko nasze przypuszczenia. Musiałbyś wysłuchać, co tu się działo, żeby zrozumieć, skąd te nasze podejrzenia.

Roger słuchał w skupieniu, nachylając się całym ciałem w kierunku mówiącego, jakby nie chciał uronić ani słowa. Powiedzieliśmy mu też o runach i o interpretacjach wróżb przekazanych nam przez Władysława i Tadeusza.

– Wróżyliście z run? – zdziwił się.

– Tak jakby… – Tadeusz był wyraźnie zmieszany.

– Nie wiedziałem, że umiecie. Na waszym miejscu nie śmiałbym się z tego. – Roger był zupełnie poważny. – Moja babcia umiała wróżyć i te wróżby zawsze się sprawdzały. Ludzie przychodzili do niej ze swoimi problemami. Niektórzy nawet z daleka. Ale babcia była rodowitą Irlandką, a wy przecież nie. – Pokręcił z niedowierzaniem głową i zaraz wrócił do sedna sprawy. – Dlaczego nie zaczęliście jej szukać od razu po powrocie z wycieczki?

– Myśleliśmy, że pojechała do ciebie, więc z początku nie martwiliśmy się zbytnio – ubiegłam przyjaciółkę, która najwyraźniej odebrała to jak zarzut i poczerwieniała z emocji. – Trochę nas wprawdzie zastanawiało, dlaczego nie dzwoni z twojej komórki, ale wiemy od Marty, że jest roztargniona. Pomyśleliśmy więc, że zapomniała.

Roger pocierał głowę dłonią, aż jego włosy zaczęły przypominać fryzurę stracha na wróble.

– Zadzwoniła do mnie wczoraj po południu. Powiedziała, że ma kilka dni wolnego i przyjedzie do mnie, ale jeszcze chce się wybrać w pewne miejsce.

– Jakie miejsce, mówiła gdzie? – nie wytrzymała Marta.

– Nie, uprzedziła tylko, że jeżeli zajmie jej to więcej czasu, niż zaplanowała, dojedzie do mnie dzisiaj. Nie chciała jechać nocą do Dublina. Planowała zrobić jakieś zdjęcie, ale była bardzo tajemnicza. Zdążyła tylko powiedzieć, że mnie zaskoczy, i wtedy rozładowała jej się bateria w komórce. Miałem nadzieję, że zaraz ją podłączy do ładowarki i oddzwoni, ale nie. Specjalnie się tym jakoś nie przejąłem – przyznał z miną winowajcy. – Cieszyłem się tylko, że spędzimy kilka dni razem.

– A dzisiaj, kiedy się jednak nie pojawiła? – spytała Marta z lekką pretensją w głosie.

– Dziś od rana do późnego popołudnia siedziałem w archiwum i miałem wyłączoną komórkę. Ale umówiliśmy się, że zostawię jej klucz u gospodyni domu, w którym się zatrzymałem, więc byłem pewien, że zastanę ją tam po moim powrocie. Niestety, nie dojechała. Znów próbowałem dzwonić, ale nadal nie odbierała, więc postanowiłem zajrzeć do niej w drodze powrotnej od ojca. I wtedy właśnie zadzwoniliście. Myślałem, że to Goha... – dodał zmienionym głosem, przełykając głośno ślinę.

Trzasnął ogień, rozpalone polano zsunęło się na brzeg paleniska, sypiąc iskrami. Tadeusz podszedł i wsunął je głębiej metalowymi szczypcami wiszącymi na specjalnym stojaku obok kominka.

– Czy są tu w pobliżu jakieś piwnice? – Odłożył szczypce i spojrzał pytająco na Martę. – Chodzi mi o takie stare, nieużywane, do których rzadko kto zagląda.

– Nie mam pojęcia. – Marta wzruszyła bezradnie ramionami. – Pod naszym domem na pewno nie ma, bo kiedyś to była stodoła. Albo stajnia, nie jestem pewna. – Ożywiła się nagle. – Ale na pewno jest pod domem właścicieli tego terenu. Gośka prosiła kiedyś gospodarza o łopatę, a on odpowiedział, że potrzebuje swojej, ale poszuka drugiej w piwnicy.

– To ten właściciel, który nie lubi Małgosi? – upewniłam się.

– Tak. Nie znosi jej, bo wtrącała się do jego koni, a konkretnie do tego, jak je traktuje. Może to on ją porwał z zemsty?

– Aż tak by mu się naraziła? – Tadeusz był sceptyczny. – W końcu nic mu się z tego powodu nie stało, o ile pamiętam z twojego opowiadania. Przyszła jakaś komisja i tyle.

– Też nie sądzę, żeby to był on – wtrącił się Roger. – Podobno nie dostał żadnej kary ani nawet upomnienia. Goha była wściekła z tego powodu, bo zdążył wywieźć te najbardziej zaniedbane konie tuż przed wizytą komisji.

– A jeśli to wyjątkowo mściwy człowiek i poczuł się zagrożony? – Marta nie odpuszczała. – Przecież nie wiemy, co się stało podczas naszej nieobecności. Mogła go spotkać przypadkiem i coś jeszcze nagadać. Co jak co, ale gębę moje dziecko ma trochę niewyparzoną. Zagroziła mu czymś, a on...

– Przestań! – Położyłam dłoń na ramieniu przyjaciółki. – Niepotrzebnie sama się nakręcasz. Najlepiej zrobimy, idąc tam teraz i każąc sobie pokazać piwnice. Nie jest jeszcze za późno na sąsiedzką wizytę.

Panowie nie byli przekonani do tego projektu. Zwłaszcza Tadeusz miał najwięcej zastrzeżeń.

– Jeśli to on ją porwał i więzi, nie powie nagle: „A, to ja przepraszam i oddaję pani córkę", tylko będzie się wypierał i nie wpuści nas do piwnicy – tłumaczył. – Zanim wrócimy z policją, przy założeniu, że zgodzą się tylko na podstawie naszych podejrzeń, zdąży już ją gdzieś przenieść. Musimy to rozegrać inaczej. Pójdziemy po prostu spytać, czy gdzieś jej nie widział. To zupełnie naturalne, że matka jest zaniepokojona i wypytuje wszystkich dookoła. Wy zagadacie go przy drzwiach, a tymczasem my z Rogerem poszukamy piwnicy i sposobu, żeby się do niej dostać.

– Ale to będzie włamanie – wyraziłam swoje wątpliwości.

– No właśnie. A ja bym się z nim nie patyczkowała! – Marta nie dawała za wygraną. – Musi nam pokazać piwnice i tyle. Ten typ już od dawna wydawał mi się podejrzany. Kto inny mógłby zrobić Gosi krzywdę?

– Zgoda, kochanie. – Tadeusz zwrócił się do mnie. – To będzie włamanie, ale nie mamy teraz innego wyjścia. Liczy się czas. Jeżeli Małgosia jest zamknięta w piwnicy, właśnie mija już doba bez jedzenia i picia, w zimnie. Długo tak nie wytrzyma.

Postanowiliśmy więc pójść za radą Tadeusza. Rzeczywiście, wydawało się to mało prawdopodobne, żeby sąsiad dobrowolnie wpuścił nas do swoich piwnic. Nawet jeśli był niewinny, mógłby poczuć się urażony samym podejrzeniem i choćby dlatego nas odprawić od drzwi. Marta niechętnie, ale w końcu zgodziła się z nami.

Tylko Roger nie wyglądał na przekonanego.

– Dlaczego uparliście się na tę piwnicę? Tylko na podstawie wróżby? Wybaczcie, ale zaczyna mi to przypominać jakieś zabawy w podchody. Przecież nie wiemy na pewno, czy Goha jest w jakiejś piwnicy.

– A masz jakiś lepszy pomysł? – spytał Tadeusz ze złością. – Gdybyśmy wiedzieli na pewno, gdzie jest, byśmy tam po prostu poszli i przyprowadzili ją do domu. Musimy sprawdzić wszystkie możliwe miejsca, gdzie mogła zostać zamknięta albo po prostu wpaść przypadkiem. Przecież i taką ewentualność trzeba wziąć pod uwagę. Zanim policja zacznie rutynowe poszukiwania, my dokładnie sprawdzimy otoczenie. Każdą dziurę, każdą piwnicę. A zaczniemy od tej najbliższej.

Dom właściciela stał kilkaset metrów dalej, w niewielkiej kępie drzew. Z wyglądu bardziej przypominał starą rezydencję niż budynek mieszkalny niezbyt bogatej rodziny. Dwupiętrowy, z pięknymi, ale kruszącymi się ze starości ozdobami przy oknach, dużym podjazdem i kolumienkami po obu stronach szerokich drzwi wejściowych. Na drzwiach wisiała pokryta patyną mosiężna kołatka w kształcie głowy lwa trzymającego w pysku obręcz. Wyświecona na złoto była tylko część obręczy zwisająca z lwiego pyska. W ciemnych oknach na górze odbijało się zimne światło księżyca wyłaniającego się właśnie zza chmur. Drżącą ręką chwyciłam zimną kołatkę i zastukałam nią w drzwi. Przez moment miałam niedorzeczne uczucie, że tak jak na jednym z filmów usłyszę zamiast stukania krzyk przerażenia w głębi domu. Ale stukanie było zwyczajne, mocne i donośne. Po dłuższej chwili usłyszeliśmy w końcu szczękanie zasuwy i w uchylonych drzwiach ukazała się rozczochrana głowa gospodarza. Padające zza jego pleców nikłe światło w niewielkim tylko stopniu rozjaśniało panujący wokół mrok.

– Zaginęła? – Wzruszył ramionami po usłyszeniu opowieści Marty. – A co ja mam z tym wspólnego? Jest dorosła, pewnie pojechała gdzieś z jakimś kochankiem. Takie mają ich teraz na pęczki. Puszczają się na prawo i lewo.

Miałam ochotę kopnąć go z całej siły w jedną z owłosionych nóg w rozczłapanych buciorach.

– Może jednak widział pan, jak wyjeżdżała z kimś? To by nam bardzo pomogło – zagadnęłam pojednawczo, widząc, że Martę aż zatchnęło ze złości. Nie chciałam go tak na wstępie zniechęcać.

– Nie widziałem – odparł, usiłując zamknąć nam drzwi przed nosem, ale włożyłam między nie stopę. – Pani weźmie tę nogę, bo zadzwonię na policję, że mnie nachodzicie w moim własnym domu! – zagroził.

– Zaraz sobie pójdziemy. Proszę tylko powiedzieć, czy tu w pobliżu są jakieś nieuczęszczane piwnice?

W stajniach albo w budynkach gospodarczych na przykład? Albo pod pana domem. Mogła tam przecież wpaść przypadkiem...

– Piwnica? – Miałam wrażenie, że w oczach mężczyzny pojawił się błysk niepokoju. – A czego ona mogła szukać w piwnicach? Przypadkiem? Niech mnie pani nie rozśmiesza. Ta cholera wszędzie wlezie, wszędzie węszy. Jeśli rzeczywiście gdzieś wpadła, to doigrała się wreszcie, i dobrze jej tak.

Naparł mocno na drzwi.

– Weź pani tę nogę, jak ci jeszcze potrzebna! – krzyknął. – I wynoście się stąd, bo psami poszczuję! – Drzwi zatrzasnęły się z hukiem.

Nie było tam już nic do roboty, więc zaczęłyśmy schodzić ostrożnie ze schodów ganku, uważając na kruszące się, zniszczone stopnie.

– Widziałaś, jak się spłoszył, kiedy wspomniałaś o piwnicach? – szepnęła Marta, rozglądając się trwożliwie na boki. – Musi mieć coś na sumieniu. Jestem tego niemal pewna. Mam nadzieję, że nasi panowie coś znaleźli.

W tej samej chwili jak spod ziemi wyłonił się Tadeusz, a tuż za nim Roger. Opowiedziałyśmy im szeptem o naszej rozmowie z gospodarzem i o jego reakcji na wzmiankę o piwnicach.

– Czyli nie mamy na co czekać, sam nam raczej tych piwnic nie udostępni – mruknął Tadeusz.

– A znaleźliście jakąś?

– Tak. Prowadzi do niej osobne wejście pod domem, ale drzwi zamknięte są na kłódkę. Mógłbym to otworzyć – dodał – lecz potrzebuję narzędzi.

– Masz na myśli prawdziwe włamanie? – Roger aż się zatrzymał z wrażenia.

– Ależ skąd! – Tadeusz spojrzał na niego drwiąco. – Nigdy w życiu nie przyszłoby mi to do głowy. Mam na myśli majsterkowanie.

Ja też popatrzyłam na Tadeusza zaskoczona, ale on tylko wzruszył ramionami i uciekł spojrzeniem w bok. Wcale go nie winiłam, źle odebrał moje spojrzenie. Byłam po prostu dumna z mojego mężczyzny i nie omieszkałam mu tego natychmiast powiedzieć. Nie obchodziło mnie, że popełnimy przestępstwo. Musieliśmy mieć pewność, że Małgosi tam nie ma.

A gospodarz zachowywał się co najmniej podejrzanie.

Niestety, kiedy Tadeusz wrócił z narzędziami, gospodarz wyszedł właśnie z domu i ruszył w stronę piwnicy, pobrzękując przy tym pękiem kluczy. Pojawił się tak nagle, że nie zdążyliśmy się schować.

– Co tu jeszcze robicie?! – krzyknął przestraszony na nasz widok. – Mówiłem, że spuszczę psy...

Chcąc nie chcąc, musieliśmy chwilowo zrezygnować z tej wyprawy i wrócić do domu. Gospodarz najwyraźniej nabrał podejrzeń i postanowił pilnować swoich piwnic.

– Nie mam zamiaru czekać nie wiadomo jak długo. – Marta stanęła w oknie i wpatrywała się w ciemność. W szybie odbijała się jej zmęczona twarz. – Musimy się tam wybrać jeszcze dziś w nocy. Mam przeczucie, że Gośka jest gdzieś w pobliżu. Może nawet w tej jego piwnicy, bo nie pilnowałby aż tak bardzo dostępu do niej.

– Coś w tym jest. – Roger znów szarpał swoje włosy w zamyśleniu. – Facet zdecydowanie ma coś do ukrycia...
– Macie rację. – Tadeusz sięgnął po rzuconą przed chwilą kurtkę. – Wracamy. Jeśli to on ukrywa Małgosię, pewnie będzie teraz próbował ją gdzieś przenieść. Musimy go złapać na gorącym uczynku.

Kiedy chwilę później przechodziliśmy cicho obok domu gospodarza, usłyszeliśmy, że rozmawia z kimś podniesionym głosem przez telefon. Szum wiatru utrudniał nam zrozumienie choćby jednego słowa, ale z tonu można było wywnioskować, że facet jest wściekły.

Czyżby miał wspólnika? – przebiegło mi przez głowę straszne podejrzenie. Ten drugi mógł zrobić jakąś krzywdę Małgosi, zanim obaj postanowili zażądać od Marty okupu. Podzieliłam się tą myślą szeptem z Tadeuszem.

– Zwariowałaś?! – Spojrzał na mnie wzburzony. – Stanowczo za dużo czytasz kryminałów i oglądasz durne filmy. – „Durne" według mojego mężczyzny były wszelkiego rodzaju kryminalne zagadki Nowego Jorku, Miami czy też Las Vegas. – Lepiej zachowaj te przemyślenia dla siebie, skarbie – szepnął już łagodniejszym tonem. – Nie ma co bardziej denerwować Marty.

To prawda, moja przyjaciółka miała już i tak wystarczająco napięte nerwy, nie było sensu dzielić się z nią tymi przypuszczeniami. Może nie zwróciła na to uwagi?

– Ciekawe, z kim się tak kłócił przez telefon. – Marta podeszła do nas cicho, aż podskoczyłam przestraszona. – Myślicie, że ma wspólnika?...

Kłódka nie była zbyt skomplikowana, Tadeusz poradził sobie z nią w parę minut. Zbulwersowany mimo wszystko Roger stał na uboczu i pilnował terenu, natomiast my z Martą starałyśmy się nie przeszkadzać. Rozglądałam się nerwowo dookoła. Nie chciałam tego mówić na głos, ale cały czas obawiałam się tego zapowiadanego przez gospodarza poszczucia psami. Wprawdzie widzieliśmy wszyscy, jak wychodził z jednym, i to raczej starym psiskiem, ale to wcale nie znaczyło, że nie miał innych. Na przykład dobermanów, których zawsze bałam się panicznie. Z duszą na ramieniu wypatrywałam więc teraz szybkich czarnych cieni wyłaniających się z głuchym warczeniem z ciemności. Nic takiego, na szczęście, nie nastąpiło i po chwili schodziliśmy już cicho po zniszczonych schodkach do piwnicy. Nawet Roger, u którego obawa o Małgosię wyparła w końcu wyrzuty sumienia z powodu popełnianego właśnie przestępstwa.

Piwnica była dość duża i zagracona do granic możliwości. Wszędzie walały się połamane meble i zardzewiały sprzęt ogrodniczy. W kącie piętrzyła się sterta porąbanego na małe kawałki drewna, prawdopodobnie do palenia w kominku. Nigdzie jednak, ku naszemu rosnącemu rozczarowaniu, nie znaleźliśmy żadnych śladów, że ktokolwiek był tu przetrzymywany.

– Spójrzcie na to – szepnął nagle Tadeusz, świecąc latarką na ustawione pod ścianą w głębi pakunki. – Już teraz chyba wiem, czego obawiał się nasz gospodarz...

W odróżnieniu od reszty piwnicy ta jej część sprawiała wrażenie uporządkowanego magazynu. Paczki i skrzynki ułożone były starannie, jedna na drugiej w całkiem pokaźnym stosie.

– To nowe części do samochodów – stwierdził Tadeusz, starając się niczego nie dotykać. – I srebrna zastawa stołowa... – mruknął, nachylając się nad otwartą skrzynią. – A tu proszę, chyba jakieś obrazy, sądząc po kształcie pakunków.

Wyglądało na to, że nasz nieuprzejmy gospodarz zajmował się nielegalnym handlem albo był po prostu paserem. Rzeczy zdecydowanie wyglądały na kradzione, zbyt wielka ich różnorodność nie wskazywała na konkretną działalność handlową.

– Już mamy odpowiedź na to, dlaczego facet tak się zachowywał – podsumował Tadeusz. – Ma dużo do ukrycia, więc będzie musiał z nami teraz współpracować. Idziemy do niego natychmiast.

– Chcesz go zaszantażować?! – przeraził się na nowo Roger. – Przecież to...

Jedyną odpowiedzią było miażdżące spojrzenie Tadeusza. Chłopak mamrotał coś jeszcze pod nosem, ale już po cichu i bez większego przekonania.

Ruszyliśmy z powrotem pod dom gospodarza. Tym razem trochę dłużej przyszło nam czekać, aż w drzwiach pojawi się zaspany właściciel.

– To znowu wy? – warknął na nasz widok. – Idę dzwonić na policję, to jest zwykłe nękanie.

– O to właśnie chcielibyśmy pana prosić – rzekł Tadeusz. – Oszczędzi to nam tylko czas, a policja z pewnością chętnie obejrzy pańskie skromne zbiory. Proszę dzwonić, zaczekamy.

– Jakie zbiory? – Zastygł w pół kroku. – O czym pan mówisz?

– Ta piękna kolekcja prawdopodobnie kradzionych rzeczy w pańskiej piwnicy.

– Włamaliście się tam?!

– Tak jakoś wyszło, strasznie nam przykro... – Ton Tadeusza świadczył o wszystkim innym, ale nie o tym, że mu było przykro z tego powodu.

Gospodarz jakby skurczył się nagle w sobie, westchnął ciężko i spojrzał na nas smutnym wzrokiem.

– Czułem, że coś tu nie gra, kiedy nie mogłem się tam dzisiaj dostać.

Spojrzeliśmy po sobie. A więc jednak usiłował coś ukryć po naszej wizycie.

– Piwnicę wynająłem mojemu bratankowi, który zmienia mieszkanie i nie miał gdzie przechować swoich rzeczy – mówił tymczasem gospodarz. – Nie wchodziłem do niej od tamtego czasu, ale dzisiaj mnie coś tknęło. Poszedłem tam zaraz po waszej wizycie i okazało się, że zmienił kłódkę bez mojej wiedzy. Już mu powiedziałem przez telefon, co o tym myślę, ale naprawdę nie wiem, co tam schował...

– Panie – przerwał mu Tadeusz zniecierpliwionym tonem. – Nie obchodzi nas, co pan i pana bratanek trzymacie w swojej piwnicy. Pan nie zgłasza włamania, my nie idziemy ze swoim odkryciem na policję. Prędzej czy później sam pan wpadnie, nie nasz interes. Teraz chcemy tylko pełnej współpracy przy poszukiwaniach córki naszej przyjaciółki. Pan zna tu wszystkie dziury, a my nie. Liczy się czas.

– Dobrze, później pokażę wam wszystko, co chcecie, ale najpierw muszę zobaczyć to na własne oczy. – Zawahał się. – Tylko nie mam klucza, jak już mówiłem.
– Nie szkodzi – mruknął Roger. – Piwnica jest już otwarta.

Gospodarz zarzucił na siebie gruby sweter i ruszył z nami najpierw do swojej piwnicy. Przykro było patrzeć na tego starego człowieka i jego zniedołężniałego psa usiłującego dotrzymać kroku swojemu panu. Obaj z trudem zeszli po stromych schodkach.

– Nie wierzę... – Gospodarz kręcił głową z niedowierzaniem na widok zgromadzonych tam rzeczy. – To dlatego zmienił kłódkę i nic mi o tym nie powiedział. A ja, głupi, nawet tu nie zajrzałem przez ten cały czas. Co ja teraz zrobię? Przecież nie pójdę z donosem na własnego bratanka!

Jeszcze tej samej nocy obszedł z nami wszystkie możliwe zakamarki, małe i większe piwniczki i stare, zapomniane składziki, ale nigdzie nie znaleźliśmy nawet śladu Małgosi.

– Wprawdzie już późno, ale może wstąpicie do mnie na szklaneczkę czegoś mocniejszego? – zaproponował nieśmiało gospodarz, kiedy wracaliśmy z poszukiwań. – Poznamy się bliżej, poza tym należą się wam moje przeprosiny...

Nie bardzo mieliśmy na to ochotę, w końcu zdecydowaliśmy jednak, że i tak nikt z nas nie uśnie od razu tej nocy, a on znał tu przecież każdy zakątek i mógłby nas naprowadzić na jakiś trop.

Ronald Derrick, jak się okazało po dokonaniu wzajemnej prezentacji, wprowadził nas do obszernego holu, z którego prowadziły drzwi do innych pomieszczeń. Wiszące na wieszaku przy drzwiach stare kurtki, a nawet brudne robocze spodnie świadczyły wyraźnie o tym, że gospodarstwo prowadzi samotny mężczyzna. Plątanina zabłoconych butów dopełniała ten obrazek. Dlatego kompletnie zaskoczył nas przytulny i czysty salon, do którego przeszliśmy po zdjęciu wierzchnich ubrań. Tutaj widać było wyraźnie kobiecą rękę. Na fotelach i kanapie leżały szydełkowe, ręcznie robione serwetki, na meblach stały oprawione w ramki rodzinne zdjęcia. W większości przedstawiały starszą, mile uśmiechniętą kobietę z mocno skręconymi siwymi włosami wokół szczupłej twarzy.

– To moja Nancy. – Pan Derrick wziął jedno ze zdjęć i wpatrując się w nie z czułością, wytarł z szybki kurz rękawem swetra. – Zmarła rok temu i zostawiła mnie samego... Dzieci niestety nie mieliśmy – dodał, uprzedzając nasze pytanie.

Odstawił zdjęcie na stojące w kącie pianino.

– Gra pan? – zainteresował się Tadeusz, podchodząc do instrumentu i odruchowo stukając palcem w klawisze.

– Nancy grała – powiedział cicho gospodarz. – Była nawet w tym bardzo dobra. Te wszystkie nuty to właśnie po niej – dodał, wskazując ułożone tuż obok instrumentu stosy wydawnictw muzycznych.

Podszedł do pianina i z wysiłkiem usiadł na niskim taborecie. Trzasnęło mu w stawach. Widocznie zażenowany, położył swoje wielkie zniszczone fizyczną pracą dłonie na klawiaturze. Ku naszemu zdumieniu zaczął grać jakiś prosty powolny utwór. Sprawiało mu to widoczną trudność, sapał z wysiłku, wciąż się zatrzymywał i potrącał fałszywe dźwięki, w dodatku instrument był rozstrojony, a dwa klawisze nie odzywały się w ogóle. Ale mimo tych wszystkich usterek można było wychwycić elegancką melodię, która kojarzyła mi się z młodzieńczymi utworami Chopina. Słuchałam jak zaczarowana. Co tu dużo kryć, gra na fortepianie była ostatnią rzeczą, jakiej spodziewałabym się po tym prostym, na pierwszy rzut oka gburowatym hodowcy koni. Ręce stworzone raczej do wideł niż do jakiegokolwiek instrumentu ze wzruszającą nieporadnością wykonywały jakąś romantyczną, salonową miniaturę. Popatrzyliśmy po sobie, nawet nie starając się ukryć zaskoczenia.

– Ten kawałek Nancy grała najpiękniej – powiedział Ronald Derrick, podnosząc się nagle z taboretu. Zakończył utwór w połowie frazy. – Nauczyła mnie początku, bo ja się na nutach nie znam. Trochę to schrzaniłem.

Nagrodziliśmy ten niespodziewany występ szczerymi brawami.

– Chopin? – spytałam.

Gospodarz potarł w zakłopotaniu wydatny nos.

– Field – odparł jakby od niechcenia. – Nokturn E-dur.

– Godne podziwu – odezwał się oczarowany Tadeusz. – A ja, niby taki meloman, nie potrafię nawet wystukać jednym palcem „Wlazł kotek na płotek". To rzeczywiście Field – spojrzał na nas. – Właśnie Irlandczyk był twórcą fortepianowego nokturnu. W młodości

Chopin się na nim wyraźnie wzorował. Pamiętasz, kochanie? Rozmawialiśmy o tym kiedyś.

Rzeczywiście, Tadeusz z prawdziwą pasją wyszukiwał zapożyczenia i podobieństwa muzyki Chopina z twórczością innych kompozytorów. Wykazywał, kto na kogo i jaki wywierał wpływ. Muzyka Fielda była jednym z takich przykładów.

– No proszę. Musieliśmy przybyć do Irlandii, żeby sobie o tym przypomnieć – odparłam, wciąż nie potrafiąc wyjść ze zdumienia, że rozmawiamy w tym domu o muzyce romantycznej.

Po pożegnaniu z Ronaldem Derrickiem, który obiecał nadal nam pomagać w miarę swoich możliwości, zmęczeni wróciliśmy do domu. Marta zaproponowała Rogerowi nocleg w pokoju Małgosi. Było już zbyt późno na powrót do domu, zresztą młody Irlandczyk zapowiedział, że i tak nie będzie w tej sytuacji wracał do Dublina, tylko poprosi o parę dni urlopu.

Za oknem już prawie świtało, kiedy skonani kładliśmy się do łóżka. Tadeusz usnął w połowie zdania, ja jeszcze długi czas przewracałam się z boku na bok. Sen, który w końcu przyszedł, był męczący i nieprzyjemny. Znów śnił mi się celtycki krzyż. Obudziłam się nagle zlana zimnym potem. To było tak realistyczne, że aż nie mogłam opanować drżenia. Ale co takiego zwróciło moją uwagę? – zastanawiałam się gorączkowo. Sen jak przez wielkie sito zaczął uciekać z mojej świadomości, lecz złapałam najważniejsze jego fragmenty.

Krzyż był bardziej uszkodzony, niż to zapamiętałam z mojego poprzedniego snu.

Teraz oprócz ułamanego kawałka wianka brakowało mu już całego prawego ramienia…

9

Przez dwa następne dni właściwie nic się nie działo. Marta zawiadomiła policję, która już na poważnie zabrała się do poszukiwań. Zostaliśmy przesłuchani, ale, co było do przewidzenia, nic nowego nie wnieśliśmy do sprawy. O nocnej wizycie u właściciela posesji zgodnie z obietnicą nie wspominaliśmy. W końcu pomógł nam sporo, bez niego nie udałoby się nam sprawdzić całej okolicy, zwłaszcza piwnic i zakamarków, o których tylko on wiedział. Pod warunkiem, oczywiście, że zaprowadził nas do wszystkich. Prawdę mówiąc, nadal nie dowierzałam mu zbytnio.

Roger prawie zamieszkał u Marty i razem z nami prowadził poszukiwania. Sprawdziliśmy jeszcze raz całe otoczenie, ale nigdzie nie zauważyliśmy niczego, gdzie mogłaby być przetrzymywana Małgosia. Raz tylko mieliśmy wrażenie, że słyszymy jakiś płacz, ale okazało się, że był to Borys, który wyskoczył z krzaków z głośnym miauczeniem i zniknął równie szybko, jak się pojawił.

Władysław przyjeżdżał do nas jak zwykle. Tym razem nie próbował już wróżyć z run, stracił do nich zaufanie od chwili, gdy okazało się, że prawie za każdym razem pokazują to samo, niezależnie od tego, czy pytał o zaginioną przed laty dziewczynę, czy o Małgosię. Teraz chodził wokół domu ze swoim ulubionym wahadełkiem. Upierał się, że Małgosia musi być gdzieś niedaleko i tylko ono może mu wskazać drogę. Wrócił też do trochę denerwującego nas w obecnej sytuacji zwyczaju testowania każdej potrawy przy użyciu tego magicznego sprzętu, wygłaszając przy okazji wykłady na temat szkodliwości niektórych produktów i konieczności ich dokładnego sprawdzania.

– Uratowałem w ten sposób życie mojemu Misiaczkowi – oświadczył z poważną miną, kiedy usiłowałam dać mu delikatnie do zrozumienia, żeby dał spokój.

– Tak? – umiarkowanie zainteresowała się Marta. – A w jaki sposób?

Władysław poprawił się zadowolony na krześle, odchrząknął, potarł wierzchem dłoni nos i nabrał powietrza w płuca.

– Otóż… – zaczął, znów chrząkając, co też zaczęło mnie denerwować. Chyba zauważył moje niechętne spojrzenie i dokończył szybko: – Misiaczek kupił kiedyś podejrzanie wyglądającą wędlinę, była lekko oślizgła i nie pachniała zbyt dobrze. Nie dałem jej tego zjeść, tylko sprawdziłem wahadełkiem. I co powiecie? – Spojrzał na nas tryumfalnie. – Wahadełko szalało, kręciło się odwrotnie do ruchu wskazówek zegara, co zawsze oznacza, że coś jest nie tak. Gdyby to wtedy zjadła, a miała wielką ochotę, zatrucie pokarmowe

155

gotowe. Albo i gorzej. Salmonella, może i jad kiełba-
siany...

– Ale wędlina śmierdziała i była oślizgła? – upewnił
się Tadeusz.

– No, przecież mówiłem.

– Aha.

Zapadła chwilowa cisza, nikomu z nas nie chciało
się komentować tego ratowania życia Misiaczkowi.
W podłych nastrojach położyliśmy się spać. Władysław tym razem też został na noc.

Następnego dnia, z rana, zadzwonił telefon.

Marta, jak zwykle, pierwsza podbiegła do aparatu,
a my podnieśliśmy tylko głowy znad rozłożonej na stoliku mapy, nad którą Władysław zataczał kręgi swoim
wahadełkiem. Przyglądaliśmy się temu bez specjalnych
emocji, ale coś trzeba było robić. Prawdę mówiąc jednak, powoli zaczęły nam się wyczerpywać pomysły.
Wahadełko „szalało", według interpretacji Władysława,
nad miejscem, w którym powinny się znajdować stajnie.

– Mówię wam, że tam coś musi być. – Podekscytowany stukał mocno palcem w mapę. – Tam jest Małgosia!

Jakaś zmiana w tonie głosu Marty odwróciła naszą
uwagę od mapy.

– Boże... – usłyszeliśmy nagle. – Chcę z nią porozmawiać. Proszę...

Rzuciliśmy się wszyscy w jej kierunku, ale machnęła ręką, żeby jej nie przeszkadzać. Stała tylko ze słu-
chawką w ręce i zdenerwowana potakiwała głową.

– Dobrze – powiedziała na koniec drżącym głosem.
– Ale kiedy i gdzie? Halo! Halo!

Połączenie zostało przerwane.

Przez dłuższą chwilę nie mogliśmy wydobyć z niej żadnych konkretnych informacji. Z jej urywanych słów dowiedzieliśmy się tylko, że dzwonił porywacz. W końcu uspokoiła się na tyle, żeby wszystko opowiedzieć.

Zadzwonił jakiś mężczyzna z wiadomością, że ma Małgosię i jeśli Marta chce jeszcze zobaczyć córkę żywą, powinna przygotować pieniądze na okup.

– Ile? – zapytaliśmy wszyscy jednocześnie.

– Dziesięć tysięcy euro – odpowiedziała, wycierając głośno nos. – Słyszałam, jak ktoś drugi mu podpowiadał, jakby się naradzali na miejscu. To nie jest problem, trochę mam odłożone na koncie, a resztę pożyczę. Gorzej, że nie powiedział, gdzie mam je dostarczyć i na kiedy. Ma się jeszcze odezwać.

– Dziesięć tysięcy? – Tadeusz zmarszczył brwi. – Dasz radę tyle zorganizować? Dla nas to dużo, nie wiem, jak to wygląda na tutejsze warunki.

– Dla mnie to też dużo, ale myślę, że będę w stanie im zapłacić. Pieniądze rzecz nabyta, lecz gdybym miała stracić Gośkę... – Marta nie wytrzymała i rozpłakała się na głos.

Trudno pocieszać matkę w takiej sytuacji. Przytuliłam ją tylko do siebie i pozwoliłam się wypłakać. Panowie w tym czasie gorączkowo zastanawiali się nad dalszym działaniem.

– Trzeba natychmiast zawiadomić policję! – Roger miotał się jak szalony po pokoju. – Biedna Goha... Co oni jej zrobili? Gdzie ona jest?

– Żadnej policji! – zawołała Marta, wyrywając się z moich objęć. – Powiedział, żebym nie zawiadamiała policji, bo... – nie dała rady dalej mówić.

157

– A jaką masz pewność, że oddadzą ci Gosię, jak im przywieziesz pieniądze? – wtrącił się Tadeusz. – Żadnej. Jeśli nawet nie uda się ich złapać, to może policja prędzej ich namierzy. I w ten sposób znajdzie twoją córkę. Nam się, jak widzisz, to nie udaje, a czas leci.

Marta nie dała się jednak przekonać.

– Zagrozili, że zrobią jej krzywdę, jeśli zawiadomię policję. Nie będę ryzykować. Dam im te pieniądze i koniec.

Nie byliśmy przekonani co do słuszności jej decyzji, ale musieliśmy się z nią zgodzić. Każda próba przekonywania Marty kończyła się wybuchem histerii.

– Dobrze – uspokoił ją w końcu Tadeusz. – Poczekajmy więc, aż znów zadzwonią. Swoją drogą ciekawe, skąd mieli twój numer telefonu.

– Pewnie od Gośki. – Marta się w końcu rozpłakała. – A skąd by go mieli mieć?! O Boże, pewnie ją torturowali...

Władysław wyprężył dumnie pierś.

– Nie, to moja zasługa – pochwalił się. – Podpowiedziałem pasierbowi w ostatniej chwili, że telefon się przyda. Musiał drugi raz drukować, bo pierwszą partię plakatów już miał.

Popatrzyliśmy na siebie znacząco.

– No tak – mruknęłam. – Teraz każdy czubek może zadzwonić i opowiadać, co mu tylko fantazja podpowie...

Na szczęście Marta nie dosłyszała naszej wymiany zdań, Rogerowi tego nie przetłumaczyliśmy, a pobladły nagle Władysław klepnął się tylko otwartą dłonią w czoło i usiadł ciężko w fotelu.

– Ja tylko... – usiłował coś powiedzieć, ale zgromiliśmy go spojrzeniem. Nie było sensu Marty bardziej denerwować. Stało się, trudno.

– Co teraz? – Marta rozejrzała się nieprzytomnym wzrokiem po otoczeniu. – Co ja mam robić?

– Musisz czekać na następny telefon. – Tadeusz jak zwykle przejął dowodzenie. – Ja pojadę do miasta i zobaczę, jak wyglądają plakaty rozwieszone przez zięcia Władysława i czy nikt ich nie zerwał. A ty i Władysław – spojrzał na mnie – zostańcie z Martą. Ktoś musi jej dotrzymać towarzystwa.

– Jadę z tobą – oświadczył z nagłą energią Roger. – Nic tu po mnie, a ta bezczynność mnie zabija. Może tam znajdziemy jakiś ślad?

Tadeusz poszedł na górę, żeby się przebrać, a ja ruszyłam za nim.

– Boję się. – Wtuliłam się w niego. – Obejmij mnie mocno. To zaczyna nas chyba przerastać.

– Będzie dobrze. – Gładził mnie po plecach. – Zobaczysz, wszystko skończy się dobrze. Mam wrażenie, że ci porywacze to jacyś amatorzy. To namawianie się w trakcie negocjacji i suma, jakiej zażądali. Wiem, dziesięć tysięcy euro to dużo, ale dla nas. Natomiast ludzie, którzy tu żyją i pracują, są pewnie w stanie taką sumę odłożyć. Na polskie warunki to dużo, ale nie na irlandzkie. Coś mi tu nie gra...

Pocałował mnie w czubek głowy i odsunął od siebie.

– Muszę iść, kochanie. Wracaj do Marty.

Roger stał już na zewnątrz i nerwowo palił papierosa. Ostatnio znów zaczął palić, tłumacząc, że to go odpręża. Rzucił niedopałek na widok Tadeusza.

– No, jesteś! – zawołał z ulgą. – Jedźmy czym prędzej.

Pożegnałam się z nimi i wróciłam do domu, do siedzącej przy telefonie przyjaciółki. Pogłaskałam delikatnie jej pochylone ramiona, ale wydawała się mnie nie zauważać. W kącie nad rozłożoną na stole mapą siedział Władysław. Wodził nad nią wahadełkiem, mrucząc coś przy tym do siebie.

Usiadłam cichutko w fotelu przed kominkiem i zaczęłam układać sobie wszystko w głowie na nowo.

Do tej pory nie mieliśmy pojęcia, co stało się z Małgosią, a teraz się okazało, że mogła zostać porwana. O ile nie był to telefon od jakiegoś czubka, który chciał się w ten sposób zabawić. Przecież nie podał miejsca, gdzie Marta miałaby przekazać okup. A jeśli to jednak prawda? Kto chciał jej zrobić krzywdę? Komu aż tak się naraziła? Taka miła, sympatyczna, lubiana przez wszystkich dziewczyna? A nawet jeśli chodziło tylko o okup, to przecież ani Marta, ani Małgosia nie były zamożne. Oszczędności, które udało im się zebrać na koncie, nie stanowiły żadnego majątku. Zupełnie nie potrafiłam zrozumieć motywów, jakimi kierowali się porywacze. Czyżby jakieś osobiste porachunki?

Przez otwarte drzwi z podwórza wszedł do pokoju Borys. Stąpając cichutko na miękkich poduszeczkach łap, przeszedł przez całe pomieszczenie i zatrzymał się przy mnie, żeby powitalnie otrzeć się pyszczkiem o moją nogę.

– A gdzie ty chodziłeś? – Nachyliłam się nad nim i zdjęłam mu z wąsów nitki pajęczyny. – Cały jesteś brudny.

– Nigdzie się stąd nie ruszałem – zapewnił mnie zdziwiony Władysław. – I... myłem się przecież...

Zaśmiałam się, czym spłoszyłam kota.

– Nie, to nie do ciebie. To do Borysa. Cały jest w pajęczynach.

Władysław wzruszył tylko ramionami i wrócił do swoich tajemniczych praktyk z wahadełkiem.

– No i jak? – spytałam cicho, wstając z fotela. – Znalazłeś coś ciekawego?

Zrobił niepewną minę i zaczął ostrożnie:

– Moim zdaniem należy sprawdzić stajnie. Do nich gospodarz nas nie zaprowadził, co wydaje mi się wielce podejrzane. Mam przeczucie, że coś tam jest. Ale... – Zawahał się na chwilę. – Ale mam w związku z tym dwie wiadomości, dobrą i złą. Którą chcesz najpierw?

– Dawaj złą.

– Mam nie tę mapę... Przez pomyłkę wziąłem jakąś inną z domu pasierba.

– To skąd te stajnie? – jęknęłam.

Czemu mnie te jego pomyłki stale zaskakują? – pomyślałam. I zwykle bawią, ale w tym przypadku nie było mi do śmiechu.

– No... – Zmieszał się. – Przecież pełno ich tu w pobliżu...

– A ta dobra? – westchnęłam.

Władysław aż podskoczył w miejscu z zadowolenia.

161

– A dobra, moja droga, dobra jest taka, że kiedy wczoraj patrzyłem na tę właściwą, znalazłem w pobliżu dwa źródła wody! Niemal na samym podwórzu.

– I...? Co z tego wynika?

– Jak to co? Można tu wykopać studnię!

– A na dnie tej studni znajdziemy Małgosię, tak? – ogarnęło mnie zniechęcenie.

Wyszłam przed dom i objęłam się mocno ramionami.

Powietrze pachniało jeszcze wilgocią po niedawnym deszczu, krople rosy lśniły jak rozsypane szklane paciorki na soczyście zielonych źdźbłach trawy. Było pięknie, mimo to mnie ogarniało coraz większe przygnębienie. Mijał kolejny dzień, a my nie natrafiliśmy na najmniejszy nawet ślad Małgosi. I teraz ten telefon. Kto ją przetrzymywał? Jak traktował? I co z nią zrobią, jeśli nawet Marta dostarczy pieniądze?

Zza szybko przesuwających się chmur wyjrzało słońce, rozpalając tęczę tuż nad naszym domem. Wyglądała jak przepiękny nasycony kolorami łuk spinający dach naszego domu z pobliskim lasem. Jestem przesądna, chociaż się do tego nie przyznaję, potraktowałam ją więc jako dobry znak. Już w trochę lepszym nastroju wróciłam do domu. Marta krzątała się po kuchni, usiłując czymś zająć ręce, ale nie wydawała mi się już tak bardzo spięta.

– Idźcie się przejść – zaproponowała na mój widok. – Nie ma sensu, żebyście tu ze mną siedzieli. Ja nie mogę się stąd ruszyć, ale wy tak.

Miała rację. Atmosfera była wystarczająco napięta, nasze krążenie w kółko po pokoju jej nie poprawiało.

– To jak? Wybieramy się do tych stajni?

Władysław spojrzał na mnie niepewnie.

– Przecież patrzyłem nie na tę mapę. Poza tym jeśli Małgosia została jednak porwana, to chyba nie ma to już sensu?

– Ale może być przechowywana gdzieś tutaj, w pobliżu. To idealne miejsce, z dala od ludzi, a mam dziwne przeczucie, że jest tu gdzieś niedaleko. Zresztą… – Wzruszyłam ramionami. – Coś musimy robić, bo nie zniosę tej bezczynności.

– Jak uważasz. – Władysław wstał od stolika. – Nie obraź się, lecz ja nie mam żadnych przeczuć, a z nas dwojga to właśnie ja mam zdolności paranormalne. Moim zdaniem przetrzymują ją gdzieś w mieście. W piwnicy, rzecz jasna. Mógłbym to jeszcze rozpracować na mapie, bo wahadełko wyraźnie…

– Wychodzimy – przerwałam mu w połowie zdania w obawie, że nie wytrzymam nerwowo przy następnych wahadełkowych rewelacjach.

Jeśli miałam nadzieję na poprawę nastroju, to powinnam się była wybrać gdziekolwiek indziej, byle nie do stajni. O ile można było tak nazwać zadaszone, otwarte z trzech stron pomieszczenie z jedną tylko ścianą z luźno poustawianych obok siebie desek. Widziałam końskie boksy w innym, murowanym budynku, ta zatem musiała być stajnią letnią. Między słupami podtrzymującymi dach zauważyłam kilka nieruchomych zwierząt. Widok tych koni tylko pogłębił moją frustrację. Zmierzwione i sfilcowane płaty sierści zwisały smętnie z grzbietu niemal każdego zwierzęcia. Konie podnosiły jakby za ciężkie w stosunku do masy ich ciał łby i przyglądały się nam apatycznie. Wokół panował nieopisany smród, wyglądało na to, że pracownicy stajni nie przejmowali się zbyt częstym usuwaniem stąd odchodów. Konie dosłownie w nich grzęzły, nie mogąc się swobodnie poruszać.

– Nie wydaje mi się, żeby tu były jakieś schowki – szepnęłam do idącego za mną Władysława. – A jeśli nawet, to ukryte gdzieś pod grubą warstwą nawozu. Musieliby najpierw usunąć te gówna, żeby się do nich w ogóle dostać. – Skrzywiłam się. – Tej stajni nikt od dawna nie sprzątał, nie mogli więc zamknąć tu Małgosi. To nie był nasz najlepszy pomysł, wracamy.

– Zaraz, zaraz – mruknął zaaferowany czymś Władysław.

Nie musiałam się nawet odwracać, żeby wiedzieć, co właśnie robi. Znałam ten ton. W prążkowanym świetle wpadającym przez deski prowizorycznej stajni zalśniło wahadełko.

Od tej chwili wypadki potoczyły się niemal błyskawicznie. Odbity od metalu promień słońca spłoszył stojącego obok konia. Przestraszone zwierzę stanęło dęba i zaczęło młócić powietrze kopytami. Władysław cofnął się gwałtownie i... z głośnym trzaskiem pękających desek znikł mi z oczu. Oniemiałam na chwilę. W miejscu, w którym stał jeszcze parę sekund temu, unosiły się kłęby kurzu i kawałki słomy, a pośrodku tego pobojowiska ziała ciemna dziura.

– Władysław! – krzyknęłam, nachylając się nad nią. – Jesteś tam? Nic ci się nie stało?

Po niepokojąco długiej chwili usłyszałam cichy jęk. Boże! – pomyślałam spanikowana. Złamał sobie kark! – Władysław! – niemal płakałam. – Zaraz cię stamtąd wyciągnę, zaczekaj! Wszystko będzie dobrze, tylko się do mnie odzywaj!

Odpowiedziały mi niewyraźny bełkot i odgłosy krztuszenia się. Mój przyjaciel był chyba w ciężkim stanie. Rozejrzałam się rozpaczliwie po stajni w poszukiwaniu czegoś, co pomogłoby mi dostać się do środka, bo samo podawanie kija chyba w tej sytuacji niewiele by dało. Zresztą żadnego kija też nie było w pobliżu. Postanowiłam biec po pomoc, ale nagle usłyszałam odgłosy plucia i całkiem już wyraźny, pełen obrzydzenia głos Władysława.

– A niech to…! Tfu! A niech to wszyscy diabli! Co za obrzydlistwo!

– Nic ci się nie stało? – Podeszłam bliżej do dziury, nad którą jeszcze tańczyły złote drobinki kurzu.

– Chyba nie, ale pełno tu… – gorączkowo szukał właściwego określenia, bo słowo „gówno" najwyraźniej nie mogło mu przejść przez usta. – Pełno tu guana. Mam je nawet w ustach! Fuj!

A jednak. Przeszło mu, ale dosłownie. Nie wytrzymałam i zaczęłam się histerycznie śmiać.

– Dasz radę wyjść? – spytałam między jednym atakiem śmiechu a drugim. – Czy mam iść po pomoc?

– Nie! – zaprotestował gwałtownie. – Na Boga, Lucyno, nikogo nie wołaj! Podaj mi tylko rękę i sam wyjdę. Jeszcze tylko tego brakowało, żeby mnie ktoś zobaczył w takich pożałowania godnych okolicznościach…

Gderanie z wnętrza dziury rozśmieszało mnie jeszcze bardziej.

Żeby mu podać rękę, musiałam położyć się na przegniłej, pełnej końskich odchodów słomie. Zacisnęłam z obrzydzenia zęby, ale czego się nie robi w imię przyjaźni. Nie mogłam przecież zostawić tak Władysława, a pomocy z zewnątrz nie chciał.

Pokonując wstręt, przysunęłam się do krawędzi dziury i wysunęłam rękę. Cień w dole podniósł do mnie swoją.

– Za wysoko – sapnął niezadowolony. – Przesuń się bliżej i nachyl jeszcze bardziej.

Czułam, jak zaczynam się lekko ześlizgiwać po mokrej słomie. Na szczęście obok sterczały resztki złamanej w trakcie upadku Władysława deski. Uchwyciłam się jej mocno i nachyliłam głębiej nad dziurą. Przez chwilę szukałam jego dłoni po omacku, w końcu nasze palce się spotkały.

– Mam! – krzyknął tryumfująco Władysław, chwytając mocno moją dłoń. – A teraz ciągnij.

Stęknęłam z wysiłku, oparłam się mocniej o deskę i pociągnęłam w górę.

Trzask drewna zmieszał się z moim niekoniecznie cenzuralnym okrzykiem i po sekundach jazdy po oślizłej słomie znalazłam się na dole obok utytłanego w nawozie Władysława.

Następna partia przegniłej ściółki zalegającej przedtem podłogę stajni spłynęła miękko wraz ze mną na dno dziury.

– O matko! – zawołał Władysław na mój widok. – Co my teraz zrobimy?

Wchodzenie sobie na ramiona i próby wydostania się z dziury w ten sposób nie wchodziły w ogóle w grę z uwagi na nasze lata. Władysław był dużo ode mnie starszy, więc nawet nie próbował, ja próbowałam, ale z opłakanym skutkiem.

Nie pozostawało mi więc nic innego, jak zadzwonić do Tadeusza. Na szczęście telefon w kieszeni spodni prawie nie ucierpiał podczas tej przygody. Jeśli tak, to tylko od dotyku moich brudnych palców.

– Gdzie jesteście? – Niedowierzający głos Tadeusza słychać było chyba w całej stajni. – No nie... nie wytrzymam... Gdzie...?!

Akcja ratownicza przebiegła szybko i sprawnie. Na szczęście Tadeusz i Roger byli już w drodze powrotnej do domu. Rozmowy z ludźmi nic niestety nie dały, ale przynajmniej okazało się, że wszystkie plakaty wiszą na swoich miejscach. Z numerem telefonu do Marty, rzecz jasna. Nie usuwali go, teraz nie miało to już najmniejszego sensu.

Ale o tym wszystkim dowiedzieliśmy się z Władysławem dopiero w domu, po uprzednim długim moczeniu się w wannie i wrzuceniu wszystkich naszych ubrań do pralki.

Tymczasem Tadeusz z Rogerem musieli jednak pójść po drabinę do gospodarza, który przybiegł za nimi i z wyrazem zdumienia na twarzy obserwował nasze wyjście.

– Nie wiedziałem, że tu są takie dziury pod spodem. – Zajrzał ostrożnie do środka. – Dobrze, że żaden koń tu nie wpadł, bo mógłby sobie złamać nogę.

– To w stajni też mogą być jakieś piwnice? – zdziwiłam się, usiłując zachować resztki godności, mimo oblepiającej mnie warstwy końskiego nawozu i bijącego na kilometr smrodu.

– Nie, w stajniach nie powinno ich być. – Gospodarz drapał się zafrasowany po głowie. – Ale kiedyś, dawno temu były tu jakieś zabudowania. Bratanek postawił prowizoryczną stajnię. To jego konie – dodał wyjaśniająco. – Ja im tylko przynoszę karmę.

Kiedy już wymoczyliśmy się dokładnie, a pralka została nastawiona, usiedliśmy wszyscy w salonie przy kominku.

– Sami widzicie, ile tu różnych dziur, w które można wpaść przypadkiem – powiedziałam, popijając gorącą herbatę z imbirem. – Gdyby nie to, że już wiemy o porwaniu, bardzo byłoby prawdopodobne, że Małgosia wpadła właśnie do jednej z nich.

Rozmowa się nie kleiła. Moja przyjaciółka wyglądała na nieobecną i wcale się jej nie dziwiłam. Porywacze jeszcze się nie odezwali. Sama nie wiem, co zrobiłabym na jej miejscu. Nawet nie chciałam sobie tego wyobrażać.

Zmęczony przygodami Władysław drzemał w fotelu przed kominkiem, Tadeusz wyszedł na zewnątrz na papierosa, a Roger oświadczył, że musi pojechać po coś do miasta, i wyszedł, uprzedzając, że wróci dopiero nazajutrz. Marta dała mi dyskretny znak, żebym podeszła bliżej.

– Co się stało? – spytałam na widok jej tajemniczej miny.

– Podejrzewam, że Roger jest w zmowie z porywaczami – szepnęła, rozglądając się na boki, chociaż w salonie nie było nikogo oprócz drzemiącego w fotelu Władysława.

– Zwariowałaś?! – przeraziłam się. – Przecież on ją kocha, to widać jak na dłoni.

– Tamten chłopak też kochał Jane, a jednak ją zabił. Może Gośka mu odmówiła, nie chciała z nim jechać do Dublina, wyśmiała, jak to ona tylko potrafi i... I ją zabił... – dokończyła drżącym głosem.

– Jak to, zabił? Przecież została porwana!

– No to Roger musi być z nimi w zmowie. Poza tym skąd mamy wiedzieć, czy Gosia jeszcze żyje? – Marta już szlochała na całego. – Zależy im tylko na pieniądzach. I dostaną je, bo nie mam wyboru.

Przytuliłam mocno przyjaciółkę, głaszcząc ją uspokajająco po plecach.

– Jesteś już wykończona nerwowo, przestań się dodatkowo zadręczać. Znajdziemy ją żywą, zobaczysz. A co do Rogera, jestem pewna, że się mylisz. On ją kocha i na pewno by jej nie skrzywdził. Przecież pomaga nam cały czas, wziął nawet parę dni urlopu, zrezygnował z tego stażu w Dublinie, a tak bardzo mu na nim zależało – wymieniałam chaotycznie.

– Nie wierzę mu – powtórzyła Marta z uporem. – To wszystko pozory. Pamiętasz, jak się wzbraniał przed naszym przeszukiwaniem piwnic gospodarza?

– Przed włamaniem do piwnic – sprostowałam.

– Przed włamaniem, Marta. Nazywajmy rzeczy po imieniu. To praworządny chłopak i trudno mu się było pogodzić z myślą o przestępstwie.

– A porwanie i morderstwo to nie przestępstwa?

– Daj już spokój. Nigdy w to nie uwierzę.

– To wyobraź sobie, że zanim pojechał z Tadeuszem do miasteczka, rozmawiał na podwórku z kimś przez telefon. Był bardzo zdenerwowany, ale jak mnie zobaczył, natychmiast się rozłączył. Jestem pewna, że rozmawiał z porywaczami.

Nagły dźwięk telefonu uwolnił mnie od konieczności skomentowania tych rewelacji. Marta natychmiast podniosła słuchawkę i przełączyła na tryb głośnomówiący.

– Nie posłuchałaś mojej rady i jednak skontaktowałaś się z glinami. – Lekko zachrypnięty, jakby przepity męski głos brzmiał groźnie.

– Ależ skąd!… – krzyknęła Marta, lecz przerwał jej w połowie zdania.

– No dobrze. Uprzedzam jednak, że jeden fałszywy ruch, a nie zobaczysz córki żywej. Teraz do rzeczy. – Nie dopuścił jej do słowa. – Pieniądze mają być dziś o północy. Przyjeżdżasz sama. I żadnych sztuczek, bo…

– Dobrze, ale gdzie?! Na litość boską, niech pan w końcu powie gdzie?

– Pojedziesz szosą R734 na południe, w stronę opactwa Tintern…

– Przecież w nocy będzie zamknięte…

– Jeszcze raz mi przerwiesz, a skończy się moja cierpliwość – zagroził. – Chcesz odzyskać córkę, to słuchaj uważnie i nie przerywaj.

Zauważyłam wracającego z papierosa Tadeusza i zaczęłam mu dawać rozpaczliwe znaki przez szybę, żeby był cicho. Zrozumiał i niemal bezszelestnie otworzył oszklone drzwi. Rzucił mi tylko pytające spojrzenie, a ja skinęłam głową w odpowiedzi.

– Nie każę ci zwiedzać opactwa o północy – tłumaczył tymczasem porywacz. – Masz pojechać tą drogą. Stąd do opactwa Tintern z New Ross jest około piętnastu kilometrów, ty zatrzymasz się w połowie tej drogi, przy ruinach starej wieży.

– Gdzie to jest? – nie wytrzymała Marta, patrząc na nas z przerażeniem. – Jezu, nie wiem... A, tak, tak! Już wiem! Pamiętam te ruiny, stoją na takim niewielkim wzgórku.

– Brawo. Tam zostawisz samochód na poboczu i przyniesiesz pieniądze do wieży.

– A moja córka? Ona też tam będzie?

– Jeśli zrobisz dokładnie, jak ci powiedziałem, odzyskasz córkę. Nie zrób żadnego głupstwa.

Rozłączył się, a Marta stała jeszcze przez chwilę nieruchomo, ściskając słuchawkę telefonu w spoconej dłoni. W fotelu przed kominkiem Władysław nadal posapywał cicho przez sen. Dziękowałam opatrzności, że nie obudził się w trakcie rozmowy telefonicznej i nie zaczął kaszleć ani chrząkać, jak to miał w zwyczaju, zanim się odezwał po dłuższej chwili milczenia.

– Marta, pojadę z tobą na tylnym siedzeniu – zaproponował Tadeusz. – Przecież to niebezpieczne, sama, na pustej drodze, i to w środku nocy. Kto wie, co ci ludzie mogą jeszcze zrobić?

– Nie, nie! – Marta podniosła głos, aż obudziła w końcu Władysława. – Przepraszam – dodała już ciszej – doceniam twoją troskę, ale boję się, że mogą zrobić Gośce krzywdę, jeśli nie dotrzymam warunków umowy. Pojadę sama. Dam sobie radę.

– Gdzie się wybieracie? – zainteresował się Władysław. – Nie powinniście raczej czekać na telefon od porywaczy? Ja mógłbym zostać, ale nie znam angielskiego.

– Przespałeś najważniejsze. – Uśmiechnęłam się mimo woli.

– Jak to, przespałem? – oburzył się. – Wy tu sobie o jakichś wycieczkach, a ja cały czas obmyślam strategię. Oka nie zmrużyłem.

Nawet Marta musiała się uśmiechnąć.

– Zdrzemnął się pan trochę, ale to nic dziwnego po takich przeżyciach. Przecież nikt nie ma tego panu za złe.

– Powtarzam, że nie spałem. Bezpieczeństwo Małgosi spędza mi sen z oczu. – Speszony Władysław poruszył się nerwowo w fotelu. – No... może zdrzemnąłem się troszeczkę – przyznał w końcu. – Ale nie dłużej niż na minutę, najwyżej dwie.

Na podjazd wjechał samochód, chwilę później zobaczyliśmy Rogera wchodzącego z ponurą miną do domu.

– Miałeś wrócić dopiero jutro – zdziwiliśmy się wszyscy, tylko Marta spojrzała na niego podejrzliwie.

– Tak, ale sprawy trochę się skomplikowały. – Machnął zniechęcony ręką. – A może wyjaśniły? W każdym razie mam teraz więcej czasu na poszukiwania Gohy, bo właśnie zwolniono mnie ze stażu w Dublinie.

– Jak to? Dlaczego?

– Uznano, że za mało czasu poświęcam badaniom, a za dużo zajmuję się sprawami prywatnymi. Profesor, który miał mnie tam prowadzić, odmówił dalszej współpracy.

– Kiedy się o tym dowiedziałeś? – spytała Marta, wymieniając ze mną spojrzenie.

– Dzisiaj rano, zanim pojechaliśmy z Tadeuszem do miasta. Zadzwonił mój szef i przekazał mi te wieści. Myślałem, że jeszcze coś się uda odkręcić, ale okazało się, że pojechałem tam na próżno. Trudno – westchnął. – Może jeszcze będzie okazja innym razem. Co w sprawie Gohy? Mamy jakieś nowości? Zadzwonili znowu?

– Tak – odpowiedzieliśmy zgodnym chórem.

Władysław, który znał już podstawowe słówka, spojrzał na nas zdumiony.

– Co: tak? Co tu się wydarzyło?

– Zadzwonił porywacz i ustalił miejsce oraz czas przekazania okupu – wyjaśniłam mu w kilku zdaniach sytuację, a Marta zrelacjonowała rozmowę telefoniczną Rogerowi.

– Ma pani już te pieniądze? – Młody Irlandczyk zerwał się z fotela, na który chwilę przedtem opadł bezsilnie. – Jedźmy do banku. Nie ma czasu!

– Większość już mam, a po resztę wybiorę się po południu do moich irlandzkich przyjaciół. Obiecali pożyczyć mi te pieniądze na czas nieokreślony.

– Skąd je wzięłaś? – zdziwiłam się. – Miałaś tyle pieniędzy w domu?

– Nie, pojechałam do banku, kiedy nasi panowie byli w mieście, a ty i Władysław sprawdzaliście stajnie.

„Sprawdzaliście stajnie", hm... ładnie to ujęła.

– Dlaczego nie uprzedziłaś? Pojechalibyśmy z tobą jako obstawa. – Tadeusz spojrzał na nią zaskoczony. – Taka kupa pieniędzy…

– To był nagły impuls. Miałam zamiar na was poczekać, ale nie mogłam sobie znaleźć miejsca w domu i tak jakoś wyszło. – Marta rzuciła mi spłoszone spojrzenie.

Tak, wiedziałam, dlaczego tak wyszło. Podejrzewała Rogera o współudział w porwaniu i chciała to zrobić w tajemnicy przed nim. Dałam dyskretnie znak Tadeuszowi, że później mu wszystko wyjaśnię.

Władysław nie brał udziału w rozmowie. Z przesadną gorliwością rysował na kartce jakieś wykresy, robił skomplikowane obliczenia i mruczał coś przy tym do siebie pod nosem.

– Po drodze do opactwa Tintern. – Roger zastanawiał się na głos. – Dobrze wybrane miejsce, bo tam, o ile dobrze pamiętam, jest całkiem spory niezamieszkany obszar. W pobliżu ruin nie ma chyba żadnego domu.

– A wieża stoi na górce, z której będą mogli swobodnie obserwować otoczenie – dodał Tadeusz. – Sprytnie.

– Tak. – Marta skinęła głową. – Porywacz kazał mi zostawić samochód na poboczu i wyjść na górę pieszo. On mnie będzie widział, a ja jego nie. A jeśli nie odda w zamian Małgosi? – Głos załamał się jej niebezpiecznie.

– Dlatego może lepiej będzie, kiedy pojadę tam z tobą. Ukryję się na tylnym siedzeniu i…

– Nie ma mowy – przerwała mu Marta. – Przepraszam, Tadeusz, ale boję się, że oni dotrzymają słowa i jeśli cię tam zauważą, zrobią krzywdę mojej córce. Trudno, muszę zaryzykować.

10

Czas wlókł się niemiłosiernie długo. Kręciliśmy się bezczynnie z kąta w kąt, nikt nie miał apetytu podczas przygotowanego naprędce obiadu.

Pani Michalina, telefonicznie powiadomiona o ostatnich wypadkach przez Władysława, postanowiła przyjechać i dodać nam otuchy. W niedługim czasie zjawiła się więc w towarzystwie syna, którego szybko odesłała z powrotem do domu.

– Damy tu sobie radę – oświadczyła nieznoszącym sprzeciwu tonem, gdy syn chciał usiąść na brzegu krzesła, żeby wysłuchać ostatnich rewelacji. – Zadzwonimy, kiedy będziesz potrzebny.

– Ależ mamusiu... – Potężne chłopisko skuliło się w sobie jak pod wpływem uderzenia. – Ja też jestem ciekaw, co się stało...

Matka machnęła przyzwalająco ręką, więc mogliśmy wprowadzić pana Jacka w szczegóły.

– I pani chce tam jechać sama? – zdziwił się. – Przecież to niebezpieczne. Co ich powstrzyma przed zabraniem pieniędzy i zrobieniem pani krzywdy? Nie liczyłbym na to, że ludzie tego pokroju dotrzymają słowa.

– Wiem, zdaję sobie z tego sprawę. – Marta ukryła twarz w dłoniach. – Ale nie mam wyboru. Zagrozili, że w przeciwnym wypadku zrobią Gosi krzywdę. Muszę zaryzykować. Zresztą... – zawahała się na moment – ...jeśli rzeczywiście coś jej zrobią, jaki sens ma moje życie potem...

Pani Michalina zerwała się z fotela i tracąc cały swój majestat, ruszyła szybko w stronę Marty.

– Kochanie! – zawołała głosem łamiącym się z przejęcia. – Wszystko będzie dobrze, zobaczysz. Serce matki mi to mówi. – Przytuliła Martę do swojej wybujałej piersi.

Wszystkim stanęły łzy w oczach, a Władysław płakał bez skrępowania.

– Mówiłem wam, że mój Misiaczek to anioł. Mój promyczek słońca. Muszę ułożyć sonet na jej cześć.

– A ty tam siedź cicho! – Pani Michalina zdążyła się już opanować. – I żadnych więcej sonetów, już dość ich spłodziłeś. Wystarczy.

Władysław wytarł hałaśliwie nos i uśmiechnął się do nas z zakłopotaniem.

– I jeszcze do tego taka skromna...

– Dość, powiedziałam...

W końcu nadszedł upragniony wieczór. Wyszliśmy z Tadeuszem przed dom, żeby trochę odetchnąć świeżym powietrzem. Na zachodzie dogasały już pomarańczowe resztki dnia, ustępując ciemnobłękitnej zapowiedzi nocy.

W domu Marta przepakowywała pieniądze z jednej torby do drugiej, przeliczając bez przerwy paczki banknotów.

– Nie zgadza się! – krzyknęła nagle w panice. – Brakuje stu euro!

– Niemożliwe! – Rzuciliśmy się przez otwarte na podwórze drzwi w jej kierunku. – Liczyliśmy nie dalej jak pół godziny temu razem z tobą!

Żal mi było patrzeć na moją przyjaciółkę. Niezdrowe czerwone plamy pokrywały jej całą twarz i dekolt, rozgorączkowane oczy płonęły jak u szaleńca. Nachyliła się nad reklamówką.

– Są! – krzyknęła z ulgą. – Są. Zostały w tamtej torbie, na dnie. O Boże, o mało nie dostałam zawału.

– A my razem z tobą. – Tadeusz łagodnym ruchem odebrał foliową torbę od Marty i postawił ją na stole. – Nie zaglądaj już do niej i nie przenoś pieniędzy gdzie indziej. Teraz wszystko się zgadza, stwierdzamy to komisyjnie. Tak? – Spojrzał na nas pytająco.

– Tak – odpowiedzieliśmy zgodnym chórkiem.

Wprawdzie do północy zostało jeszcze parę godzin, ale Marta siedziała już kompletnie ubrana do wyjścia. Trudno było wytrzymać tę atmosferę nerwowego wyczekiwania. Roger wymówił się wyjazdem do ojca i wyszedł wcześniej, prosząc, żeby zawiadomić go natychmiast po zakończeniu akcji. Najwyraźniej nie mógł znieść napięcia, które wszystkim paraliżowało ruchy. Władysław i pani Michalina, którym Marta już wcześniej zaproponowała gościnę, żeby nie trzeba było Jacka bez przerwy fatygować, postanowili pójść do swojego pokoju, a my z Tadeuszem siedzieliśmy wraz z Martą w salonie.

– Jak myślicie, będą mieli ze sobą Gosię? – Patrzyła na nas błagalnym wzrokiem. – Powiedzcie, będzie z nimi?

– Będzie – zapewniliśmy ją solennie, chociaż nie do końca byliśmy przekonani. – Taka była umowa, a porywacze też powinni mieć jakiś honor.

Wstałam, żeby dorzucić do kominka, który zaczynał już wygasać. Borys przeciągnął się leniwie i stanął pod drzwiami, miaucząc prosząco.

– A ty gdzie się wybierasz? – spytałam, próbując go pogłaskać, ale prychnął nieprzyjaźnie. Po zniknięciu Małgosi zrobił się jeszcze bardziej dziki. Ginął gdzieś na całe dnie i noce, wpadając tylko na chwilę do domu, żeby coś zjeść.

– No dobrze już, dobrze, królewiczu. Idź sobie. – Uchyliłam drzwi, a kot mignął w nich tylko jak czarna błyskawica.

– Ja też chyba wyjdę – oświadczył nagle Tadeusz. – Zrobię małą rundkę po okolicy, bo mnie roznosi energia. Nie mogę tak siedzieć bezczynnie i czekać na północ. Mogę wziąć samochód Małgosi? Kluczyki są chyba nadal w stacyjce.

Marta kiwnęła przyzwalająco głową, nie patrząc nawet w jego stronę. Po chwili zostałyśmy same.

– Nie udał wam się ten urlop – odezwała się po dłuższym milczeniu. – Zamiast zwiedzać Irlandię, siedzicie w domu i czekacie na powrót Gośki. A tyle zaplanowałyśmy dla was. – Rozpłakała się. – No i Tadeusz tak się nastawił na te obchody Bloomsday, a właśnie jutro wszystko się zaczyna...

Przytuliłam ją mocno do siebie bez słowa. Bałam się, że jeśli cokolwiek teraz powiem, wywołam u niej kolejny napad płaczu, a powinna się jakoś trzymać. Zwłaszcza teraz, przed spotkaniem z porywaczami i przed nocną jazdą. Jeszcze tylko tego brakowało, żeby spowodowała jakiś wypadek.

Energicznie wytarła nos.

– Obiecuję ci, że jak tylko Gosia wróci do domu, zabierzemy was we wszystkie te miejsca. Może nawet zdążymy i na obchody, w końcu trwają przez cały tydzień. Ale z całą pewnością pojedziemy na klify Moheru, potem do Loftus Hall, domu nawiedzonego przez diabła, a stamtąd do latarni na Hook Head. – Uśmiechnęła się przez łzy. – Podobno ten dom kupił Bono z U2 za milion euro.

– Opowiedz mi o tym nawiedzonym domu – poprosiłam, żeby choć na chwilę oderwać jej myśli od czekającej ją wyprawy o północy. – Uwielbiam takie historie.

– Tak, wiem. – Znów wytarła nos, ale przynajmniej przestała płakać.

– Zaczekajcie z tymi opowieściami na mnie – usłyszałyśmy cichy głos Władysława z góry. – Ja też chcę posłuchać.

Zszedł na dół z wygniecionymi od poduszki resztkami siwych włosów na głowie, co świadczyło o tym, że medytował na leżąco. Albo spał, na co z kolei wskazywało zaspane nieco spojrzenie.

– Misiaczek odpoczywa – odpowiedział na nasze niezadane pytanie, kładąc palec na ustach. – Mieliśmy ciężką noc, bo maluch dostał kolki i cały czas płakał.

Przysunęliśmy się wszyscy bliżej ognia, a Marta zaczęła swoją opowieść. Mówiła mechanicznym głosem, jakby recytowała lekcję wyuczoną na pamięć.

– Według legendy dom został zbudowany w dziewiętnastym wieku przez barona Loftus. Pewnej zimowej nocy podczas zamieci śnieżnej, gdy rodzina siedziała w salonie i grała w karty, zawitał do nich zbłąkany wędrowiec. Zaprosili go do wspólnej gry, a kiedy córka gospodarza schyliła się po kartę, która zsunęła się ze stołu, zauważyła z przerażeniem, że gość ma zamiast stóp kopyta. Zdemaskowany diabeł uciekł w kłębach dymu przez sufit, kopytem wybijając w nim dziurę.

– I ludzie w to wierzą? To przecież brzmi jak bajka. – Władysław skrzywił się sceptycznie. – Gdybym tylko mógł się tam dostać, natychmiast bym się zorientował, czy w tym domu dzieje się coś niezwykłego. Bo jak Lucyna zdążyła się już o tym przekonać – spojrzał na mnie, oczekując potwierdzenia – mam zdolności paranormalne i potrafię się też porozumiewać z duchami.

Kiwnęłam głową bez większego przekonania. Miałam pewne zastrzeżenia co do tych niezwykłych uzdolnień Władysława.

– Z diabłem co prawda nie miałem jeszcze do czynienia – zastrzegł się – ale chętnie bym spróbował.

– Legenda rzeczywiście brzmi mało wiarygodnie – przyznała Marta, która podczas tego opowiadania ożywiła się nieco i zaczęła już mówić normalnym tonem. – Ale od tego czasu ludzie przebywający w tym domu umierają w niewyjaśnionych okolicznościach.

Mówi się, że diabeł wciąga ich w zaświaty przez tę dziurę w suficie.

– Jak to, umierają? – zaniepokoił się Władysław.

– Zwyczajnie. Spotkało to kilku nabywców tego domu, którzy nie przejęli się legendą, i kilku śmiałków, którzy postanowili tam spędzić noc.

– Może umierali na serce, ze strachu?

– Skoro zdecydowali się tam wejść, mimo złej sławy otaczającej ten dom, to chyba do najstrachliwszych nie należeli. Coś jednak musiało ich śmiertelnie przerazić. Dosłownie śmiertelnie.

Władysław lekko zzieleniał na twarzy, a i mnie zrobiło się niewyraźnie. Za nic w świecie nie odważyłabym się wejść do takiego domu. Zwłaszcza nocą.

– Dom miał później jeszcze kilku właścicieli – opowiadała dalej Marta – ale nikt nie zamieszkał w nim na dłużej. Nawet prowadzony tam przez siostry zakonne przytułek dla dzieci został po krótkim czasie rozwiązany. Niestety, nie wiem, co się stało z dziećmi i z zakonnicami.

– Pewnie teraz nie tak łatwo dostać się do Loftus Hall? – spytał Władysław.

– To prawda. Cała posesja została ogrodzona, a na bramie wisi tabliczka z zakazem wstępu.

Władysław odetchnął z wyraźną ulgą.

– Cóż, to nie będę tam mógł pójść i sprawdzić na własne oczy, co tam się naprawdę dzieje. Szkoda.

Wydawało się, że Marta zapomniała przez chwilę o czekającym ją zadaniu.

– Pojedziemy tam w drodze do latarni na Hook Head i obejrzymy go chociaż z zewnątrz – powiedziała.

– A potem pozwiedzamy inne ciekawe miejsca, jak choćby ruiny cysterskiego opactwa Old Mellifont z pięknie zachowanymi pozostałościami po lavabo, w którym mnisi myli ręce. Albo opactwo Tintern...
– Rozpłakała się nagle.

W drodze do tego opactwa miała zostawić okup i odebrać Małgosię. Wydawało mi się, że zdołam oderwać jej myśli od sprawy porwania, choćby na chwilę, ale to było niemożliwe. Zrobiła duży wysiłek, by sprawić nam przyjemność, jednak najmniejsza nawet wzmianka na ten temat, najsłabsza sugestia burzyła ten kruchy spokój.

Tymczasem wrócił Tadeusz, głośno tupiąc na wycieraczce przed drzwiami.

– Wlazłem chyba w końskie łajno – rzekł, starannie wycierając buty. – Mam nadzieję, że to mi przyniesie szczęście.

– Oj, chyba rzeczywiście wlazłeś. – Marta uśmiechnęła się blado, pociągając nosem. – Ale miałeś przecież wziąć samochód?

– Wziąłem, lecz w drodze powrotnej wysiadłem na chwilę, żeby się przewietrzyć i pospacerować trochę po pastwisku. Musiałem pozbierać myśli.

Miałam spytać, do jakich doszedł wniosków, ale mrugnął do mnie porozumiewawczo, co oznaczało, że wyjaśni mi to na osobności.

– Idę się przebrać w jakieś suche ciuchy, bo wszystko nasiąkło mi wilgocią podczas tego spaceru. Paskudna pogoda. – Otrząsnął się gwałtownie i ruszył schodami na górę.

Marta włączyła telewizor i niewidzącym wzrokiem wpatrywała się w migające obrazy, Władysław zagłębił się w lekturze przewodnika po Irlandii. Zerknęłam mu przez ramię i zauważyłam, że zatrzymał się przy nawiedzonym domu Loftus Hall.

– To ja idę się na chwilę położyć – powiedziałam.

– Nogi mi już ścierpły od tego siedzenia w fotelu. Zejdziemy później razem z Tadeuszem na dół.

Nikt nie zareagował, każde z moich przyjaciół pogrążone było we własnym świecie. Nawet mnie chyba nie usłyszeli.

– No, przyznaj się teraz, gdzie tak naprawdę jeździłeś – poprosiłam Tadeusza, zamykając za sobą drzwi.

– Sądziłaś, że pozwolimy tam jechać Marcie samej? – odpowiedział pytaniem.

Nie sądziłam, więc mówił dalej, zniżając głos:

– Pojechałem zorientować się, gdzie jest to miejsce. Całkiem niedaleko, jakieś osiem kilometrów stąd. Nie możemy jechać bezpośrednio za nią, żeby nas nie zauważyła, a przede wszystkim żeby nie zauważyli nas porywacze. Wybierzemy się jakiś kwadrans po jej wyjściu. To wystarczy, bo pewnie sama wyjedzie z domu z co najmniej godzinnym wyprzedzeniem.

– Ale przecież Marta rozpozna samochód Małgosi. Zwłaszcza że będzie specjalnie wyczulona na wszelkie przejeżdżające tamtędy auta.

– Brawo, mój Sherlocku! – Tadeusz uśmiechnął się pobłażliwie. – Dlatego też wcale nie będziemy koło niej przejeżdżać. Jakieś pół kilometra przed ruinami tej wieży jest zakręt i niewielkie wzniesienie, które zasłania tę część drogi. Zostawimy tam samochód na poboczu i dalej ruszymy pieszo. Będzie ciemno, księżyca dziś nie widać, więc sami też będziemy niewidoczni. Zresztą porywacze będą wypatrywali samochodu, a nie pieszych.

– Genialne! Czy mówiłam ci już, jak cię kocham? – Przytuliłam się do Tadeusza.

– Dzisiaj jeszcze nie. A teraz przygotuj sobie jakieś ciepłe ubrania, bo czeka nas solidny marsz nocą i nie wiadomo jak długie czekanie. To może trochę potrwać. I nie zapomnij o ciepłych majtkach, żebym nie słyszał później o zapaleniu pęcherza…

– No wiesz co? Ty to potrafisz sprowadzić człowieka na ziemię. Planujemy taką akcję, a tu masz! Zapalenie pęcherza, też coś.

– Nie zapominaj, że to właśnie zepsuło nam trochę urlop na Mazurach w zeszłym roku.

– Dobrze, tatusiu. Włożę ciepłe majtki.

Przygotowaliśmy sobie ciepłe, a przede wszystkim ciemne ubrania i wygodne buty. Z moimi był problem, bo miałam tylko dwie pary białych adidasów.

Postanowiłam jedną zasmarować czarną pastą do butów. Trochę szkoda, lecz nie miałam innego wyjścia.

Dochodziła jedenasta w nocy, do umówionego spotkania z porywaczami została jeszcze godzina, ale Marta, zgodnie z przewidywaniami Tadeusza, już była gotowa do drogi.

– Wolę być trochę wcześniej – powiedziała, zabierając foliową torbę z pieniędzmi. – Lepiej poczekać, niż się spóźnić choćby pięć minut. Poza tym nie znam zbyt dobrze drogi i muszę mieć czas na szukanie tej wieży. Boże! – Znowu wpadła w panikę. – Czemu nie pojechałam tam wcześniej, żeby sprawdzić drogę?!

– Nie denerwuj się. – Tadeusz chwycił ją mocno za nadgarstki i przytrzymał w miejscu. – Trafisz na pewno. Jechałaś już kiedyś do opactwa Tintern, prawda?

– Tak, tak. – Pokiwała głową jak mechaniczna zabawka na tylnym siedzeniu samochodu..

– To musiałaś mijać te ruiny po drodze. Będzie je z pewnością widać na tle nieba, skoro stoją na jakimś wzniesieniu. Nie przegapisz, spokojnie. Zresztą po to przecież jedziesz tam dużo wcześniej. Będziesz miała aż nadto czasu na szukanie. A może jednak chcesz, żebym pojechał z tobą? – spróbował jeszcze raz.

– Nie, nie! – żachnęła się. – Wy zostańcie tu w domu i czekajcie na nasz powrót. Myślałam, że Roger też zechce tu poczekać, ale... – dodała z wyraźnym zawodem w głosie.

– Ale prosił, żeby mu natychmiast dać znać – stanęłam w obronie młodego Irlandczyka. – Jest przecież niedaleko, z rodzicami, którzy pewnie też się denerwują.

– Tak, masz rację. Jestem niesprawiedliwa. To ja się zbieram. – Ruszyła energicznie do drzwi. – Trzymajcie kciuki.

– Zaraz, zaraz! – U szczytu schodów stanęła pani Michalina. – Zrobię pani kanapki na drogę, bo może przyjdzie tam długo czekać. – Zaczęła schodzić po schodach bokiem, trzymając się kurczowo poręczy.

– Dziękuję, nie trzeba. – Marta uśmiechnęła się blado. – Zjadłam przed wyjściem, a i tak nie mogłabym niczego przełknąć w drodze. Ale może pani

przygotować coś ciepłego na nasz powrót – dodała szybko, widząc zawiedzioną minę pani Michaliny.
– W lodówce jest kurczak, gdyby go pani upiekła, byłabym bardzo wdzięczna. Wrócimy pewnie z Gosią zmarznięte i głodne.

Odczekaliśmy, kiedy samochód Marty zniknie za zakrętem drogi prowadzącej do głównej bramy wyjazdowej z posesji, i zaczęliśmy się przygotowywać do wyjazdu. Smarowałam jak popadło czarną pastą do butów swoje nowiuteńkie adidasy.
– Co wy robicie? – zdumiał się Władysław. – Przecież mieliśmy tu czekać na powrót Marty. I Małgosi, rzecz jasna – dodał szybko.
Opowiedzieliśmy mu o naszych planach. Mieliśmy wprawdzie co najmniej piętnaście minut do wyjazdu, ale też chcieliśmy być na miejscu wcześniej. Nie wiedzieliśmy, ile czasu zajmie nam droga na piechotę i po ciemku.
– Jadę z wami! – oświadczył stanowczo. – Nie mam zamiaru czekać tu z założonymi rękami.
– I nie będziesz – odezwała się pani Michalina stanowczym głosem. – Kończy się drzewo do kominka, więc musisz przynieść nowe zapasy z szopy, którą widziałam za domem. Przygód mu się zachciało, patrzcie państwo!
Władysław, ku naszemu zaskoczeniu, próbował się spierać ze swoją władczą małżonką, ale w końcu udało nam się wspólnie wyperswadować mu tę eskapadę. Przekonała go tylko konieczność maszerowania przez pół kilometra w całkowitych ciemnościach. Przyznał,

że cierpi na kurzą ślepotę i po zmierzchu prawie nic nie widzi. Dlatego wtedy nie mógł znaleźć run w trawie. Nawet nie widział, gdzie upadły.

– Dobrze – zgodził się z wahaniem. – Ale pod warunkiem, Misiaczku, że będziesz tu ze mną siedzieć, a nie pójdziesz spać. Musimy czuwać razem. Nie bardzo bym chciał – dodał niepewnym głosem – żeby jakiś duch postanowił mnie tu odwiedzić, kiedy zostanę sam…

– Dlaczego? – zdziwił się obłudnie Tadeusz. – Może przyszłaby ta zaginiona dziewczyna sprzed ponad stu lat i powiedziała w końcu, co się z nią stało? To przecież doskonała okazja, kiedy taki wytrawny łowca duchów jak ty zostaje sam w domu. Bez tłumu i hałasu. Może duch jest nieśmiały i woli spotkanie tête-à-tête?

Trąciłam go łokciem w żebra, żeby przestał w końcu nabijać się z Władysława, który najwyraźniej traktował sprawę całkiem serio.

– Hm, niby tak. Ale coś dzisiaj nie bardzo jestem w formie…

– W takim razie zajmij się opracowywaniem trasy naszych przyszłych wycieczek po Irlandii – zaproponowałam. – Wyszukaj w przewodniku co ciekawsze obiekty do zwiedzania.

– Świetny pomysł! – ucieszył się. – Mam już nawet kilka na oku. Jedźcie więc czym prędzej, powodzenia!

– Ale najpierw drewno do kominka, mój drogi – nie darowała małżonka.

Wyszliśmy szybko z domu i wsiedliśmy do zimnego samochodu. Poczułam, jak mi szczękają zęby, nie tylko z zimna, ale przede wszystkim z nerwów.

Tadeusz włączył ogrzewanie, lecz chłodny jeszcze nawiew tylko ziębił moje zmarznięte stopy.

– Nie odniosłaś wrażenia, że Władysław boi się duchów? – Tadeusz zaśmiał się cicho. Jego podświetlona od dołu twarz wyglądała demonicznie w zielonkawym świetle deski rozdzielczej.

– Przestań, jesteś złośliwy. – Nie mogłam się jednak opanować i też zachichotałam nerwowo.

– Fakt, wyglądał, jakby już zobaczył ducha.

Rozmowa się urwała. Przez dłuższą chwilę jechaliśmy w milczeniu, coraz bardziej spięci. Im bliżej celu, tym większe ogarniało nas zdenerwowanie.

– Jesteś pewien, że trafisz tam z powrotem? – nie wytrzymałam w końcu.

– Tak, kochanie. Wyzerowałem wtedy licznik i wiem dokładnie, kiedy powinienem się zatrzymać, żeby znaleźć się jeszcze przed wzniesieniem. Za parę minut będę musiał wyłączyć światła, żeby nie były widoczne z daleka. Dalej pojedziemy po ciemku.

Przełknęłam nerwowo ślinę.

– A jeśli zauważą, że wyłączyłeś światła? Oni są na wzniesieniu i pewnie widzą całą okolicę.

– Nie denerwuj się, skarbie. – Tadeusz miał spokojny głos, ale znałam go już na tyle dobrze, żeby wyczuć w nim napięcie. – Musimy ryzykować. Może skupią się na samochodzie Marty, poza tym ich wzniesienie jest niewielkie, niższe niż to, za którym mamy zamiar się schować.

Po wyłączeniu świateł prawie nic nie było widać. Na szczęście samochód Małgosi pracował cicho, szum silnika zagłuszany był i tak wściekłymi porywami wiatru. Czuliśmy, jak spychani jesteśmy z drogi, która majaczyła teraz przed nami jaśniejszą smugą. Pojawiający się w krótkich przebłyskach między pędzącymi po niebie chmurami księżyc ukazywał nam pustą, pozbawioną zabudowań okolicę. Po obu stronach szosy ciągnęły się rozległe pastwiska.

– Tu się zatrzymamy – szepnął Tadeusz, jakby się obawiał, że usłyszą nas porywacze.

Przed nami majaczyło ciemne, dość wysokie wzniesienie o nieregularnym kształcie.

– To jakiś cmentarz – zdziwiłam się, również szeptem.

Jak już zdążyliśmy zauważyć, małe cmentarze w Irlandii położone były zazwyczaj na pagórkach. Nie mieliśmy jednak czasu zastanawiać się teraz nad tym faktem. Wysiedliśmy z samochodu i walcząc z porywami wiatru, usiłowaliśmy zatrzasnąć cicho drzwi. Była to najprawdopodobniej zbytnia ostrożność w tych warunkach, ale nie chcieliśmy niepotrzebnie ryzykować.

Droga przed nami skręcała ostro w prawo, okrążając pagórek z cmentarzem. Tadeusz miał rację – miejsce na schowanie samochodu było wręcz idealne. Szłam, starając się nie patrzeć na majaczące w ciemności krzyże. Celtyckie krzyże z prześwitującym między kamiennymi wiankami niebem.

Wcale nie było tak ciemno, jak nam się z początku wydawało. Wzrok przyzwyczaił się już do warunków i bez trudu rozróżnialiśmy szczegóły drogi oraz pobocza. Minęliśmy, ku mojej uldze, cmentarz i wyszliśmy na prosty odcinek szosy, która zdawała się nie mieć końca. Przyspieszyliśmy kroku. Do północy pozostał już tylko kwadrans.

– Patrz! – Tadeusz ścisnął mnie nagle za ramię.
– Ruiny!

Rzeczywiście, sto metrów przed nami wyłoniły się z ciemności ruiny stojącej na niewielkim wzgórzu wieży. Poczułam nagłe parcie na pęcherz, ale był to tylko efekt zdenerwowania. Taką przynajmniej miałam nadzieję. Nie było już czasu na zatrzymywanie się, parę kroków dalej stał z wygaszonymi światłami samochód Marty. Pusty, co znaczyło, że nasza przyjaciółka jest już na górze i czeka na porywaczy. Albo, co wydawało się też bardzo prawdopodobne, już z nimi rozmawia. Do północy brakowało zaledwie paru minut.

Zaraz zobaczyliśmy drugi samochód. Również pusty. Nie mieliśmy czasu do stracenia.

Wiatr nieco ustał, zaczął padać uciążliwy drobny deszcz. Kontury ruin się zamazywały w wilgotnym powietrzu, co było dla nas korzystne, bo staliśmy się przez to mniej widoczni. Mimo wszystko jednak szliśmy pochyleni nisko nad mokrą trawą. W ruinach widać już było migające światła latarek.

Nagły szelest przyprawił mnie niemal o zawał serca. Między nogami przemknęło nam jakieś zwierzę wypłoszone spomiędzy kamieni. Posuwaliśmy się ostrożnie do przodu, ale poza migającymi od czasu do czasu nikłymi światłami latarek nic nie wskazywało na to, że tam ktoś jest. Żadnych rozmów, żadnych hałasów.

A może to duchy? – pomyślałam przerażona i poczułam, że mój pęcherz znów zareagował, tym razem znacznie mocniej. Musiałam gdzieś zrobić siusiu, i to jak najprędzej. Rozglądałam się właśnie za dogodnym miejscem, kiedy nagle w ruinach rozległ się chrzęst i grzechot, zupełnie jakby ktoś zeskakiwał z kupy kamieni. Towarzyszyły temu łomot i ciche, dziwnie znajomo brzmiące przekleństwo.

– Pieniądze! – zachrypnięty głos mężczyzny zabrzmiał tak wyraźnie, jakby jego właściciel stał tuż przed nami. Skuliliśmy się odruchowo.

– Rzuć torbę tutaj! – odezwał się drugi głos z ciemności.

– Najpierw pokażcie mi moją córkę! – usłyszeliśmy drżący głos Marty. – Potem dostaniecie pieniądze.

– Rzuć pieniądze, suko, albo nigdy już nie zobaczysz Małgośki!

Odgłosy szamotaniny i rozpaczliwy krzyk Marty świadczyły o tym, że porywacz wyrwał jej torbę z pieniędzmi z ręki.

Z wrażenia zachwiałam się i złapałam za ramię równie zdumionego jak ja Tadeusza, by nie upaść na śliską trawę.

Marta i porywacz rozmawiali ze sobą... po polsku.

Od tej chwili wypadki potoczyły się błyskawicznie. Tadeusz rzucił się w kierunku majaczących w ciemnościach postaci, kierowany błyskiem latarki, którą jeden z mężczyzn wymachiwał teraz na oślep.

Mój pęcherz miał już zdecydowanie dość, musiałam więc przykucnąć za najbliższym murkiem. A właściwie za tym, co z niego pozostało.

– Malcolm, trzymaj! – usłyszałam nagle odgłos łapanej w locie torby i tupot buciorów zbliżających się w moim kierunku. Wspólnik najwyraźniej uciekał w stronę zaparkowanego na poboczu samochodu. Podniosłam się gwałtownie i niemal w jednej chwili padłam na ziemię, przygnieciona ciałem potężnie zbudowanego mężczyzny. Torba z pieniędzmi znalazła się w zasięgu moich rąk, nie zdążyłam jej jednak przechwycić. Porywacz podniósł się czym prędzej na równe nogi, porwał ją z ziemi i utykając mocno, zbiegł na dół.

Tymczasem na górze nadal trwała bójka przerywana tylko stęknięciami i zduszonymi przekleństwami po polsku. Drugi z porywaczy zdecydowanie był Polakiem. Nagły okrzyk bólu, tupot nóg i zrozpaczony głos Marty zakończyły bezładną szamotaninę.

– O Jezu! Przepraszam, to nie ciebie chciałam uderzyć! Tadeusz, odezwij się!

Rzuciłam się w ich kierunku, kątem oka zauważając coś przed sobą w trawie. Podniosłam i odruchowo schowałam znalezisko do kieszeni kurtki. Na środku wolnego od gruzu placu siedział oszołomiony Tadeusz i trzymał się za głowę. Wypływająca spomiędzy palców krew plamiła kołnierz kurtki.

– A gdzie Gosia?! – Marta zaczęła histerycznie płakać. – Mówiłam, żebyście się w to nie mieszali!

Tadeusz zerwał się z ziemi i bez słowa pobiegł za porywaczem.

– Tam, przy samochodzie! – krzyknął, odwracając się do nas. – Nie może się dostać do środka!

Zostawiłam płaczącą Martę i pobiegłam za Tadeuszem. Mężczyzna zauważył nas, zostawił samochód i rzucił się do ucieczki na piechotę. Niewygodna reklamówka z pieniędzmi obijała mu się o nogi i spowalniała ruchy. Poza tym prawdopodobnie skręcił nogę podczas ucieczki z ruin, więc Tadeusz dogonił go bez trudu i powalił na ziemię.

– Tego szukałeś, robaczku? – Podbiegłam do nich i z trudem łapiąc oddech, pomachałam łotrowi kluczykami od samochodu przed nosem. – Tego, prawda?

– Skąd je masz? – zdziwił się zasapany Tadeusz.

– Wypadły mu z kieszeni, kiedy przewrócił się na mnie. – Uśmiechnęłam się tryumfująco.

– Biłaś się z nim? – przeraził się.

– Nie, sikałam za murkiem.

Nagły ruch przy wieży odwrócił naszą uwagę od leżącego na ziemi porywacza. Gdyby nie skręcona noga, pewnie skorzystałby z okazji i uciekł. Próbował nawet, ale Tadeusz przycisnął go mocniej kolanem do podłoża.

– Nie mogę oddychać – wystękał z wysiłkiem.

– To nie oddychaj – poradził mu Tadeusz, ale zwolnił nieco nacisk. – Musimy teraz zadzwonić po policję – rzekł, spoglądając w stronę ruin. – Co tam się dzieje?

Z góry schodziły trzy osoby. Jedna, zgięta wpół, jakby prowadzona przez drugą siłą. Kiedy podeszli bliżej, okazało się, że to Marta i Roger prowadzący drugiego porywacza za wykręconą do tyłu rękę.

– Roger?! – wykrzyknęliśmy oboje. – Przecież miałeś być u rodziców?!

– Naprawdę uwierzyliście, że zostawię tu Martę sam na sam z tymi łotrami? Zaczaiłem się w tych ruinach już dwie godziny wcześniej. – Otrząsnął się gwałtownie, cały mokry. – Miałem nadzieję, że zdołam odbić Gohę, zanim Marta wręczy im pieniądze. Niestety, przyjechali bez niej...

Zastanowiło mnie, dlaczego młody Irlandczyk włączył się do akcji tak późno, skoro, jak sam powiedział, był tam już od dwóch godzin. Czyżby jednak naprawdę był w zmowie z porywaczami? A teraz, gdy nic z tego nie wyszło... Odepchnęłam natychmiast tę myśl. Nie, to niemożliwe. Mam chorą wyobraźnię.

– Gdzie Małgośka, ty gnoju?! – krzyknął Tadeusz do złapanego przez Rogera chłopaka. – Jak mogłeś?! Własną rodaczkę! Co jej zrobiliście?

– Ja nic nie wiem, jak Boga kocham, nie wiem!

– Młody, ale już zniszczony przez alkohol mężczyzna zalał się łzami. – Nic nie wiem na temat dziewczyny. To Malcolm wpadł na ten pomysł. Powiedział, że jest łatwa robota, to się zgodziłem. Nie wiedziałem, o kogo chodzi.

– Czyli wcale jej nie porwaliście? – Z wrażenia nogi odmówiły mi posłuszeństwa. – I nie wiesz, gdzie ona jest?

– Nie! Słowo daję, że nie! Nie jestem porywaczem. Potrzebowałem na gwałt kasy, i tyle. – Szlochał i trząsł się jak w febrze. – Malcolm powiedział, że wszędzie wiszą informacje o jakiejś zaginionej dziewczynie i że to okazja, żeby wyrwać coś od rodziny. I że ta laska pewnie i tak się znajdzie prędzej czy później, więc krzywdy jej tym nie zrobimy. Na ogłoszeniu był numer telefonu. Wiedziałem, że to Polka, ale przecież myśmy jej nie porwali! A ja miałem nóż na gardle. Zwolnili mnie z pracy już trzy miesiące temu i niczego do tej pory nie udało mi się znaleźć. A mam na utrzymaniu chorą matkę w Polsce. – Spojrzał na nas z rosnącą nadzieją.

– Urzekła mnie twoja historia… o właśnie, jak masz na imię? – Tadeusz paskiem od spodni związał porywaczowi ręce i z podejrzanym spokojem wyjął papierosa z paczki.

– Ka… Kamil…

– A więc Ka… Kamilu, naprawdę mnie urzekła. Jak tylko będę miał wolną chwilę, to się nią wzruszę. Tymczasem wsiadaj do bagażnika. – Otworzył klapę samochodu Małgosi. – No już, nie będę się z tobą ścigał, zanim przyjedzie Garda. Zaczekasz tu sobie spokojnie.

– Nie róbcie mi krzywdy! – Kamil zapiszczał cienko.

– Ależ skąd! – Tadeusz uderzył go w twarz na odlew. – Oj, przepraszam, do twoich długów dorzuciłem chyba niechcący rachunek za dentystę. Potrzebny ci będzie prawdopodobnie nowy ząb. Wybacz.

Odciągnęłam Tadeusza od plującego krwią i jęczącego chłopaka, który sam szybko wszedł do bagażnika. Zrobił to tym chętniej, że deszcz rozpadał się już na dobre, zmieniając nasze ubrania w nasiąknięte wodą gąbki.

– A co z tym drugim? – spytałam, wskazując na leżącego na deszczu jego wspólnika.

– Mamy drugi bagażnik – powiedział przez zęby. – Tylko trzymaj mnie, żebym go nie roztrzaskał lewarkiem. Nie odpowiadam za siebie.

– Jaki jest numer do najbliższego posterunku tutejszej policji? – spytałam, wyciągając trzęsącą się ręką telefon z kieszeni.

– Nie pamiętam, ale zadzwoń na ogólny 997 lub 112 – odpowiedział szybko Roger. – Albo daj, ja sam do nich zadzwonię.

Po kwadransie przyjechał samochód z napisem GARDA z boku oraz dwóch motocyklistów w jaskrawo-żółtych kurtkach i czarnych skórzanych spodniach. Wysłuchali naszej chaotycznej nieco relacji, zabrali niedoszłych porywaczy z bagażników i pojechali w kierunku miasta, nakazując nam się stawić na drugi dzień na posterunku. Celem złożenia zeznań w sprawie, jak nas poinformował służbisty młody policjant, niezadowolony z naszych samodzielnych akcji.

– Waszym obowiązkiem było nas zawiadomić o tym wcześniej. To sprawa Gardy, a nie cywilów – powiedział oschłym tonem.

– Moja córka zaginęła pięć dni temu – odezwała się milcząca do tej pory Marta. – Co już zrobiliście w tej sprawie? Poza wstępnym przesłuchaniem i wypełnieniem przeze mnie formularza zgłoszeniowego na posterunku Garda Station w miasteczku, nikt się do mnie do tej pory nie odezwał. A obiecano mi, że będę informowana o postępach w śledztwie na bieżąco.

– I tak będzie, ale upłynęło dopiero pięć dni i jest jeszcze za wcześnie na jakiekolwiek wnioski, proszę pani. – Policjant w jaskrawożółtej kurtce z białymi odblaskowymi pasami sięgnął po kask i zaczął go zapinać pod brodą na znak, że rozmowa zakończona.

– Dla mnie i mojej córki to aż pięć dni. Dlatego postanowiłam wziąć sprawę w swoje ręce, proszę pana. A moi przyjaciele zjawili się tu bez mojej wiedzy i bez mojej zgody. Ale oni też postanowili działać, nie oglądając się na was. Zależy nam na odnalezieniu mojej córki żywej, a nie jej zwłok. Dla nas to bliski człowiek, a nie „zgłoszony przypadek zaginięcia".

Odciągnęłam roztrzęsioną przyjaciółkę od policjantów, zapewniając ich, że stawimy się na posterunku, i zaprowadziłam ją do samochodu. Tadeusz też wsiadł z nami, musiał dostać się do naszego, zostawionego za cmentarzem na górce.

– Gdzie jest Roger? – spytałam, uruchamiając silnik.

Marta była zbyt zdenerwowana, żeby prowadzić, a ja na pustej drodze i po ciemku mogłam sobie pozwolić na jazdę lewą stroną drogi.

– Poszedł do swojego samochodu i spotkamy się wszyscy u Marty – odpowiedział Tadeusz. – Nie chce denerwować swoich rodziców po nocy, a my i tak będziemy mieli problemy z zaśnięciem. Musimy się przebrać, osuszyć i zastanowić, co robimy dalej.

Roger dogonił nas po drodze i już wszyscy razem podjechaliśmy pod dom, w którym zastaliśmy śpiącego przed kominkiem Władysława. Na drugim fotelu drzemała pani Michalina, a w całej kuchni unosił się zapach pieczonego kurczaka. Władysław zerwał się na odgłos otwieranych drzwi i półprzytomny rzucił w naszym kierunku z otwartymi ramionami.

– Nareszcie! – zawołał uszczęśliwiony. – Nareszcie! Już się zaczynałem martwić. Wszystko dobrze poszło?

Już przytomniejszym wzrokiem ogarnął całą naszą zmarzniętą i przemoczoną do suchej nitki grupę, ujrzał zakrwawioną głowę Tadeusza i już ciszej zapytał:

– A gdzie Małgosia…?

– Nie było jej tam – odpowiedziałam za wszystkich. – Opowiemy ci ze szczegółami, ale najpierw daj nam się przebrać. Musimy też opatrzyć ranę Tadeusza.

– Zranili go?! – Pani Michalina, która też się już roz-budziła, zawrzała świętym oburzeniem. – A to łotry! A to dranie! Niechbym ich dorwała w swoje ręce… – Zacisnę-ła groźnie pięść i zaczęła nią wymachiwać w powietrzu.

Najpierw zajęliśmy się raną Tadeusza, która, na szczęście, nie okazała się groźna, chociaż mocno krwa-wiła. Marcie, sprawczyni tego wypadku, trzęsły się ze zdenerwowania ręce, więc zastąpiła ją opiekuńcza pani Michalina.

– A to dranie! – mruczała pod nosem. – Ręce bym im poprzetrącała… Łajdaki!

Kiedy już umyci i przebrani usiedliśmy przy buzu-jącym ogniu, o który zadbał Władysław, rzuciliśmy się na przygotowanego przez panią Michalinę gorącego jeszcze kurczaka, a Marta podała nam parujące kubki herbaty ze spirytusem. Naszym prezentem, który ucho-wał się tylko dlatego, że był przewożony jak należy, w bagażu. Nie w tym podręcznym, jak nasza nieodża-łowana miodówka.

– Na przemarznięcie nie ma jak góralska herbata „z prądem". – Moja przyjaciółka uśmiechnęła się blado.

Skostnieliśmy z zimna, to prawda. Wprawdzie było parę stopni powyżej zera, ale przemoknięte ubrania nas wychłodziły. Roger, który, jak się okazało, pra-wie dwie godziny leżał w mokrej trawie, schowany za resztkami ściany wieży, wyglądał najgorzej z nas wszystkich. Wstrząsany gwałtownymi dreszczami, przez dłuższą chwilę nie mógł się rozgrzać. Dopiero po drugiej albo trzeciej wzmocnionej herbacie jego twarz zaczęła przybierać zdrowszy odcień. Zniknęła trupia, zielonkawa bladość.

Państwo Turowie wysłuchali naszej relacji, przerywając ją tylko okrzykami grozy albo niedowierzania. Ze zdziwieniem i lekkim zgorszeniem zareagowali na wiadomość, że „napastnikiem", który zranił Tadeusza w głowę, była sama Marta.

– Przepraszam cię jeszcze raz. – Marta złapała go za rękę. – Chwyciłam kamień i chciałam uderzyć tamtego drania, ale przewróciliście się tak, że zamiast jego głowy na górze znalazła się twoja. To były sekundy. I przez to ci uciekł.

– Nie mam ci tego za złe. – Uśmiechnął się do niej uspokajająco. – Na szczęście Lucyna zatrzymała go na moment. Wystarczający jednak, żeby facet zgubił kluczyki od samochodu.

– Zatrzymałaś go? – Władysław spojrzał na mnie z podziwem. – Jak? Chyba nie gołymi rękami?

– Nie. – Tadeusz z trudem utrzymywał powagę. – To nie ręce miała gołe...

– O, przepraszam! – oburzyłam się. – Już się właśnie podnosiłam i poprawiałam, dlatego się na mnie przewrócił.

Marta, która też nie znała jeszcze tej historii, odprężyła się nieco po raz pierwszy, od kiedy wróciliśmy do domu.

– Nie chcesz chyba powiedzieć, że...

– Tak, musiałam zrobić siusiu – przerwałam jej ze złością. – Strasznie śmieszne!

W normalnych warunkach śmialibyśmy się z tego wydarzenia przez resztę nocy, przerzucając się złośliwymi docinkami. Ale to nie były normalne warunki. Akcja udała nam się tylko częściowo i nadal nie wiedzieliśmy, gdzie jest Małgosia.

– Powiedz mi, bo mnie to cały czas męczy. – Tadeusz zwrócił się do Rogera. – Dlaczego, skoro przyjechałeś tam dwie godziny wcześniej, zareagowałeś dopiero wtedy, gdy ten drań zaczął uciekać? Nie mogłeś wkroczyć do akcji dużo wcześniej?

– Byłem tam dużo przed czasem, to prawda – przyznał Irlandczyk. – Miałem nadzieję, że uda mi się odbić Gohę, zanim dojdzie do przekazania okupu. Niestety, przyjechali w ostatniej chwili i nie mogłem już stamtąd odejść. Odczekałem więc do momentu, kiedy zajęci byli rozmową z Martą, a potem walką z tobą, i zbiegłem na dół do ich samochodu, przekonany, że ona tam jest. Niestety, samochód był pusty. Kiedy wróciłem na górę, było już po wszystkim, ale zauważyłem uciekającego porywacza, więc go zatrzymałem.

– Gdzie ona w takim razie jest? Mój Boże! – Marta ukryła twarz w dłoniach. – Nadal nic nie wiemy, a moje biedne dziecko... – nie była w stanie dokończyć.

Podmuchy wiatru zdawały się kołysać całym domem, chłód wciskał się w każdą szczelinę, deszcz siekł w szyby. Z kominka na dole wydobywały się świsty i głuche dudnienie przechodzące w wycie oraz jęki, jakby uwięziona tam była potępiona dusza. Wtuliłam się w zagłębienie ciała Tadeusza, dopasowałam do jego kształtu.

– Dobranoc, skarbie – mruknął sennym głosem. – Mieliśmy ciężki dzień. A ty okazałaś się bardzo dzielna, jestem z ciebie dumny.

– Ja z ciebie też. – Odwróciłam się na chwilę, żeby go pocałować. – Jesteś moim bohaterem.

– Mhm... A wzięłaś tabletki na pęcherz, tak na wszelki wypadek?

– Ależ ty jesteś prozaiczny – jęknęłam, odwracając się z powrotem. – Tak, tatusiu. Nigdy się z nimi nie rozstaję.

Ciemność za oknem powoli przechodziła w szarość poranka. Zbliżał się świt nowego dnia, kolejnego ciężkiego dnia dla uwięzionej gdzieś Małgosi.

Guilty... guilty... – dudniły ponuro rury.

11

Jak było do przewidzenia, Roger obudził się rano z wysoką gorączką i musiał skorzystać z gościny Marty. Gnębiona wyrzutami sumienia, że rozchorował się, usiłując ratować Małgosię, zamęczała go teraz swoją troskliwością, jak na matkę-kwokę przystało. A raczej na teściową, bo widać było, że zaakceptowała już młodego człowieka bez zastrzeżeń. Sprowadzony przez nią lekarz nie stwierdził wprawdzie zapalenia płuc, czego się najbardziej obawialiśmy, lecz na wszelki wypadek zalecił środki przeciwgorączkowe i leżenie w łóżku. Roger nie chciał brać zwolnienia lekarskiego, ale bez większego problemu załatwił sobie urlop w pracy i pozwalał się Marcie rozpieszczać. Temperatura spadała mu bardzo powoli, więc zaraz po załatwieniu najważniejszych spraw przez telefon ponownie zapadł w sen. Rodzice chcieli po niego natychmiast przyjechać, ale Marta im wytłumaczyła, że lepiej nie narażać go na przeciągi podczas transportu, a ona przynajmniej będzie miała zajęcie. Teraz nie może mieć za dużo czasu na myślenie, bo zwariuje. Jesteśmy wprawdzie my, ale i tak nie udaje nam się o niczym innym rozmawiać. Musi mieć jakąś odmianę.

Zrozumieli i uznali, że tak rzeczywiście będzie najlepiej dla obojga – dla Marty i dla Rogera.

– Biedaczek – westchnęła, kiedy zeszliśmy wszyscy na dół. – Tak się poświęcił dla Gosi. Wy zresztą też – dodała szybko, nie chcąc nas urazić.

– To nie było żadne poświęcenie. – Pokręciłam przecząco głową. – Wiesz przecież, że nie moglibyśmy postąpić inaczej. Najgorsze jednak, że nic to nie dało.

– Tyle tylko, że odzyskaliśmy pieniądze – dodał Tadeusz. – Dobre i to. Jeszcze ci tylko kłopotów finansowych brakowało do kompletu. Co za gnój! – przypomniał sobie nagle Polaka biorącego udział w zmowie. – Żeby do tego stopnia nie mieć sumienia! Przecież to jego rodaczka. Polacy powinni się popierać na obczyźnie, pomagać sobie nawzajem i wspierać, a nie tak...

– Daj spokój, szkoda gadać. Niektórzy donoszą na siebie, podbierają sobie nawzajem pracę, oferując pracodawcy niższą stawkę niż ta, którą zaproponował kolega, piją, kradną. Czasami wstyd mi się nawet przyznać, że jestem Polką.

Pojechaliśmy wszyscy do miasteczka, żeby zrobić zakupy na obiad i zgłosić się, jak zostało nam w nocy nakazane, na posterunek. Po drodze podrzuciliśmy Władysława i jego żonę do domu. Starsi państwo nie brali z nami udziału w nocnej wyprawie, więc nie musieli składać zeznań. Poza tym teraz, kiedy Roger leżał chory, nie było już dla nich wolnego łóżka. Ostatnią noc Irlandczyk spędził na kanapie w salonie, teraz jednak potrzebował większego komfortu.

– To zrozumiałe. – Władysław kiwał energicznie głową. – Proszę się nie tłumaczyć, bo zaczynam się czuć nieswojo. I tak nadużyliśmy pani gościnności, ale usprawiedliwia mnie tylko fakt, że byłem wam potrzebny. A właściwie nie ja, tylko moje nadprzyrodzone zdolności. Mogę je jednak wykorzystywać na odległość. Poza tym mój Misiaczek już się stęsknił za wnukiem, prawda? – Spojrzał na żonę.

– Mam nadzieję, że mi nie zmarnowali dziecka przez ten czas – mruknęła pani Michalina, żegnając się z nami pospiesznie.

Obiecaliśmy, że jak tylko zdarzy się coś nowego w sprawie zaginięcia Małgosi, damy im znać natychmiast.

Na posterunku potraktowano nas życzliwie i ze zrozumieniem. Przyjmowali nas inni policjanci, nie ci wezwani przez Rogera w nocy. Poinstruowano nas tylko, żebyśmy nie podejmowali już żadnych akcji na własną rękę, oraz zapewniono, że mają pewien trop, o którym nie mogą jeszcze powiedzieć nic pewnego, ale pracują intensywnie nad sprawą.

– W związku z tym – zakończył sympatyczny policjant – za chwilę porozmawia z państwem oficer śledczy.

Zostaliśmy sami w pomieszczeniu.

– Słyszeliście? – Podekscytowana Marta wstała z niewygodnego krzesła i zaczęła krążyć od drzwi do okna. – Mają już jakiś trop! Nareszcie! A może...

– Zatrzymała się gwałtownie, tknięta straszną myślą.

– A może chodzi po prostu o to, że znaleźli jej ciało…?

Nie zdążyliśmy odpowiedzieć, bo w drzwiach stanął wysoki, postawny policjant w cywilu. Poczułam, jak krew napływa mi do twarzy i zaczyna brakować tchu.

Mężczyzną, który wszedł właśnie do niewielkiego pomieszczenia, okazał się przystojny Irlandczyk, od którego nie mogłam oderwać wzroku w samolocie. Teraz też przychodziło mi to z dużym trudem. Kątem oka zauważyłam rozbawione i ironiczne spojrzenie Tadeusza.

– Kochanie – szepnął teatralnie – zamknij usta, bo wyglądasz mało inteligentnie.

Policjant zmarszczył lekko brwi, w końcu się uśmiechnął, prezentując piękne, niemal filmowe uzębienie.

– A my się już chyba gdzieś spotkaliśmy? W samolocie do Dublina, prawda? – spytał po dokonaniu prezentacji. Nazywał się Sean Collins i zajmował się sprawami kobiet zaginionych na terenie Irlandii.

Nie dość, że taki przystojny i męski, to jeszcze z fenomenalną pamięcią! – westchnęłam w duchu. Zerknęłam niepewnie na Tadeusza i natychmiast odwróciłam wzrok. Aż za dobrze znałam te stalowe błyski w jego oczach. Wiedziałam, że nie zniży się do robienia mi scen zazdrości, ale to spojrzenie wystarczało za wszelkie awantury.

– Jeśli nie macie państwo nic przeciwko temu, chciałbym z każdym z was porozmawiać osobno – powiedział Collins, siadając za biurkiem.

Na pierwszy ogień poszła Marta, Tadeusz i ja prze-szliśmy do następnego pokoju, w którym jakiś młody człowiek z koszmarnie przetłuszczonymi włosami i śladami po trądziku na wypukłym czole wystuki-wał coś pilnie na klawiaturze komputera, zupełnie nie zwracając na nas uwagi. Na ścianach wisiały portre-ty z listów gończych, mogące przyprawić człowieka o bezsenność, a na korkowej tablicy masa przyszpi-lonych karteczek. Schnący na parapecie doniczkowy kwiatek pilnie domagał się podlania albo coup de grace w postaci wyrzucenia go do kosza.

– Tak bardzo ci się ten facet podoba, że aż pub-licznie musisz z siebie robić zachwycone cielę? – nie wytrzymał w końcu Tadeusz.

– Skarbie, sam przyznasz, że jest wyjątkowo mę-ski i przystojny. – Wzruszyłam ramionami. – Trudno nie zwrócić na niego uwagi. To tak jakby patrzeć z za-chwytem na dzieło sztuki. Ty przecież też oglądasz się za ładnymi kobietami na ulicy.

– To zupełnie coś innego. Każdy mężczyzna ogląda się za kobietami, zwłaszcza gdy są młode i zgrabne. Ale żeby kobieta? I to jeszcze w twoim wieku…

– Przepraszam…? – Aż podskoczyłam na krześle, ściągając na siebie zniecierpliwiony wzrok policjan-ta w kącie. – Że co? – syknęłam, rzucając mu prze-praszające spojrzenie. – Że niby jestem za stara, żeby z przyjemnością patrzeć na przystojnego mężczyznę? To chciałeś powiedzieć?

Teraz on wzruszył ramionami.

– Ależ Lucynko, zdecydowanie nadinterpretujesz moje słowa.

Aha, Lucynko... Niedobrze. Po imieniu zwracaliśmy się do siebie tylko wtedy, gdy się kłóciliśmy. Była to tak zwana lodowata uprzejmość.

– Tadeuszu... – zaczęłam, ale do pokoju weszła zaczerwieniona z emocji Marta.

– Prosi teraz kogoś z was. – Wskazała głową kierunek, z którego właśnie przyszła.

Poderwałam się pierwsza, bo nie chciałam na razie tłumaczyć przyjaciółce, dlaczego, zamiast myśleć o Małgosi, warczymy na siebie.

– Czy widziała pani kiedyś tego człowieka? – spytał przystojniak z irlandzkiej policji po mozolnym spisaniu moich personaliów z dowodu osobistego. Wzięłam do ręki zdjęcie przeciętnie wyglądającego mężczyzny w średnim wieku. Jedyne, co go wyróżniało, to była ciemna myszka na policzku pod okiem.

– Nie. – Pokręciłam przecząco głową i oddałam zdjęcie. – Jesteśmy tu zaledwie od tygodnia, a w związku z zaginięciem córki mojej przyjaciółki raczej nigdzie nie jeździmy i nie spotykamy nowych ludzi.

– Zupełnie nigdzie? – Podniósł głowę znad notatek.

– No... – zawahałam się. – Byliśmy tylko raz na zamku Matrix, w Adare, w hrabstwie Limerick. Aha, i jeszcze w pubie, niedaleko domu Marty. Poza tym nigdzie indziej.

– Czyli nigdy go pani nie widziała? – Zaczął się bawić długopisem, przesuwając go zręcznie między długimi, smukłymi palcami. Na biurku, tyłem do mnie stało jakieś zdjęcie. Pewnie żony i dzieci, pomyślałam.

– A powinnam? Nie, nie przypominam sobie. Co on ma wspólnego z zaginięciem Małgosi?

– Jeszcze nie wiemy, ale mamy informacje, że widziano go w tamtych okolicach, w pobliżu domu, w którym mieszka zaginiona, dokładnie w dniu jej zaginięcia.

– Przecież ten teren nie jest zamknięty i chyba każdy może tam przyjechać? – Wzruszyłam ramionami. – Poza tym obok jest stadnina, więc może zainteresowany był końmi, a nie Małgosią.

– Może, ale musimy sprawdzić każdy trop. A ten człowiek jest zamieszany w sprawę handlu młodymi kobietami, które sprzedawane są do domów publicznych na terenie Irlandii. Głównie na prowincji.

Opadła mi szczęka, tym razem z zupełnie innego powodu niż uroda przystojnego policjanta.

– To by tłumaczyło – ciągnął tymczasem Sean Collins – dlaczego przed domem został jej samochód. Musieli odjechać razem.

– Sądzi pan, że ten człowiek mógł uprowadzić Małgosię i sprzedać ją do jakiegoś domu publicznego?! – Głos mi się załamał z wrażenia.

– Niekoniecznie. Porywane są raczej młode i niedoświadczone kobiety, takie, które dopiero co tu przyjechały, nie znają języka i nie potrafią sobie radzić. W procederze bierze zwykle udział kilka osób, ktoś musi te dziewczyny najpierw ściągnąć do Irlandii. Głównie ze wschodniej Europy. – Przystojniak wciąż kręcił młynka długopisem i zaczęło mnie to drażnić. Poprawiłam się gwałtownie na krześle, wytrącając go niechcący z rytmu. Długopis zakreślił piękny łuk w powietrzu i wylądował na przeciwległej ścianie, o włos mijając moje ucho. Policjant speszył się na moment, przeprosił i szybko wrócił do tematu. – Dziewczyny przyjeżdżają tu zwabione ogłoszeniami o dobrze płatnej pracy w barze, przy sprzątaniu czy opiece nad dziećmi. Ktoś je odbiera z lotniska, zajmuje się nimi przez parę dni, następnie zabiera paszport i wysyła do pracy. Zupełnie innej niż ta, która była w ogłoszeniu prasowym. Kobiety nie mają już wyjścia: są bez dokumentów, bez znajomości języka i wmawia im się, że muszą odrobić dług zaciągnięty na ich przyjazd do Irlandii.

– Tak, to straszne – skomentowałam. – Słyszałam o tym problemie, widziałam programy w telewizji, czytałam w prasie. W Polsce istnieje nawet organizacja o międzynarodowym zasięgu pod nazwą La Strada zajmująca się pomocą takim właśnie kobietom. Tylko co to wszystko ma wspólnego z córką mojej przyjaciółki? Przecież ona mieszka w Irlandii od paru już lat, pracuje tu, zna język doskonale i nie jest już naiwnym dziewczątkiem. Więc...?

– Przykro mi to mówić – obojętny ton policjanta przeczył tym słowom – ale bardzo często młodymi dziewczynami zajmują się na początku kobiety, bo wzbudzają w nich większe zaufanie. Chyba że jest to jakiś poznany przez Internet „narzeczony". Mamy uzasadnione podejrzenie, że córka pani znajomej jest zamieszana w tę sprawę.

– Ależ ona zaginęła!

– Nie wiemy, czy zaginęła. Może została już „spalona" na tym terenie i musiała się gdzieś teraz ukryć?

Albo za dużo wiedziała, stała się niewygodna i ktoś ją uciszył. Tak czy inaczej musimy ją odnaleźć.

Wstałam gwałtownie, przewracając niechcący rzeczy na jego biurku. Odruchowo podniosłam zdjęcie i odstawiłam je na miejsce. Nie była to fotografia szczęśliwej rodzinki, tylko zdjęcie policjanta Seana Collinsa na tle wrzosowisk, z siedzącym obok psem, seterem irlandzkim, a jakże, i ze strzelbą w ręku. Z drugiej ręki zwisały bezwładnie dwie upolowane kaczki.

– Czyli wasze śledztwo polega na wyszukaniu dowodów przeciwko Małgosi, a nie na szukaniu jej samej? – Nachyliłam się nad nim groźnie. Widziany z całkiem bliska miał niezupełnie zdrową cerę. Zauważyłam kilka szpecących ją czarnych wągrów.

– Tego nie powiedziałem. – Zmierzył mnie niechętnym spojrzeniem. – I proszę usiąść spokojnie. To nie są prywatne rozmówki, jeśli jeszcze tego pani nie zauważyła. Prowadzę śledztwo.

– Rzucając takie oskarżenia na córkę mojej przyjaciółki, zamiast jej szukać? Dlaczego zatem zaginęła?

– Może coś poszło nie tak. – Wzruszył ramionami. – Albo przestała już być potrzebna.

– Czy ma pan jeszcze jakieś pytania do mnie? – Znów podniosłam się z krzesła. – Mogę już pójść do domu?

– Nie mam więcej pytań, to wszystko na dzisiaj. – Ponownie schylił się nad swoimi notatkami, szukając długopisu. Zaraz sobie przypomniał, gdzie jest, ale zamiast podnieść go z podłogi, sięgnął po następny do szuflady.

– Państwo jeszcze nie opuszczacie Irlandii, jak sądzę?

– spytał, nie podnosząc głowy. – Jeśli będziecie mieli taki zamiar, proszę nas o tym powiadomić.

– Oczywiście! – Wyszłam, zamykając drzwi trochę głośniej, niż zamierzałam. Wchodzący po mnie Tadeusz rzucił mi tylko zdziwione spojrzenie.

– Dupek, pieprzony dupek! – Nie mogłam się powstrzymać w drodze powrotnej do domu. – A do tego myśliwy, morderca zwierząt. Jak on mógł?! To w takim kierunku idzie ich śledztwo? Oni wcale nie szukają Małgosi, są pewni, że się „spaliła" i gdzieś się teraz melinuje!

– Gdyby nie była Polką, może sumienniej by się zajęli tym zaginięciem – powiedziała Marta głuchym głosem.

– Przestańcie się nakręcać, dziewczyny. – Tadeusz najszybciej z nas wszystkich odzyskał zimną krew, chociaż widziałam, w jakim stanie wychodził z pokoju przesłuchań. – Musimy się teraz zastanowić, co robimy dalej. A ich śledztwo rzeczywiście poszło chyba w niewłaściwym kierunku. Nigdy nie uwierzę w to, że Małgosia mogłaby być zamieszana w handel kobietami.

– Boże… – Marta zjechała na pobocze i ukryła twarz w dłoniach. – Ja znam tego człowieka ze zdjęcia i powiedziałam o tym śledczemu.

– Znasz go? Skąd?

– Pracowali kiedyś razem w fabryce. Raz był nawet u nas, ale pokłócili się i Gośka wyrzuciła go za drzwi, krzycząc, żeby się więcej u niej nie pokazywał.

– I co?

– Już go potem nie widziałam. Kiedy spytałam, dlaczego go tak ostro potraktowała, odpowiedziała, że to gnida i nie chce o nim nawet rozmawiać. Potem zwolnił się stamtąd albo jego zwolnili, nie wiem. Może teraz się na niej zemścił? Boże, nigdy jej nie odnajdziemy! – Rozszlochała się na dobre.

W domu zastaliśmy Rogera siedzącego w salonie na dole. Temperatura mu już spadła i wyglądało na to, że była raczej wynikiem przeżytego szoku poprzedniej nocy niż choroby. Wstał na nasz widok z fotela.

– Nie mogę już wytrzymać w łóżku. Wyspałem się za wszystkie czasy i teraz muszę coś robić, bo czas ucieka.

Opowiedzieliśmy mu o podejrzeniach policji.

– Przecież to nonsens! – zawołał ze zdumieniem. – Rozmawialiśmy nieraz z Gohą o handlu kobietami, zresztą trudno nie poruszać tego tematu, kiedy czyta się o tym i ogląda w telewizji niemal na okrągło, ale widziałem jej reakcję. Nie można się aż tak maskować. Nie, to jakaś paranoja!

– Najgorsze jest to, że oni skupili się prawdopodobnie na wyłapaniu całej szajki, do której pewnie zaliczyli Małgosię, a nie na szukaniu jej samej. – Westchnęłam. – Tymczasem jej życie może być zagrożone. Jeśli Gosia siedzi w jakimś zamknięciu, to właśnie mija jej kolejny dzień bez jedzenia i picia...

Popatrzyliśmy po sobie tknięci tą samą myślą, której do tej pory do siebie nie dopuszczaliśmy. Trudno wytrzymać tyle czasu bez picia. Zwłaszcza bez picia.

Małgosia prawdopodobnie już nie żyła.

– Zaczynam się modlić o to, żeby się jednak okazało, że została porwana – szepnęła Marta. – Przynajmniej jakoś by ją karmili...

Resztę dnia spędziliśmy na obmyślaniu planu działań, ale zaczynało nam już brakować pomysłów. Marta
zaproponowała skorzystanie z usług jasnowidza, na
co nawet ani Tadeusz, ani Roger nie zaprotestowali.
Ja byłam skłonna przystać na najbardziej nawet absur-
dalny pomysł, który dawał najmniejszą choćby szansę
na odnalezienie Małgosi.

Po południu zadzwonił Arthur, przyjaciel Rogera
z pubu. Okazało się, że znalazł jakieś nowe szczegóły
dotyczące zaginięcia dziewczyny sprzed lat, ale nie
mieliśmy nastroju do rozwiązywania zagadek z przeszłości. Obiecaliśmy, że jak tylko odnajdziemy Małgosię, zajmiemy się tamtą sprawą w ramach relaksu.
O ile oczywiście starczy nam czasu, bo do powrotu
do Polski pozostał jeszcze tylko tydzień.

– Jasnowidz? – Władysław był zaskoczony. – Przecież ja mógłbym...

Przyjechał do nas z pasierbem po wcześniejszym
telefonicznym upewnieniu się, że na pewno nie będzie
przeszkadzał. Jacek przypadł do dłoni Marty i całując
ją żarliwie, kajał się łamiącym się głosem:

– Przepraszam, najmocniej przepraszam! To przeze
mnie miała pani problemy z tymi niby-porywaczami!
Gdybym nie umieścił na plakatach pani numeru telefonu... Nigdy sobie tego nie daruję, nigdy!

Marta z trudem wyrwała rękę z uścisku młodego
człowieka.

– Panie Jacku, proszę się nie obwiniać, stało się i już. Chciał pan jak najlepiej, to nie było ze złej woli. Poza tym już mnie pan przepraszał telefonicznie i wyjaśniliśmy sobie wszystko, prawda?

– Ale chciałem jeszcze raz, osobiście. Bardzo mnie to męczy.

– Mój drogi – przerwał mu Władysław. – Jesteś jeszcze młody... no, stosunkowo młody – poprawił się, spoglądając na łysiejącego mężczyznę z brzuszkiem – i działasz, jak na młodość przystało, spontanicznie. To się zdarza.

Pasierb spojrzał na niego zdumiony.

– Ależ to tatuś sam...

– Nieważne, mój drogi, nieważne. Ważne, że potrafisz się przyznać do błędu. Jestem z ciebie dumny.

Jasnowidz, jak się okazało, mieszkał w okolicy i na rozpaczliwe błagania Marty zgodził się nas przyjąć jeszcze tego samego dnia. Postanowiliśmy pojechać tam w trójkę, czyli Marta, ja i Władysław. Roger musiał odwiedzić rodziców, a Tadeusz, mimo braku zastrzeżeń co do celowości tego przedsięwzięcia, nie mógł się jednak przemóc do samej wizyty.

– Zepsuję tylko nastrój swoim sceptycyzmem – powiedział, kiedy go o to spytałam. – Znasz mnie przecież. Słyszałem, że tacy ludzie jak ja mogą zaburzyć tok myślenia jasnowidzom, więc nie zaryzykuję. Nie bardzo w to wierzę, ale musimy wykorzystać wszystkie możliwości. Opowiesz mi wszystko po powrocie. – Objął mnie mocno i pocałował w czubek głowy.

Władysław natomiast nigdy w życiu nie przepuściłby takiej okazji. Zatarł z zadowoleniem ręce.

– Zobaczę, jak pracują koledzy jasnowidze za granicą.

– Przecież nie znasz angielskiego – usiłowałam ostudzić jego zapał, bo nie byłam do końca pewna, czy chcę jego obecności podczas tej wizyty. – A nikt nie będzie miał czasu, żeby ci tłumaczyć na bieżąco.

– To nic. – Machnął ręką. – Opowiecie mi później. Ja tylko zobaczę, jakie on stosuje techniki. Może i sam mu coś podpowiem. Przy waszej pomocy, naturalnie.

Tego się właśnie obawiałam.

Dom w małym ogródku pełnym kolorowych kwiatów wyglądał zwyczajnie i niczym się nie wyróżniał od otaczających go domków. Przez chwilę zastanowiłam się nawet, czy jasnowidz mieszka tu z żoną, czy sam zajmuje się wszystkim.

Drzwi otworzyła nam starsza, sympatycznie wyglądająca kobieta.

– Witam państwa – powiedziała, wyciągając do nas dłoń w powitaniu. – Mąż czeka już na was w swoim gabinecie.

Może to głupie, ale wchodząc do pokoju, spodziewałam się czegoś ewidentnie pretensjonalnego i taniego, czegoś w stylu nowohuckiego mieszkania Władysława, kadzidełek, hinduskich obrazków na ścianach, zasłoniętych okien i tym podobnych sztuczek, tymczasem gabinet jasnowidza wyglądał jak biuro jakiegoś pośrednika nieruchomości. Kilka funkcjonalnych mebli, żadnych bibelotów, zero egzotyki.

Sam gospodarz też wyglądał mało efektownie: nalany, piegowaty rudzielec po czterdziestce, odziany w sprany dres, słowem – facet niewyróżniający się niczym szczególnym. Niczym prócz ostrego zapachu jakiejś kwiatowej wody kolońskiej, którym wionął na dobrą irlandzką milę.

– Dzień dobry. Państwo umówieni?

– Tak.

– W sprawie...

– Zaginięcia Polki.

– Ach tak.

Kciukiem i palcem serdecznym dotknął skroni, przymknął oczy.

– Przypominam sobie. Proszę usiąść.

Usiedliśmy przy dużym dębowym stole. Naprzeciw nas usadowił się gospodarz z miną świadczącą o wielkim wysiłku psychicznym. Nie podobał mi się. Przez moment miałam nawet zamiar wstać z krzesła i jak najszybciej stamtąd wyjść. Po co marnować czas? Małgosia gdzieś teraz cierpi, a my urządzamy seanse z nawiedzonym brzydalem, który odstawia teatrzyk rodem z ezoterycznych czasopism.

– Mają państwo jakieś przedmioty związane z zaginioną? – zapytał rudzielec, nareszcie przerywając ogromniejącą bezlitośnie ciszę.

Podałam mu zdjęcie, które zrobiliśmy Gośce tydzień temu. Stała uśmiechnięta na tle domu, urocza i beztroska, nieświadoma, co stanie się za kilka dni. Patrząc na nią, poczułam ukłucie w klatce piersiowej.

– To miała na sobie tuż przed zaginięciem – dodała Marta, podając mu miękki sweter z cienkiej szafirowej wełny.

Jasnowidz spojrzał na fotografię, po czym przytknął ją sobie do czoła. Trwał tak z zamkniętymi oczami, póki Władysław nie chrząknął znacząco i nie szepnął mi teatralnie do ucha:

– Cóż za niechlujna technika. Powinien nas stąd wyprosić. To jakiś tani początkujący szarlatan.

Jasnowidz otworzył oczy, spojrzał na nas znacząco. Boże, jaki on był brzydki!

– Nie przeszkadzamy? – zapytałam, lekko zmrożona tym wzrokiem, choć Irlandczyk nie miał prawa zrozumieć krytyki polskiego kolegi po fachu.

– Nie – odpowiedział cicho. – To nawet lepiej, kiedy moja świadomość zajęta jest czym innym. Rozmową albo czymkolwiek, co dzieje się na zewnątrz.

Wtulił twarz w sweter.

– Najważniejsze jest czoło – rzekł głosem stłumionym przez wełnę. – Tam czuję mrowienie i pulsowanie. Nie potrafię tego naukowo wyjaśnić. Mam tak od dziecka.

– To coś w rodzaju trzeciego oka! – wykrzyknął po polsku Władysław, kiedy na jego zdecydowane żądanie przetłumaczyłam słowa jasnowidza. – Też tak mam. Pulsowanie, a czasami wręcz ugniatanie. Zapytaj, czy wiąże się to u niego ze zmianą pogody.

Obiecałam, że zapytam przy okazji, ale akurat w tej chwili nie miałam ochoty na wgłębianie się w tak pasjonujące dla Władysława szczegóły techniczne. Zamiast tego wolałam się dowiedzieć, ile osób zdołał jasnowidz w ten sposób odnaleźć.

– Setki – odpowiedział po dłuższej chwili, następnie ciężko podniósł się z fotela, podciągnął dresowe spodnie, które przykleiły mu się do pośladków, i wyszedł, a po minucie wrócił ze sporą teczką pod pachą.

– To są wycinki z miejscowych gazet oraz listy z podziękowaniami od rodzin zaginionych – rzekł niedbale.

– Współpracuję też z naszą Gardą, ale, co zrozumiałe, policjanci niechętnie przyznają się do tego typu pomocników – dorzucił, wzruszając lekko ramionami.

W oczach Władysława dostrzegłam mieszaninę podziwu i zawiści. Mój biedny przyjaciel nie mógł się pochwalić nawet jednym prasowym wycinkiem, jeśli nie liczyć „Głosu Nowej Huty" i zamieszczonej tam kilkuzdaniowej relacji z wykładu o terapii hydropsychicznej, gdzie zresztą nawet nie wymieniono jego nazwiska. Notatkę zatytułowano tylko „Wodozdrowie w każdej głowie" i umieszczono obok żartów rysunkowych. Władysław chciał nawet wytoczyć gazecie proces, ale wspólnie ze znajomymi odwiodłam go od tego pomysłu.

– Mam też list od znanego piłkarza. To była swego czasu głośna sprawa.

Jasnowidz wymienił nazwisko, które kompletnie nic mi nie powiedziało, ale trzeba przyznać, że teczka była naprawdę pokaźna. Może nie setki spraw, jak mówił, ale kilkadziesiąt co najmniej. Nie miałam nastroju na przeglądanie tego.

– Imponujące – powiedziałam tylko, wbrew intencji wywołując leciutki uśmiech samozadowolenia na twarzy gospodarza. – Może jednak wróćmy do naszej sprawy.

Jasnowidz znów przytknął sweter do czoła. Przesuwał go w górę i w dół. Potem nagle wstał i zaczął krążyć po gabinecie. Nie wiedzieliśmy, co robić, więc tylko dyskretnie śledziliśmy jego wędrówkę.

– Ona żyje – powiedział wreszcie.

Mimo że uważałam całe to spotkanie za zwykły cyrk, doznałam w jednej chwili irracjonalnej ulgi. Ona żyje. Wreszcie ktoś powiedział to tak pewnym, autorytarnym wręcz tonem, nieważne kto, ważne, że na to właśnie czekaliśmy. I dzięki temu odzyskaliśmy nadzieję.

Ona żyje.

– Gdzie jest Gosia? – zapytała podekscytowana Marta.

Irlandzki jasnowidz usiadł, oparł łokcie na stole, złożył rudą głowę w piegowatych dłoniach.

– To miejsce mroczne i wilgotne.

– Piwnica? – krzyknęła Marta.

– Ciii! Daj mu się skupić – szepnęłam, delikatnie kładąc dłoń na nerwowo poruszających się palcach przyjaciółki.

– Opuszczone – powiedział jasnowidz.

Przez chwilę słyszeliśmy tylko dobiegający z sąsiedniego pokoju głos z telewizora. Strasznie niewygodne było krzesło, w dodatku zaczęło mi burczeć w brzuchu, chciałam jak najszybciej zacząć działać, a nie siedzieć tu bezczynnie w oczekiwaniu, aż napłyną wizje.

Trzeba było jednak jeszcze trochę poczekać.

– W każdej z tych wizji jestem nie na zewnątrz, ale wewnątrz. – Gospodarz dalej miał głowę schowaną w dłoniach. – Czasami zdarza się, że widzę lustrzane odbicia rzeczywistości. Dlatego też widziane przeze mnie miejsca mogą się trochę różnić, ale nigdy odczucia tych osób. Wciągam w siebie energię żyjących i umarłych. Wcielam się w tych ludzi. Czuję dosłownie ich strach i ból.

– Gdzie jest moja Małgośka? – przerwała mu cicho Marta.

– Każdy ma swój specyficzny zapach. – Jasnowidz zdawał się nie słyszeć tego, co dzieje się tuż obok. Znów zanurzył twarz w miękki sweter. – Każdy człowiek pozostawia po sobie niewyczuwalny na pozór ślad. Ten właśnie zapach zaprowadzi mnie na miejsce. Muszę stać się na jakiś czas tym, do kogo należał dany przedmiot. Odczuć jego cierpienie, jego przerażenie.

Zabrzmiało to trochę tak, jakby recytował dobrze znany tekst. Następnie zamarł w pozycji, która nie zwiastowała dobrych wieści. Sfałdowane czoło wystawało sponad podtrzymujących głowę dłoni, potężny nos wypuszczał powietrze w ciężkich westchnieniach. Myśliciel Rodina mógłby się wydawać przy nim lekkomyślnym wesołkiem.

Wstrzymałam oddech, tak jak i Marta z Władysławem, który wprawdzie nie rozumiał słów, ale doskonale odbierał nastrój jasnowidza. Trwało niesamowicie długo, zanim gospodarz znowu się odezwał:

– To podziemia. Opuszczone. Chyba jakieś stare magazyny.

Przełknęłam ślinę. Marta nabrała już powietrza w płuca, ale w porę powstrzymałam jej pytanie odpowiednim, wyćwiczonym już spojrzeniem.

– W okolicy jest wysoka wieża.

Dwa wydechy.

– Jakaś wysoka budowla, nie widzę wyraźnie. Góruje nad okolicą.

– Obok cmentarza jest wieża ciśnień – szepnęła podekscytowana Marta.

Jasnowidz zdawał się nie zwracać na nas uwagi. Odłożył sweter i znowu wziął zdjęcie Gosi do ręki. Półkolistym ruchem podniósł je na wysokość czoła i zamknął oczy. Na jego twarzy malowało się najwyższe skupienie. Opuścił zdjęcie i znów przesunął je w górę. Wykonał kilkanaście takich ruchów, w końcu ręka ze zdjęciem zatrzymała się na wysokości czoła i pozostała w tej pozycji przez dłuższą chwilę.

Obserwowaliśmy z fascynacją ten niezwykły pokaz. Wbrew samej sobie zaczęłam wierzyć temu człowiekowi. Zimny dreszcz przebiegł mi wzdłuż kręgosłupa.

– Musicie się pospieszyć – odezwał się jasnowidz. – Odbieram coraz słabsze sygnały.

– Co to znaczy?! – krzyknęła Marta, przyciskając złożone dłonie do serca. – Co to znaczy, że odbiera pan słabsze sygnały?

– Ona umiera. – Zmęczonym ruchem odłożył zdjęcie na stolik. – Zostało już niewiele czasu. Jutro z samego rana wybiorę się tam z wami.

– Jutro z rana?! – Marta spojrzała na niego z niedowierzaniem. – Mowy nie ma, musimy tam jechać natychmiast! Sam pan powiedział, że moje dziecko umiera!

12

Jasnowidz niezbyt chętnie, ale w końcu zgodził się z nami pojechać, mimo że było już późne popołudnie. Usiadł z ponurą miną na tylnym siedzeniu i nieudolnie starał się udawać, że zupełnie nie zwraca uwagi na siedzącego obok Władysława. Tymczasem starszy pan z poważną miną przykładał sobie do twarzy niebieski sweterek Małgosi, wdychał jego zapach, pocierał twarz albo kładł go sobie na głowie, robiąc przy tym skupione miny.

– On ma rację – oświadczył w końcu pewnym głosem. – Ja sam też odbieram bardzo słabe sygnały. A nawet mam wrażenie, jakbym ich w ogóle nie odbierał.

– Zmieniła go przed samym wyjściem. Pewnie na dużo cieplejszy – szepnęła Marta, wtulając twarz w puszystą wełnę. – Jeśli jest teraz w jakimś podziemiu, to może tak bardzo nie marznie...? – Spojrzała na nas z nadzieją.

Zapadła cisza. W trakcie dalszej jazdy panowała wyjątkowo napięta atmosfera, prawie w ogóle ze sobą nie rozmawialiśmy, jeśli nie liczyć krótkich uwag dotyczących trasy. Tadeusz nie włączył nawet radia, słychać było tylko szum silnika i syk opon na mokrym asfalcie. Wszyscy zdawaliśmy sobie sprawę, co możemy zastać już tam, na miejscu. Trudno o większą nadzieję, kiedy się jedzie w tak opuszczone i przygnębiające rejony – stare budynki w sąsiedztwie zaniedbanego cmentarza. Wprawdzie jasnowidz utrzymywał, że Małgosia wciąż żyje, ale szczerze mówiąc, robił to jakoś bez większego przekonania, unikając mojego spojrzenia. Wyglądał na bardziej roztrzęsionego niż my. Był blady jak płótno i wciąż nerwowo pocierał wydatny, pokryty wągrami nos, a kiedy w pewnym momencie przypadkowo spotkaliśmy się wzrokiem, w jego bladobłękitnych oczach dostrzegłam zwykły strach. Próbował się uśmiechnąć, ale żałosny grymas, jaki mi zaprezentował, sprawił, że poczułam się jeszcze gorzej. No to pięknie, pomyślałam zrezygnowana, odwróciwszy spojrzenie w stronę okna. Monotonny irlandzki krajobraz jakby specjalnie dostosował się do mojego stanu ducha. Mijaliśmy puste pastwiska, rzadko widzieliśmy jakąś wychudzoną krowę pasącą się w pobliżu małego kamiennego domku albo cmentarz rozrzucony bezładnie na niewielkim wzniesieniu. Tu i ówdzie z ziemi wyrastały ruiny starych budowli. Byłam tak spięta, że miałam kłopoty z oddychaniem i zaczęły mi drętwieć ręce. Próbowałam kontrolować oddech, ale poczucie, że mi się to wcale a wcale nie udaje, wprowadzało mnie w jeszcze większe zdenerwowanie.

Wreszcie skręciliśmy w boczną, obramowaną drzewami drogę. Prowadziła w dół, zaczęło nami porządnie trząść, więc wszyscy oprócz Tadeusza musieliśmy się chwycić oparć foteli. W końcu pozostało za nami puste pastwisko i kamienny mostek nad małą rzeczką, a po kolejnym zakręcie po lewej stronie wyrósł nagle biegnący wzdłuż drogi niski szary mur.

– To chyba ten cmentarz – powiedział Tadeusz.

– Tak, a tam są zabudowania – odparłam, wskazując ukryte za kępą rachitycznych drzew resztki murów po prawej stronie drogi.

– Jest i nasza wieża ciśnień – wtrąciła Marta na widok widocznej ponad drzewami metalowej kopuły.

– Czuję intensywną energię – rzekł nagle jasnowidz, przymknąwszy oczy. – To na pewno tutaj.

Tadeusz zatrzymał samochód w odległości kilkudziesięciu metrów od zabudowań.

– Nie podjadę w tym błocie, nie ma nawet mowy. – Zgasił silnik i wyjął kluczyki ze stacyjki.

Zrujnowane budynki jakichś starych magazynów z daleka wyglądały naprawdę nieprzyjaźnie i groźnie, jak ruiny przeklętego zamku. Przypominało to koszmarny sen albo czarno-białą telewizyjną rekonstrukcję zbrodni. Wyszliśmy z samochodu, starając się nie patrzeć sobie w twarze. W panującej wokół śmiertelnej ciszy trzaśnięcia drzwiczek zabrzmiały jak potrójny wystrzał. Jasnowidz wbił ręce w kieszenie czarnego płaszcza i skulił głowę w ramiona. Tadeusz zmarnował trzy zapałki, zanim zapalił papierosa. Tym razem nie miałam zamiaru robić mu wymówek – i tak dzielnie się trzymał podczas jazdy. Widziałam, że nie może się już doczekać, kiedy tylko wyjdzie na zewnątrz i będzie mógł się zaciągnąć. Niebo wisiało nad nami posępne, wydawało się płaskie i miało kolor ołowiu, cała okolica tonęła w szarym, przybrudzonym świetle zapadającego powoli zmierzchu, a powietrze przesycone było wilgocią.

Omijając co większe kałuże, a mimo to grzęznąc w lepkim błocie po kostki, ruszyliśmy w stronę budynków. Po obu stronach mieliśmy jakieś chaszcze, ale jasnowidz nie odwrócił nawet głowy, więc nie próbowaliśmy ich przeczesywać. Im bardziej się zbliżaliśmy, tym większe napięcie dało się odczuć. Patrzyłam uważnie pod nogi w poszukiwaniu jakichś śladów, ale nie dostrzegłam żadnych – ani odcisków samochodowych opon, ani butów. To na pewno nie tutaj, przemknęło mi przez myśl. Poczułam lekką ulgę, bo nie spodziewałam się zastać Gosi żywej w takim miejscu.

– Dalej coś pan czuje? – zapytałam niepewnym głosem idącego obok mnie jasnowidza.

Pokręcił głową.

– Trudno tutaj nawiązać kontakt. W pobliżu cmentarza głosy zmarłych zagłuszają przekaz.

– Nic a nic?

– Odbieram tylko słaby głos.

– Skąd dobiega?

Chwilę potrwało, zanim odpowiedział.

– Jakby spod ziemi.

– Spod ziemi? – zapytał Tadeusz. – To znaczy z grobu?

– Nie, ta osoba żyje.

– Tak. Co dalej?

– I nie leży w grobie. – Nagle obrócił się w stronę Tadeusza. – Czy mógłby mnie pan poczęstować papierosem?

– Oczywiście.

– Nie palę od trzech lat, ale nie potrafię się dzisiaj uspokoić.

Nawet zyskał w moich oczach, bo widać było, jak emocjonalnie do tego podchodzi. Nie okazał się zimnym oszustem, lecz kimś, komu naprawdę zależy na odnalezieniu Małgosi. Trzęsącą się dłonią przyjął papierosa, Tadeusz podał mu ogień. Jasnowidz skrzywił się po pierwszym zaciągnięciu, ale po chwili najwyraźniej doszedł do siebie.

– Dobrze, idziemy – powiedział, wyrzuciwszy do połowy wypalonego papierosa.

Zabudowania wyglądały na od dawien dawna opuszczone. Małe okienka były albo zamazane wapnem, albo wybite. Obok uchylonych drzwi stała oparta o ścianę ubłocona łopata. Na ten widok poczułam, że miękną mi kolana. Kiedy weszliśmy do środka, niemal wyrywając drzwi z zawiasów, bo ugrzęzły w błocie i śmieciach, panował głęboki mrok; odnaleźliśmy jedynie niekształtne sterty szmat i jakieś stare żelastwa. Ani śladu wejścia do podziemi. Wołaliśmy Małgosię, krzycząc, jak potrafiliśmy najgłośniej, ale nasze głosy rozpuściły się w ogólnej ciszy.

W kolejnych pomieszczeniach też nic nie zdziałaliśmy. O mało nie przewróciłam się na tarasującym drogę starym kuchennym zlewie. Na zewnątrz zaczęło się coraz bardziej ściemniać, więc w środku panowały prawie kompletne ciemności. Nie byliśmy przygotowani do tej wyprawy, nie zabraliśmy z domu latarek. Pomagaliśmy sobie tymi w telefonach, lecz w takim świetle niewiele dało się dostrzec. Wszelkie kształty natychmiast kojarzyły mi się z ludzkim ciałem.

– Straciłem połączenie – westchnął jasnowidz, w zakłopotaniu szarpiąc się za ucho. – Tutaj nikogo nie ma.

Zrobiliśmy jeszcze szybki obchód reszty budynków z zewnątrz. Trzeba było się przedzierać poprzez gęste kolczaste krzaki i pokonać kilka głębokich kałuż. Tylne ściany okazały się bezokienne. Przez dziury w murach widać było puste, ślepe powierzchnie z nagromadzonymi zapewne od lat śmieciami. Jedyną interesującą rzeczą, jaką odnaleźliśmy, była dwulitrowa plastikowa butelka po wodzie mineralnej. Jak szybko ustaliliśmy, Gosia nigdy takiej nie kupowała. Znowu kamień spadł mi z serca, bo gorąco pragnęłam, abyśmy mimo wszystko córki przyjaciółki tu nie znaleźli. Oglądając filmy i programy kryminalne, nabrałam przekonania, że w takich miejscach odnajduje się zazwyczaj tylko zwłoki.

Tymczasem zrobiło się całkowicie ciemno i musieliśmy przerwać poszukiwania. Tadeusz i Władysław zdążyli jeszcze przejść się zewnętrznymi alejkami po pobliskim cmentarzu. Kiedy wreszcie usiedliśmy wszyscy w samochodzie, nie wiem, czy bardziej byliśmy rozczarowani, czy bardziej odetchnęliśmy z ulgą.

– Nie ma jej tu – rzekł Tadeusz.

– Wracamy? – spytałam cicho.

Tadeusz nie odpowiedział, tylko przekręcił kluczyk w stacyjce.

Jasnowidz wyglądał na całkowicie pokonanego. Spuścił głowę i oparł ją na splecionych dłoniach. Oddychał ciężko, chrapliwie.

– Wrócimy tu rano sami i jeszcze raz wszystko obejdziemy – postanowiłam, kiedy Tadeusz zawrócił i zaczął kierować się do głównej drogi.

Wszyscy pokiwali w milczeniu głowami.

Światła reflektorów omiotły teren, wyławiając jakiś szczegół na jednej ze stojących jeszcze ścian starego budynku.

– Zaczekaj! – krzyknęłam, łapiąc Tadeusza za rękę.

Wybiegłam z samochodu, a pozostali pasażerowie za mną. Na ścianie widniał wymalowany ciemnym sprayem celtycki krzyż. Jedno z jego ramion było zamazane, jakby ktoś zatarł je rękawem albo specjalnie dawał do zrozumienia, że ta część celtyckiego wianka jest uszkodzona.

– Pamiętacie mój sen? – Głos załamał mi się z przejęcia. – Ten o krzyżu z uszkodzonym ramieniem? Myślę, że to jest znak. Ona gdzieś tu jest…

Rzuciliśmy się wszyscy do ściany, opukując ją i macając cegły na ślepo. Tadeusz ustawił samochód tak, żeby światło reflektorów dokładnie oświetliło tę część murów. Niestety, nic nie wskazywało na to, żeby znajdowało się tam miejsce zdolne pomieścić dorosłą osobę. Ziemia pod murem również wyglądała na nienaruszoną. Zawiedzeni musieliśmy wrócić do domu, odwożąc po drodze jasnowidza. Ciemność stała się nieprzenikniona, księżyc krył się bez przerwy za pędzącymi po niebie chmurami, zrobiło się zimno.

Boże, pomyślałam, a jak Małgosi musi być zimno, jeśli przetrzymywana jest w jakiejś piwnicy? Ale przez kogo i dlaczego? I czy…

Nie, tego pytania nie chciałam sobie zadawać. Małgosia musi żyć. To młoda i silna dziewczyna. Musi żyć!

Przed domem czekał już na nas Roger w zaparkowanym na podwórku samochodzie.

– Jakieś opuszczone magazyny? – Zmarszczył czoło, w skupieniu słuchając naszej chaotycznej opowieści. – Nie przypominam sobie... A, tak, mam! Rzeczywiście, obok cmentarza. I co, są tam jakieś podziemia?

– Raczej nie, ale zrobiło się już ciemno, a my nie wzięliśmy ze sobą latarek – odparłam. – Mam jednak wrażenie, że tam nie ma Gosi. Sam jasnowidz, który wcześniej mówił, że czuje energię, w tym miejscu jakby nagle stracił kontakt.

– Wierzycie mu? – Roger spojrzał na nas sceptycznie.

– Mam wrażenie, że on jest wiarygodny. Nie wiem dlaczego, ale tak czuję. – Wzruszyłam ramionami. – Na wszelki wypadek jeszcze raz sprawdzimy rano, ale wydaje mi się, że tam jej nie ma.

Ustaliliśmy, że wybierzemy się do starych magazynów zaraz po śniadaniu. Roger nie mógł jednak usiedzieć w miejscu i postanowił pójść tam jeszcze tej samej nocy, dla pewności. Zwłaszcza gdy usłyszał o wymalowanym na ścianie budynku celtyckim krzyżu. Tadeusz zaproponował mu swoje towarzystwo.

– Ja też nie bardzo wierzę, żeby Małgosia tam była – powiedział – ale będzie nam raźniej we dwójkę. Poza tym, jeśli tam rzeczywiście są jakieś podziemia, tak będzie bezpieczniej. A wy – zwrócił się zwłaszcza do mnie, widząc, że zrywam się na nogi – zostańcie w domu. Nie ma potrzeby, żebyśmy tam znowu wszyscy szli. Zrobimy to rano, wypocznijcie, bo czeka nas pewnie ciężki dzień.

Władysław, któremu żona pozwoliła zostać na noc u Marty, nawet nie protestował. Widać było, że starszy pan jest zmęczony i marzy tylko o odpoczynku.

Nie mogłam usnąć, dopóki Tadeusz nie wrócił. Zmarznięty wtulił się we mnie, a ja starałam się ogrzać jego lodowate stopy swoimi.

– Tam chyba nie ma żadnych podziemi – stwierdził zmęczonym głosem. – Przeszukaliśmy niemal każdy centymetr tych magazynów i nic. Wołaliśmy aż do zachrypnięcia, ale... No, nic. Pójdziemy tam znów rano.

– Zawiadomimy policję, tak jak nam nakazali? – spytałam.

– I co im powiemy, że jasnowidz wskazał nam miejsce? – mruknął Tadeusz sennie. – Sam bym w to nie uwierzył.

– Ale przecież mówił, że współpracuje z miejscową Gardą.

– Tak, może traktują to poważnie, ale tylko wtedy, gdy sami go o tę pomoc poproszą. A oni mieli już próbkę naszych samodzielnych działań i tylko zabiją nas śmiechem. Zwłaszcza ten twój przystojniak – nie darował sobie złośliwości.

– Nie przesadzaj, w końcu złapaliśmy za nich tych opryszków. Ale fakt, nie polubili nas zbytnio za to.

Nad pastwiskami unosiła się jeszcze poranna mgła, ale znikała szybko w promieniach słońca. Było chłodno i rześko. Gdyby nie okoliczności, można by uznać tę wyprawę za przyjemny, relaksujący spacer. Do ogrodzenia podbiegła klacz ze źrebakiem i wyciągając długą szyję, trącała nas swoimi aksamitnymi chrapami w poszukiwaniu przysmaków. Źrebak wsuwał łeb pod barierkę.

– Nic nie wzięliśmy, przepraszam. – Marta pogłaskała go pieszczotliwie. – Pewnie myślałeś, że to Małgosia, ona nigdy o was nie zapominała...

Klacz parsknęła, potrząsając łbem, w końcu zawiedziona odeszła od barierki. Źrebak stał jeszcze chwilę, ale wkrótce i on zrezygnował, wracając do przerwanego zajęcia, czyli do skubania soczystej trawy.

Cmentarz był niedaleko, tuż za niewielką kępą drzew i żółto kwitnących kolcolistów, więc szybko znaleźliśmy się na miejscu. Spod plątaniny gęstych krzaków i trawy po drugiej stronie wyłoniły się pozostałości magazynów. Nieco dalej stała wieża ciśnień.

Roger dłonią przysłonił oczy przed świecącym już ostro słońcem i spojrzał przed siebie.

– Niby góruje nad okolicą, tak jak w jego wizji. To dlaczego nie znaleźliśmy żadnych śladów Gohy wczoraj?

– Ale mówił też, że jego wizje nie są zbyt jasne, jeśli chodzi o miejsca. – Marta spojrzała na mnie, jakby oczekując potwierdzenia. – Odbiera tylko silnie uczucia poszukiwanych przez siebie ludzi.

– Małgosia...! Gosia...! Goha...! – zaczęliśmy znów nawoływać, przedzierając się przez skłębione zarośla, rozrywając ubrania o ostre kolce.

Nigdzie nie zauważyliśmy żadnego wejścia do piwnic, żadnej szczeliny w zbitej twardo ziemi. Mocnymi

kijami rozgarnialiśmy roślinność, stukaliśmy w podłoże w poszukiwaniu najmniejszej choćby szpary czy
pęknięcia. Na nic.

Nagle do naszych uszu dobiegł z początku cichy,
potem coraz głośniejszy żałosny głos. Jakby płacz
dziecka, upiorne wycie.

– Banshee...! – szepnął Władysław zbielałymi
ze strachu ustami.

Zmartwieliśmy wszyscy z przerażenia. Głos odezwał się znowu... i spod naszych nóg wyskoczył
czarny kot. Z nastroszonym jak szczotka do butelek
ogonem pobiegł w panice w kierunku cmentarza. Zauważyłam tylko czarne futerko i błysk wiszącego przy
obróżce identyfikatora.

– To Borys! – Z nerwów aż usiadłam na stercie kamieni.

– Skąd wiesz, że to on? – zdziwiła się Marta. – Mało
to czarnych kotów w pobliżu?

– Ale chyba nie wszystkie mają czerwoną obróżkę
i błyszczący identyfikator?

– W takim razie to nie Borys, bo on nie ma identyfikatora. Miał kiedyś, nawet niejeden, ale zahaczał
nimi o kolczaste krzaki i wiecznie gubił, więc Gośka
przestała je w końcu kupować i wypaliła na skórzanej
obróżce swój numer telefonu.

– Mogłabym przysiąc, że to on, ale pewnie masz
rację. W każdym razie to żadna banshee, tylko zwykły
kot.

– Nie zwykły, nie zwykły, tylko czarny. A takie spotkanie przynosi pecha – burknął wciąż jeszcze blady
Władysław.

– Chyba kotu, bo o mały włos, a byśmy go roz-deptali. – Tadeusz machnął ręką i zakomenderował:
– Wracajmy do poszukiwań, szkoda czasu.

Słońce stało już wysoko, kiedy zmęczeni, brudni i podrapani zrezygnowaliśmy. Nie znaleźliśmy naj-mniejszego nawet śladu Małgosi. Nic też nie wskazy-wało na to, żeby były tam jakieś podziemia. Owszem, udało nam się znaleźć małą, na wpół zasypaną piw-niczkę, jednak ilość pokrywającego ją gruzu wskazy-wała, że raczej nikt tam nie wchodził od dłuższego już czasu.

Tadeusz i Roger postanowili mimo wszystko spraw-dzić ją dokładniej. Gołymi rękami odrzucali zalegają-ce dno piwniczki kamienie, z nadzieją że znajdą tam zasypaną drugą część, w której mógłby się zmieścić człowiek, szybko jednak natrafili na lity mur. Wygląda-ło na to, że jasnowidz się mylił. Małgosia, jeśli nawet znajdowała się w jakimś podziemiu, to na pewno nie tam.

Zniechęceni wróciliśmy do domu.

– Zaczynają mi się kończyć pomysły. – Tadeusz ciężko usiadł w fotelu, wpatrując się tępym wzrokiem w podłogę.

Marta włączyła telewizor, żeby czymś zapełnić po-wstałą po tych słowach ciszę. Na ekranie widać było migawki z Dublina, z obchodów trwającego właśnie Bloomsday. Tadeusz podniósł na chwilę oczy, ale znów je opuścił, nieznacznie wzruszając ramionami.

Takiego go jeszcze nie znałam, ogarnął mnie strach. Jeśli on traci nadzieję, to znaczy, że sprawa jest prze-grana.

– Przecież się chyba nie poddamy? – Spojrzałam po wszystkich. Byłam bliska płaczu. – Musimy coś robić, do cholery! Ona gdzieś tu jest, czuję to!

Przypomniałam sobie sen z ostatniej nocy. Znów widziałam celtycki krzyż z ułamanym ramieniem, a za nim Małgosię. Usiłowała mi coś powiedzieć, ale tak cicho, że nic nie zrozumiałam. I nagle zamiast Gosi pojawił się przede mną kot, jakby to on do mnie przemawiał.

– Słuchajcie! Śniła mi się dziś w nocy Małgosia, krzyż i kot. Spotkaliśmy przecież kota, to nie może być przypadek! I był tam też krzyż!

– Co z tego? – żachnął się Tadeusz. – Przeszukaliśmy okolicę dokładnie. To nie ten krzyż.

– Ale... – Marta się ożywiła. – Obok jest cmentarz, a jasnowidz mówił, że czasami jego wizje są lustrzanym odbiciem rzeczywistości. Może zamiast w tych ruinach powinniśmy poszukać na cmentarzu! A tam są krzyże. Dużo krzyży.

Przez uchylone drzwi do salonu wpadł Borys i natychmiast rzucił się do swoich miseczek stojących w części kuchennej. Jadł tak łapczywie, że słychać było metaliczne stukanie o brzeg naczynia. Podeszłam bliżej do kota i pochyliłam się nad nim nisko.

– Marta... – wykrztusiłam łamiącym się głosem, rozpoznając przedmiot, który uderzał o brzeg metalowej miseczki. – Marta, spójrz, co on ma przy obróżce...

Przez luźny skórzany pasek przewleczony był należący do Małgosi pierścionek z opalem. Zwróciłam na niego uwagę już w pierwszy dzień po naszym przyjeździe, ponieważ te kamienie zawsze mnie zachwycały.

Według wierzeń aborygenów są to odpryski tęczy, które spadły na ziemię. Opal Małgosi miał piękny mleczny kolor z takimi właśnie tęczowymi iskierkami.

Przez dłuższą chwilę nikt z nas nie był w stanie wydobyć z siebie głosu. Staliśmy nad kotem jak zamurowani. Pierwsza ocknęła się Marta.

– Jezu… czy zdajecie sobie sprawę, co to oznacza? Gośka dała nam znak przez kota! On ją cały czas odwiedza! Moje dziecko żyje!

Nagły strach ścisnął mi serce. Nie podzieliłam się swoimi obawami z uszczęśliwioną przyjaciółką, ale nagle uświadomiłam sobie, że ten pierścionek widziałam u kota już kilka dni temu. Dokładnie w dniu, w którym wróciliśmy z naszej wycieczki i wybraliśmy się z Tadeuszem na cmentarz. Dostrzegliśmy wtedy błysk światła między grobami. Widziałam ten opal przy obróżce i później, ale nie przyglądałam się nigdy uważniej, sądząc, że to rodzaj wisiorka albo identyfikatora. Zresztą było to zawsze z daleka, ponieważ kot od chwili zaginięcia Małgosi w ogóle nie pozwalał się dotykać. Teraz mogło to oznaczać tylko tyle, że jeszcze niedawno Małgosia żyła i była w stanie przewlec pierścionek przez kocią obróżkę, licząc, że go zauważymy. Jeszcze kilka dni temu… A w jakim stanie jest teraz?

Nie mieliśmy ani chwili do stracenia.

Postanowiliśmy iść śladem Borysa, by zaprowadził nas do Małgosi. Zapanowała nerwowa atmosfera. W końcu wydarzyło się coś, co pozwalało mieć nadzieję, to był jakiś przełom w sprawie. Niecierpliwie czekaliśmy więc, aż kot się naje i zechce wyjść na zewnątrz. Drzwi zostały zamknięte, żeby nie uciekł za szybko, a przez ten czas z powrotem wkładaliśmy zakurzone buty, mężczyźni przygotowywali liny i latarki.

– Wezmę ze sobą wodę. – Marta trzęsącymi się rękami wyjęła butelkę z wodą mineralną z lodówki.

Kot, zaniepokojony hałasem, coraz łapczywiej pochłaniał jedzenie i najwyraźniej szykował się do ucieczki. Świadczyły o tym nerwowo rzucane spojrzenia w kierunku wyjścia.

Nagle jakby zmienił zamiar. Przerwał jedzenie, wymył starannie pyszczek razem z wąsami. Leniwym krokiem podszedł do stojącego przy kominku fotela, wskoczył zwinnie na siedzenie i po krótkim udeptywaniu leżącego tam koca zwinął się na nim w kłębek.

Byliśmy załamani. Borys wcale nie miał zamiaru wychodzić i najwyraźniej szykował się do drzemki.

– Hej, kolego! – Tadeusz podszedł i trącił kota delikatnie palcem. – Nie ma teraz żadnego spania. Prowadź nas do swojej pani.

Kot uchylił lekko powieki. Błysnęły bursztynowe tęczówki, koniuszek ogona poruszył się ostrzegawczo. Tadeusz szybko cofnął rękę. Dobrze znał koty i wiedział, w którym momencie należy się wycofać. Przekaz był bardzo wyraźny: „Jeszcze jeden taki ruch, a oberwiesz!".

Nie wiedzieliśmy, co mamy teraz robić. Drzemka kota mogła potrwać równie dobrze do wieczora. Jak już zdążyliśmy zauważyć, Borys znikał głównie po zapadnięciu zmroku i pojawiał się dopiero rano. Wyglądało na to, że noce spędzał u Małgosi, gdziekolwiek ona teraz była. Nie mogliśmy czekać do wieczora, liczyła się każda godzina, każda minuta. Małgosia musiała być gdzieś niedaleko, koty zazwyczaj trzymają się terenu w pobliżu swojego domu. Przeszukaliśmy chyba całą okolicę, pozostały więc tylko ruiny w pobliżu cmentarza albo, co mniej prawdopodobne, sam cmentarz. Groby, gdyby nawet wpadła do jednego z nich, nie były chyba aż tak głębokie, żeby nie mogła się sama stamtąd wydostać. Zresztą zauważylibyśmy, gdyby któryś z nich był rozkopany czy chociaż naruszony. Nie, to musiało być gdzieś w ruinach, chociaż jasnowidz nie wyczuwał tam wyraźnej obecności Małgosi. Albo – przeraziła mnie sama myśl – dziewczyna już nie żyje, albo musieliśmy coś przeoczyć. Według niego znajdowała się w jakimś ciemnym, wilgotnym pomieszczeniu z usytuowanym wysoko okienkiem. To mogła być tylko piwnica, żaden grób.

Jedno było pewne: bez pomocy kota Gosi nie odnajdziemy.

Pierwszy nie wytrzymał Roger.

– Dość tego! – Podszedł do fotela i chwycił Borysa za luźną skórę na karku, nie zważając na wierzgające wściekle w powietrzu cztery łapy uzbrojone w ostre pazury. – Spać możesz sobie w nocy, a teraz prowadź nas do swojej pani!

Kot podbiegł do miseczki, żeby dokończyć jedzenie, ale Roger stanowczym gestem sprzątnął mu ją sprzed nosa. Zwierzak pokręcił się jeszcze przez chwilę w pobliżu szafek kuchennych, próbując jedną z nich otworzyć łapką, w końcu zrezygnowany postanowił opuścić ten niegościnny dom. Nie zaszczycając nas nawet spojrzeniem, przeszedł z godnością przez salon i stanął przed oszklonymi drzwiami, bijąc ogonem po bokach. Miał nas najwyraźniej dość i chciał wyjść jak najszybciej.

– Kotku – zaczęłam przymilnie – zaprowadzisz nas do Małgosi? No, kici, kici…

Borys wydał z siebie przeciągłe miauknięcie.

– On tak zawsze odpowiada na „kici, kici". – Marta uśmiechnęła się blado. – Gośka nazywa go przez to gadającym kotem. Czasami zaśmiewałam się, słuchając tej ich „rozmowy"… – Głos jej się załamał i odwróciła się w poszukiwaniu chusteczki do nosa.

– Dobrze – wtrącił się Tadeusz, bo i mnie ścisnęło coś za gardło. – Wypuśćmy go.

Wypadki potoczyły się błyskawicznie. Roger otworzył drzwi, a kot zmienił się w czarną smugę, która natychmiast zniknęła nam z oczu. Wszystko nie trwało dłużej niż kilka sekund. Po kocie nie został nawet ślad. Na nic zdały się nasze nawoływania i biegania po okolicy. Borys, jeśli nawet był gdzieś w pobliżu, robił wszystko, żeby nie ujawnić nam swojej obecności. Nie odpowiadał nawet na „kici, kici", co mogło oznaczać, że jest już daleko od domu. Nie pozostawało nam więc nic innego, jak czekać na jego powrót i wymyślić sposób, żeby go nie zgubić następnym razem.

W salonie rozdzwonił się telefon. Zerwaliśmy się nerwowo, jak zwykle ostatnio w takich przypadkach. Marta pobiegła odebrać, a my wpatrywaliśmy się w nią, usiłując wyczytać z wyrazu jej twarzy, czy wiadomości są pomyślne. Po tym, jak kilka razy bezskutecznie usiłowała przerwać rozmówcy, zorientowaliśmy się, że dzwoni Władysław.

– Ależ tak, oczywiście. – Udało jej się w końcu dojść do głosu. – Jesteście tu państwo zawsze mile widziani. Nie, naprawdę, nie ma za co. Do zobaczenia.

Odłożyła słuchawkę z zamyśloną miną.

– Władysław zachowywał się nieco histerycznie...

– Też mi nowina – mruknął niechętnie Tadeusz, wzruszając ramionami.

– Ale tym razem to chyba naprawdę coś poważnego. Mówił o jakiejś tragedii, o tym, że jego małżeństwo jest z tego powodu poważnie zagrożone i tylko my możemy je uratować.

– Litości! – jęknęłam. – Mamy teraz większe zmartwienie niż zagrożone małżeństwo Władysława. Pewnie, jak znam życie, pani Michalina zrobiła mu scenę zazdrości z powodu spojrzenia jakiejś obcej kobiety.

Jacek przywiózł matkę i jej męża pół godziny później. Przez oszklone drzwi salonu widzieliśmy, jak z samochodu wytacza się władcza sylwetka pani Michaliny, a za nią Władysław. Nasz przyjaciel wyglądał na o wiele mniejszego niż zwykle. Może sprawiły to skulone ramiona i wciśnięta między nie głowa, a może po prostu nigdy nie przyglądaliśmy się im, gdy byli razem.

– Ratujcie... – szepnął rozdzierająco, mijając nas w drzwiach.

Pani Michalina przywitała się głośno i nie czekając na zaproszenie, zajęła największy fotel.

– Przepraszam za to najście – zaczęła wcale nieskruszonym głosem – ale muszę wyjaśnić pewną sprawę. Ten zboczeniec – pogardliwie pokazała brodą skulonego na kanapie Władysława – twierdzi, że potraficie wyjaśnić jego ohydne praktyki.

Spojrzeliśmy po sobie zażenowani, nie bardzo wiedząc, co powiedzieć. Nawet nie mieliśmy ochoty tłumaczyć tego Rogerowi, który, wyczuwając napięcie, czekał cierpliwie. Niezręczne milczenie przerwał Tadeusz.

– Z całym szacunkiem – zaczął powoli – ale intymne sprawy małżeńskie...

– Jakie intymne?! – oburzyła się pani Michalina. – Mnie już na szczęście dawno takie głupoty nie w głowie. Nie o to chodzi. On... – starsza pani zawahała się, zanim wypowiedziała te straszne słowa – ...on wąchał damską bieliznę, twierdząc, że chciał w ten sposób państwu pomóc.

– Damską bieliznę? – Spojrzałam z niedowierzaniem na Władysława.

– Ależ Misiaczku...

– Milcz! Jeszcze nie skończyłam. – Pani Michalina ucięła jego protesty w pół słowa. Chwilę grzebała nerwowo w przepastnej torbie, następnie wyjęła z niej coś, trzymając to z obrzydzeniem w dwóch palcach. Podejrzaną i używaną do „niecnych" praktyk Władysława damską bielizną był... szafirowy sweterek Małgosi.

– Proszę, oto corpus delictus! I co państwo na to?

– Corpus delicti – poprawił odruchowo Władysław.

Odetchnęliśmy z ulgą.

– Pani Michalino kochana – zaczęłam ostrożnie. – Zaraz wyjaśnimy to nieporozumienie.

Opowiedziałam o naszej wizycie u jasnowidza i o sposobie, w jaki nawiązywał on mentalny kontakt z Małgosią.

– On też wąchał jej sweterek? – zapytała z obrzydzeniem.

240

– Nie, to tylko wygląda jak wąchanie. To raczej wchłanianie fluidów, to znaczy…

Pani Michalina jednak nie dała mi dokończyć.

– Wchłanianie czy wąchanie, na jedno wychodzi. – Machnęła dłonią, trochę już uspokojona. – Nigdy nie zrozumiem tych dziwnych praktyk i guseł. I pomyśleć, że mój własny mąż też się tym zajmuje. To śmieszne.

– Najdroższa! – Władysław spojrzał z nową nadzieją na małżonkę. Zdecydowanie wolał posądzenie o śmieszność niż o zboczenie. – To nie są gusła. Nawet nie zdajesz sobie sprawy z tego, ile osób w ten sposób odnaleziono. Ile ja sam takich znalazłem…

Ciekawe ile? – przemknęło mi przez głowę złośliwe pytanie, ale go nie zadałam.

– A was najmocniej przepraszam – zwrócił się teraz do nas. – Zapomniałem oddać ten sweterek podczas naszego ostatniego spotkania, więc skorzystałem z okazji, żeby spróbować nawiązać kontakt z Małgosią.

– No i…? Nawiązałeś? – wtrącił się milczący do tej pory Tadeusz.

– No… – Władysław zmieszał się lekko. – No, gdyby Misiaczek nie wkroczył do akcji, to…

Misiaczek nabrał już powietrza do obfitej piersi, gdy nagle zauważyłam ruch na podwórku. Coś czarnego pojawiło się pod ścianą stajni.

– Jest Borys! Patrzcie! – zawołałam, zrywając się z miejsca.

Tadeusz zatrzymał mnie w biegu, aż usiadłam mu na kolana.

– Spokojnie, bo znów go spłoszymy. Tylko spokojnie.

Borys polował w mizernej trawie wyrastającej spomiędzy kamieni na podwórku. Z nastawionymi uszami spoglądał w jeden punkt, żeby nagle dopaść go jednym susem. Jakaś mrówka albo inne żyjątko straciło właśnie życie.

– Kici, kici! – zawołałam przez otwarte drzwi.

– Miaaau! – odpowiedział mi, przeciągając się leniwie. Najwyraźniej już zapomniał, że próbowaliśmy go wcześniej gonić. Spojrzał jeszcze raz w trawę, obejrzał się z niepokojem, ale nie widząc żadnych gwałtownych gestów z naszej strony, ruszył majestatycznym krokiem przed siebie.

Jednak, ku naszemu zdziwieniu, wcale nie skierował się w stronę zabudowań przy cmentarzu, tylko w przeciwną, do domu właściciela posesji.

Czyżby jednak Ronald Derrick miał jakiś związek ze zniknięciem Małgosi? Może jest uwięziona w jednej z jego piwnic? – przemknęło mi przez myśl. Ten człowiek miał w sobie coś dziwnego, trudno mi go było rozgryźć i mimo wszystko nie do końca mu ufałam.

Zostawiliśmy panią Michalinę samą w domu, krótko wprowadzając ją przedtem w sedno sprawy, i ruszyliśmy za kotem. Władysław, nie czekając na pozwolenie swojej nieco zbitej z tropu małżonki, zabrał się z nami.

Za stajniami rozciągał się zarośnięty zielskiem teren, utrudniający nam śledzenie kota, który co rusz ginął w splątanych zaroślach. Minęliśmy opuszczony budynek, do którego na szczęście Borys nie próbował wchodzić, w końcu znaleźliśmy się przed okazałym domem Ronalda Derricka. Wyglądało na to, że gospodarza nie ma w domu. Zwykle, kiedy tamtędy przechodziliśmy, widzieliśmy uchylone drzwi. Teraz były zamknięte. Podobnie jak okna. To dobrze, nie miałam ochoty na spotkanie z dziwnym Irlandczykiem i tłumaczenie, co znowu robimy pod jego domem. Wprawdzie wydawał się ostatnio dość przyjaźnie do nas nastawiony, ale dzisiejszą wizytę mógłby już potraktować jako najście.

Borys zatrzymał się przed szerokimi schodami ganku. Staraliśmy się zachować bezpieczną odległość, nie biegać i nie tupać, żeby bardziej go nie spłoszyć, ale nie było to takie łatwe. Kot bez przerwy oglądał się nerwowo za siebie, istniało więc niebezpieczeństwo, że znów schowa się w jakiejś dziurze, by przeczekać nagonkę, a my stracimy przez to cenny czas. Na szczęście jakiś szczegół odwrócił w końcu jego uwagę, bo już spokojniej zaczął coś obwąchiwać pod schodami.

– Tam pewnie jest wejście do piwnicy – szepnął Władysław. – Mamy ją!

– Wejście do piwnicy pod tymi schodami? – zdziwiłam się.

Nic takiego nie zauważyliśmy podczas naszej ostatniej wizyty u właściciela domu. Szerokie schody prowadziły do zniszczonych, ale solidnie wyglądających drzwi, pod spodem nie było żadnej wolnej przestrzeni. Ale skoro piwnica miała być ukryta, to może był tam jakiś właz przyłożony darnią dla niepoznaki?

– Tak czy inaczej trzeba to sprawdzić – stwierdził Tadeusz bez większego przekonania. – Musimy tam podejść, ale nie wszyscy razem. Może ty – zwrócił się do coraz bardziej zdenerwowanej Marty. – Kot ciebie zna najlepiej, więc nie powinien się spłoszyć. My poczekamy tutaj, żeby zobaczyć, w którą stronę pobiegnie, gdyby jednak miał się przestraszyć.

Rozstawiliśmy się szerokim półkolem, a Marta ruszyła powoli w stronę Borysa. Widzieliśmy z daleka, że kot obejrzał się gwałtownie, ale po chwili uspokojony wrócił do swojego zajęcia. Poznał swoją panią i pewnie uznał, że z jej strony nie grozi mu żadne niebezpieczeństwo.

– Co on tak tam wywąchuje bez przerwy? – Roger podszedł do mnie ostrożnie, na palcach. Nie mógł wytrzymać na swoim stanowisku. – Może chodźmy tam już wszyscy? Wygląda na to, że kot zaprowadził nas już na miejsce.

Tadeusz machnął na nas ręką, żebyśmy się uciszyli, a ja kątem oka zauważyłam jakiś błysk. I znów nie musiałam się odwracać, żeby wiedzieć, skąd pochodzi. Poczułam nagłe wzruszenie. Władysław starał się nam pomagać wszelkimi siłami, na miarę swoich możliwości, i teraz badał teren wahadełkiem. Miałam tylko nadzieję, że odkrył bliskość Małgosi, a nie kolejną żyłę wodną.

Marta podeszła bliżej do kota, nachyliła się nad nim, następnie wyprostowała plecy i ruszyła w naszym kierunku. Po opuszczonych ramionach poznałam, że nie odkryła nic dla nas ważnego.

– Co on tam wąchał? – nie wytrzymał Roger, kiedy znalazła się już w zasięgu naszego głosu.

– Nic. On niczego nie wącha. On po prostu je.

– Jak to, je? Podżera jedzenie psu? – zdziwiliśmy się wszyscy.

– Nie, w miseczce pod schodami jest kocia karma.
Taka sama jak u nas.

– Ale przecież Derrick nie ma kota, tylko psa.

– No właśnie. – Marta rozłożyła ramiona. – Widocznie dokarmia okoliczne koty.

Nie mieliśmy wyjścia, musieliśmy poczekać, aż kot
się naje i ruszy w dalszą drogę. Na szczęście nie trwało
to długo, bo nie był aż tak głodny. Trochę udało mu się
jednak posilić wcześniej w domu. Gdybyśmy mu nie
przerwali, może poszedłby od razu do Małgosi.

– Chyba skończył – zauważyła Marta. – Bądźmy
w pogotowiu.

Ale Borys po jedzeniu musiał zadbać o toaletę. Powoli i bez pośpiechu zaczął wylizywać futerko, każdą
łapkę z osobna, ogon... Potrzepał łebkiem i zajął się
uszami. Każde ucho dokładnie, powoli...

Szybciej, do cholery! – ponaglaliśmy go w myślach.

Kot skończył mycie i teraz zaczął się rozciągać. Najpierw przód ciała z wygięciem kręgosłupa, potem tył.
Trwało to znowu zbyt długo jak na nasze nerwy, ale
w końcu ruszył przed siebie, omijając nas szerokim
łukiem. Najważniejsze jednak, że szedł już w dobrym
według nas kierunku, czyli do ruin przy cmentarzu.
Ruszyliśmy za nim w przyzwoitej odległości, lecz wyglądało na to, że nie był już tak płochliwy, jak na początku. Zdążył się chyba przyzwyczaić do tej dziwnej
dla niego sytuacji. Bardzo nam to ułatwiało zadanie,
ponieważ cały czas się obawialiśmy, że czmychnie
do jakiejś dziury i może się w niej zamelinować na
parę godzin. Zwłaszcza że najadł się do syta i mógł
mieć teraz ochotę na drzemkę.

Popołudniowe słońce świeciło już dość mocno i zrobiło się całkiem ciepło. Czułam, że zaczynam się pocić, nie tylko z emocji. Miałam ochotę przystanąć i zdjąć część ubrania, ale nie było na to czasu. Kot przemykał w wysokiej trawie, ginąc nam co chwilę z oczu. Nagle zniknął zupełnie.

– Gdzie on znowu jest? – zapytał półgłosem Tadeusz, rozglądając się na boki. – Widzicie go?

Nie, nikt z nas nie zauważył momentu zniknięcia zwierzaka. Stało się to zbyt nagle. Wpadliśmy w panikę, bo jeśli kot miał teraz ochotę na drzemkę w jakimś sobie tylko wiadomym kącie, oznaczało to nawet parę godzin zwłoki dla Małgosi.

– Jest! Widzę go! – usłyszeliśmy głośny szept Marty. – Tam, w stajni – dodała, dźgając palcem powietrze.

Byliśmy właśnie przy stajniach, a dokładnie przy tej pamiętnej z naszej niemiłej przygody z Władysławem. Mój przyjaciel zatrzymał się w pół kroku i pokręcił przecząco głową.

– Zostanę na zewnątrz – powiedział. – Jeśli tam jest Małgosia, to i tak nie przydam się do wyciągania jej z dołu. Ktoś będzie musiał się zająć sprowadzeniem pomocy i to będę właśnie ja. Uważajcie na te dziury pod ściółką.

Nikt nie miał czasu na rozmowy, całą uwagę skupiliśmy na kocie, który nagle zamarł w bezruchu i z wysuniętymi do przodu uszami zaczął się intensywnie wpatrywać w jakiś punkt przed swoim nosem.

– Może słyszy Gośkę? – nie wytrzymała Marta. – Tam musi być ta piwnica, o której mówił jasnowidz.

– Ciii! – położyłam palec na ustach. – Zaraz się wszystko wyjaśni. Jeśli ona tam jest, to Borys do niej zejdzie na dół. Przecież musi ją odwiedzać, skoro dała radę zawiesić mu pierścionek na obróżce.

Tymczasem kot nadal nieruchomo wpatrywał się w to samo miejsce. Szybki skok do przodu i krótki, choć nieudany pościg wyjaśnił po chwili wszystko. Jakaś mysz tym razem uratowała życie.

Borys wrócił w miejsce, gdzie jeszcze przed chwilą słyszał interesujące szmery, w końcu zniechęcony ruszył w kierunku stojącego nieopodal apatycznego konia i zaczął się ocierać o jego przednią nogę.

Ukryci za słupem zamarliśmy z przerażenia. Już miałam przed oczami, jak kot zostaje wyrzucony w powietrze mocnym, śmiertelnym kopnięciem, a my nigdy nie odnajdziemy Małgosi. Obejrzałam się za siebie i szepnęłam do Tadeusza:

– Zrób coś, błagam! Przecież ten koń zabije Borysa jednym uderzeniem kopyta. Czy ten kot zwariował?!

Tymczasem chuda klacz nachyliła się do swojej nogi i z przyjaznym parskaniem obwąchiwała zadowolonego z tej pieszczoty kota. Niewiarygodne, ale ta dwójka wyglądała na dobrych przyjaciół. To była tak wzruszająca scena, że na moment niemal zapomnieliśmy, co tak naprawdę nas tu sprowadziło.

Na szczęście Borys otarł się jeszcze o drugą nogę przyjaciółki, jakby na pożegnanie, i zaraz potem wybiegł ze stajni, przeskakując długimi susami zmieszaną z nawozem słomę. Na zewnątrz zatrzymał się w plamie słońca na trawie i rozpoczął kolejną toaletę. Starannie wylizywał pobrudzone w stajni łapki i ogon. Potem, nie wiedzieć czemu, znów zaczął czyścić uszy.

Mieliśmy dość. Wyglądało na to, że kot wcale nie ma zamiaru odwiedzać Małgosi, tylko robi swój zwyczajowy obchód. Może wcale do niej nie zachodził codziennie, jak myśleliśmy, tylko pojawił się raz, przypadkiem i wtedy zawiesiła mu ten pierścionek na obroży. Zniechęceni usiedliśmy na trawie w przyzwoitej odległości od kota.

– To nie ma sensu – powiedziałam. – Możemy chodzić za nim do wieczora i jedno, co nam z tego przyjdzie, to znajomość kocich obyczajów. Wątpię, żebyśmy z jego pomocą trafili do Małgosi.

I nagle Borys, po uprzednim dokładnym wymyciu ogonka, ruszył przed siebie drobnym truchcikiem, prosto w kierunku ruin przy cmentarzu. Zerwaliśmy się na równe nogi. Kot szedł teraz we właściwym kierunku. Taką przynajmniej mieliśmy nadzieję. Staraliśmy się nie myśleć o tym, że może to być po prostu tylko kolejny punkt jego codziennego obchodu. Nie dzieliłam się z nikim swoim przeczuciem, ale tym razem byłam niemal pewna, że to właściwy kierunek.

– Ależ on wcale nie idzie w stronę ruin, patrzcie! – Roger osłonił dłonią oczy od słońca i wskazał przed siebie. Przystanęliśmy wszyscy na złapanie oddechu. Najbardziej zasapał się Władysław, najstarszy z nas wszystkich. Zaproponowaliśmy, żeby usiadł na chwilę na kamieniu i odpoczął, a my pójdziemy dalej sami. Będzie nas cały czas widział, bo teren wokół ruin i stojącego obok cmentarza był zupełnie niezabudowany i widać było wszystko jak na dłoni.

– Nie ma mowy! – zaprotestował gwałtownie, sapiąc głośno. – Nie róbcie ze mnie starego dziadka. Teraz nie czas na certolenie się ze sobą, dam radę. Szkoda czasu, ruszajmy.

Zaimponował mi swoją postawą. Widać było wyraźnie, że jest już wyczerpany, ale się nie poddawał. Twarz, zwykle rumianą, teraz miał szarą ze zmęczenia, pokrytą kroplami potu. Z jego piersi wydobywał się coraz bardziej świszczący oddech. Spojrzałam na przyjaciela z troską, ale uśmiechnął się tylko dzielnie i pokiwał głową, że wszystko w porządku.

Kot tymczasem pobiegł na cmentarz, zwinnie przeskakując kępy wysokiej trawy wokół nagrobków. Nie zatrzymując się już nigdzie, pędził w kierunku zrujnowanej kaplicy i nagle znikł nam z oczu. Trawa na cmentarzu była tak wysoka, że mógł się w niej swobodnie ukryć. Pozostało nam tylko wypłoszenie kota hałasem, jak zwierzynę na polowaniu z nagonką. Zaczęliśmy więc tupać, nawołując przy tym głośno Małgosię.

– Nie wszyscy naraz – uciszył nas Tadeusz. – I róbmy jakieś przerwy, bo w tym hałasie nie usłyszymy jej, nawet gdyby krzyczała na cały głos.

– Widzicie tę ścianę?! – krzyknęła nagle Marta, wskazując pozostałość po kaplicy. – To jedyny wysoki obiekt na cmentarzu. A co powiedział wcześniej jasnowidz? Że widzi jakiś wysoki, górujący nad okolicą punkt.

– Masz rację – potaknęłam, zdumiona tym odkryciem. – A potem się kręcił wokół tamtej wieży ciśnień, chociaż sam mówił, że czasami jego wizje są lustrzanym odbiciem rzeczywistości.

– A cmentarz z ruinami tej kaplicy jest dokładnie po drugiej stronie. Naprawdę lustrzane odbicie… – dodał Roger.

– To musi być gdzieś tutaj! – Zaczęliśmy ze zdwojoną energią tupać i nawoływać na zmianę Małgosię i kota:

– Gosia! Kici, kici, kici!

I wtedy to usłyszeliśmy.

Cichy, płaczliwy głos wydobywający się gdzieś z wnętrza ziemi. Kierując się tym głosem, podbiegliśmy do resztek kaplicy, gdzie tuż przy murze stał zarośnięty zielskiem i pochylony mocno do przodu krzyż.

Celtycki krzyż z ułamanym prawym ramieniem.

13

S tanęliśmy nad niemal już niewidocznym grobem. Poprzez gęste splątane zielsko trudno było zauważyć jego kontury, na zwietrzałym kamieniu dostrzegliśmy niewyraźne, zatarte przez czas ślady napisu. Przechylony na bok krzyż opierał się o mur kaplicy.

– Uważaj! – Tadeusz chwycił mnie mocno za ramię, kiedy usiłowałam podejść jeszcze bliżej. – Tam jest jakaś dziura!

Zauważyłam ją w ostatniej chwili, o mało nie zsunęłam się do środka. Była zupełnie niewidoczna z zewnątrz, zakryta krzakami i wysoką trawą, ale na tyle duża, żeby mógł w nią wpaść dorosły człowiek. Wyglądało na to, że stary grób zapadł się z jednej strony, otwierając drogę do wnętrza.

– Strasznie głęboko – stwierdził Tadeusz, świecąc do środka latarką. – To nie może być grób, coś jest jeszcze pod spodem.

Roger nerwowo rozplątywał linę, szykując się do zejścia na dół. Władysław trzęsącymi się z wrażenia rękami usiłował wyjąć wahadełko z irchowego woreczka.

– Małgosia! – krzyknęła rozpaczliwie Marta, nachylając się niebezpiecznie nad dziurą. – Córeczko, odezwij się! Jesteś tam?!

Odpowiedział jej rozdzierający płacz małego dziecka. Przerażeni spojrzeliśmy po sobie, ale zaraz zorientowaliśmy się, że to żałosne miauczenie kota. W dziurze na dole siedział Borys, w świetle latarki rozjarzyła się para kocich oczu. Teraz nie byliśmy pewni, czy słyszany przez nas wcześniej głos należał do niego, czy do Małgosi. Musieliśmy to natychmiast sprawdzić.

Roger, najmłodszy z nas i najbardziej sprawny fizycznie, obwiązał się liną w pasie i zaczął powoli schodzić w dół.

– Trzymajcie mocno! – zawołał, znikając w dziurze.

Nikt z nas się nie odzywał, całą uwagę skupiliśmy na przesuwającej się w naszych dłoniach linie i nasłuchiwaniu odgłosów z wnętrza ziemi.

– I jak tam?! – nie wytrzymałam i krzyknęłam do dziury w ziemi. – Widzisz coś?!

– Jeszcze nie – stłumiony głos Rogera dobiegał jak z wnętrza studni. – Muszę zejść na sam dół i dopiero się rozejrzę.

Po chwili poczuliśmy, że lina w naszych rękach zwiotczała i przestała stawiać opór. Roger dotarł na dno dziury. Rzuciliśmy koniec sznura między pobliskie groby i ostrożnie podeszliśmy bliżej. Teraz, gdy już wiedzieliśmy o istnieniu tego otworu, widać było wyraźnie zapadnięty z jednej strony grób i utworzoną w ten sposób głęboką rozpadlinę, w której panowała podejrzana cisza.

– Roger! – zaczęliśmy nawoływać, usiłując sobie świecić do wnętrza latarkami. Udało nam się zauważyć rumowisko kamieni w dole i coś w rodzaju starego muru obok. Wyglądało to na część zasypanego tunelu lub innej podziemnej budowli.

I nagle usłyszeliśmy zduszony przez płacz głos chłopaka:

– Jest! Znalazłem ją! Dzwońcie natychmiast po ambulans i na posterunek Gardy!

Marta rzuciła się w kierunku dziury w ziemi. W ostatniej chwili chwyciłam ją za kurtkę i gdyby nie pomoc Tadeusza, nie byłabym w stanie jej utrzymać. Wilgotna po ostatnich deszczach ziemia rozmiękła i obsuwała się do wnętrza pułapki, w którą wcześniej wpadła Małgosia.

– Muszę tam zejść! – krzyczała histerycznie Marta. – Pomóżcie mi! Muszę zobaczyć moje dziecko!

Tadeusz odsunął ją na bok i trzymając mocno za ramiona, starał się uspokoić.

– Dobrze – powiedział, zmuszając ją, żeby spojrzała mu w oczy. – Ale musimy mieć do tego długą drabinę, bo lina będzie potrzebna do wyciągnięcia stamtąd Małgosi. Masz taką w domu?

– Mam, mam! – Marta potakiwała gorączkowo z nieprzytomną miną. – Nie... nie mam... – uświadomiła sobie nagle i rozpłakała się na nowo.

– W takim razie ja biegnę szukać gospodarza z drabiną, a ty dzwoń.

Z nerwów nie mogliśmy sobie przypomnieć numeru do miejscowej Gardy, więc Marta zadzwoniła pod alarmowy 112, zawiadamiając jednocześnie pogotowie i policję. Władysław, który miał ogromną ochotę wybrać się z Tadeuszem, sam w końcu zrozumiał, że tylko opóźniłby akcję, i stał pod ścianą cmentarnej kaplicy, przebierając niecierpliwie nogami.

– Wahadełko prowadziło mnie wprost do tego miejsca – oświadczył ze śmiertelną powagą. – Jeszcze chyba nigdy nie reagowało tak gwałtownie.

Podeszłam ostrożnie do rozpadliny.

– Roger! Co z Małgosią? Czemu się nie odzywa?

– Jest półprzytomna i wyziębiona, ale żyje. Staram się ją ogrzać własnym ciałem. Musicie natychmiast sprowadzić pomoc!

W głosie Rogera słychać było nutki narastającej histerii. Uspokoiliśmy go, że pomoc jest już w drodze i że to tylko kwestia minut, ale i nam zaczął się udzielać jego nastrój. Do tej pory byliśmy podekscytowani odnalezieniem Małgosi, teraz doszedł do tego strach, że nie zdążymy jej uratować. Upływały minuty i nic się nie działo.

Najszybciej zjawili się na miejscu Tadeusz z panem Derrickiem i z tak długą drabiną, że trudno im było manewrować między nagrobkami. Zawadzała o krzyże, zatrzymywała w biegu, więc przełożyli ją sobie w końcu nad głowy i tak dotarli już do nas bez przeszkód.

– Jezu, biedna dziewczyna… – sapał zmęczony Derrick. – Tyle dni tu wytrzymała… O mój Boże!

W pośpiechu spuścili drabinę na dno jamy. Pierwsza zeszła na dół Marta, nikt nawet nie próbował jej zatrzymywać. Zaraz za nią ja i Tadeusz. Władysława poprosiliśmy, żeby został z gospodarzem na górze, bo ktoś przecież musiał wskazać policjantom miejsce. Nie chcieliśmy, żeby starszy pan spadł z drabiny i zrobił sobie krzywdę. Jedno nieszczęście nam wystarczało. Zgodził się nie bez oporów, ponieważ sam też miał ochotę się przekonać, że Małgosia naprawdę żyje. Jak do tej pory nie słyszeliśmy jej głosu, bo odpowiedzią na nasze nawoływania było tylko miauczenie kota.

Na dole w świetle latarek zobaczyliśmy kupę gruzu i kamienne, łukowato sklepione ściany jakiegoś starego tunelu. Pod jedną z nich siedział Roger, trzymając mocno w objęciach wychudzoną i półprzytomną Małgosię. Marta dopadła do nich z głośnym płaczem.

– Gosiu, córeńko… – szlochała, tuląc jej głowę do piersi. – Spójrz na mnie! Już wszystko w porządku, już się skończyło. Zaraz cię stąd wyniesiemy i wrócisz do domu. Już dobrze, dziecinko, już dobrze…

Miejsce, w którym leżała Małgosia, było częścią starego tunelu, zasypaną na obu końcach rumowiskiem kamieni sięgającym aż po sklepienie. Wewnątrz powstała w ten sposób wolna na kilka metrów przestrzeń z jedynym wyjściem w postaci jasnego otworu nad naszymi głowami. Zbyt jednak wysokim, aby można się było wydostać stamtąd o własnych siłach.

A więc to jest to światło w górze, które widział jasnowidz w swojej wizji, przemknęło mi przez myśl. Nie okienko w piwnicy, jak sądziliśmy, tylko dziura w ziemi z przenikającym do środka światłem dziennym.

Wychudzona Małgosia z siedzącym na jej kolanach i prychającym na wszystkich Borysem leżała bezwładnie w ramionach matki, Roger przytulał jej dłonie do ust. Marta przemywała twarz córki wodą mineralną, którą przezornie zabrała ze sobą, i zwilżała jej popękane wargi. Bała się ją poić w obawie, żeby półprzytomna dziewczyna się nie zakrztusiła.

Podeszliśmy do nich z Tadeuszem i usiedliśmy na ziemi obok. Dotknęłam twarzy Małgosi – była zimna i wilgotna. Dziewczyna z trudem uniosła powieki i coś na kształt uśmiechu pojawiło się na jej ustach. Poruszyła trzęsącą się dłonią, podniosła kciuk do góry. Nie wytrzymałam i ryknęłam głośnym płaczem. Zimna, sucha dłoń przykryła uspokajającym gestem moją rękę. Podniosłam tę zimną dłoń do ust, ucałowałam i zaczęłam chuchać, żeby choć trochę ogrzać palce Gosi. Tadeusz odciągnął mnie na bok.

– Chodź, skarbie – powiedział łagodnie. – Ona jest już w dobrych rękach, a my rozejrzyjmy się, skoro już tu jesteśmy.

Poddałam mu się bez sprzeciwu. Nie mogłam patrzeć na tę wychudzoną dzielną dziewczynę i na uciekające z niej życie.

– Pogotowie jeszcze nie przyjechało?! – krzyknęłam niecierpliwie w górę.

– Nie – odpowiedział Władysław. – Ale czekaj… widzę z daleka jakiś samochód, może to wreszcie oni.

Razem z Tadeuszem obeszłam pułapkę, w którą wpadła Małgosia. Leżące w pobliżu jej legowiska papierki po batonikach i pusta butelka po wodzie mineralnej świadczyły o tym, że biedaczka przynajmniej przez jakiś czas miała się czym posilić. Ściana po przeciwległej stronie zalśniła w świetle naszych latarek.

Spływająca po niej drobnymi kroplami woda znikała na szczęście gdzieś u jej podstawy, nie zalewając tunelu. Miejsce, w którym znajdowała się Małgosia, było suche i położone nieco wyżej od reszty podłoża. Dziewczyna wygrzebała sobie w miękkiej ziemi coś w rodzaju płytkiej jamy wyłożonej w ochronie przed wilgocią peleryną, którą, jak powiedziała nam Marta, nosiła zawsze w plecaku. Nieprzemakalny materiał zatrzymywał też resztki ciepła wydzielanego przez jej osłabione ciało. Obok leżało narzędzie, którym pracowała przy wykopywaniu jamy. Był to kawałek zbrązowiałej od starości skorupy, pozostałość po jakimś pękniętym naczyniu.

Tadeusz wziął je do ręki, poświecił latarką i natychmiast skorupę odstawił. Narzędzie, którym posługiwała się Małgosia, było... ludzką czaszką. A właściwie tylko jej górną częścią. Dolną wraz z niekompletnym uzębieniem znaleźliśmy kilka kroków dalej, na rumowisku kamieni. Obok leżała długa kość udowa.

– To pewnie z grobu, który jest wyżej – szepnął Tadeusz, a po mnie aż przeszły ciarki z wrażenia. Wyobraziłam sobie, co musiała przeżywać ta dziewczyna, sama, w otoczeniu szczątków ze znajdującego się nad nią cmentarza.

Nagle usłyszeliśmy ruch na górze oznaczający, że wezwana pomoc w końcu nadeszła. Władysław się nie mylił, zauważony przez niego wcześniej samochód był wyczekiwanym przez nas ambulansem.

Teraz wypadki potoczyły się bardzo szybko. Sanitariusze fachowo przygotowali Małgosię do transportu na górę i szybko odjechali z nią do najbliższego szpitala. Kiedy wyszliśmy na zewnątrz po drabinie, zastaliśmy tylko samochód Gardy.

– A jednak znów działaliście państwo sami. – Znany już nam funkcjonariusz spojrzał na nas znad swojego notesu.

Zanim zdążyliśmy powiedzieć coś na naszą obronę, twarz młodego policjanta złagodniała i pojawił się na niej cień uśmiechu.

– To dobrze. Myślę, że zdążyliście na czas, co tu się najbardziej liczyło. Zapraszam jutro na posterunek do złożenia obszerniejszych wyjaśnień, a teraz nie zatrzymuję państwa, bo pewnie chcecie jechać do szpitala. My tu jeszcze zostaniemy i rozejrzymy się dookoła. Drabinę możecie zabrać – dodał. – Wzięliśmy ze sobą odpowiedni sprzęt, ale dzięki waszej drabinie zaoszczędziliśmy cenny czas.

W szpitalu wpuszczono do Małgosi tylko Martę, my czekaliśmy na korytarzu. Przyjechał z nami nawet bardzo poruszony i przejęty całą sprawą pan Derrick, nasz gospodarz.

– Tak mi teraz przykro, że nie starałem się od razu wam pomagać – powiedział skruszony. – Ale byłem na nią zły, że nasłała na mnie jakieś komisje. Konie to wszystko, co mi pozostało, i bałem się, że odbiorą mi klacz z małym. Nancy tak kochała tego konia...

– A pozostałe? – nie wytrzymałam. – Są takie zaniedbane i chude.

– To konie bratanka, nie moje. Ja je tylko karmię, bo też nie mogę na to patrzeć. Ale do roboty nie mam już sił. Niestety, reumatyzm i lata robią swoje. A tak przy okazji – dodał po chwili milczenia – kazałem mu opróżnić piwnicę. Nie chcę mieć nic wspólnego z jego podejrzanymi interesami. Wierzyłem szczeniakowi, a zawiódł moje zaufanie. Konie też każę mu stąd zabrać, mnie wystarczą te dwa na pastwisku.

Spuścił głowę i oparł ciężko ręce na kolanach. Zapadła cisza, każde z nas pogrążyło się w swoich myślach, niecierpliwie zerkając na drzwi, za którymi leżała Małgosia. Roger nie wytrzymał napięcia i zaczął chodzić nerwowo po korytarzu, Władysław zapomniał nawet o swoim wahadełku i wpatrywał się ponuro w podłogę, Tadeusz i ja siedzieliśmy na ławce w milczeniu. Nie mogliśmy jeszcze rozmawiać o Małgosi, baliśmy się, że coś zapeszymy. Podobnie chyba jak pozostali czułam, że widok tej bladej, wychudzonej dziewczyny zwisającej bezwładnie w uprzęży, na której wyciągano ją spod ziemi, będzie mnie prześladował do końca życia.

Nagle uchyliły się drzwi i stanęła w nich Marta. Otoczyliśmy ją natychmiast szczelnym kołem.

– I co z Małgosią? Jak ona się czuje? Powiedz coś w końcu!

Pokiwała głową na znak, że wszystko w porządku, i uniosła dłoń w górę, żeby nas uspokoić.

– Muszę się czegoś napić – wychrypiała z trudem ze ściśniętego gardła i wyciągnęła do mnie rękę.

Nawet nie zdawałam sobie sprawy z faktu, że cały czas ściskam kurczowo butelkę z wodą zabraną z tunelu. Tę, którą moja przyjaciółka przemywała spękane usta Małgosi. Nie pamiętałam nawet, kiedy i po co podniosłam ją z ziemi.

Czekaliśmy w napięciu, aż Marta skończy pić.

– Lekarze powiedzieli, że jest w nadspodziewanie dobrej formie, jak na tyle dni przebywania pod ziemią bez jedzenia i picia – powiedziała wreszcie, odrywając usta od butelki. – Muszą teraz zrobić wszystkie możliwe badania, a tymczasem pobrano jej krew i dostała kroplówkę. Ale jest przytomna.

– Myślisz, że możemy ją odwiedzić? – spytałam.

– Tak. Powiedzieli, że możecie wejść. Tylko na chwilę. Jest jeszcze za słaba na rozmowy.

Widok kruchej, ginącej w plątaninie rurek dziewczyny wywołał we mnie kolejną falę łez. Wokół łóżka krzątali się lekarze i pielęgniarki, w tle popiskiwał aparat monitorujący pracę serca. Nie mogliśmy podejść bliżej, by nie przeszkadzać, ale wystarczyło, że zobaczyliśmy ją żywą. Małgosia zauważyła nasze wejście i dała nam słaby znak dłonią. Pomachaliśmy jej wszyscy energicznie, starając się uśmiechać, mimo że łzy nam wszystkim cisnęły się do oczu.

– Gosiu, będzie dobrze! – wołaliśmy jedno przez drugie. – Trzymaj się dzielnie!

Zrobił się za duży ruch i lekarze poprosili nas o wyjście z sali. Zrobiliśmy to niechętnie, ale z lżejszym już sercem. Małgosia żyła i znajdowała się pod dobrą opieką, a to było teraz najważniejsze. Wierzyliśmy, że nic złego nie może się już przydarzyć.

– *Goha, I love you!* – zawołał Roger już od drzwi.

Marta została na noc w szpitalu, żadna siła ludzka nie mogła jej oderwać od cudem odnalezionego dziecka, a my wyszliśmy w lepszym już nastroju.

Wierzyliśmy, że młody i zdrowy organizm Małgosi poradzi sobie z tym szybko i dziewczyna niebawem wróci do domu.

Zabraliśmy ze sobą pana Derricka, który przez cały czas wyrzucał sobie, że tak źle nas na początku potraktował. Wysiadając przed swoją posiadłością, kazał solennie obiecać, że będziemy go informować na bieżąco o stanie zdrowia Małgosi.

– Całkiem sympatyczny facet – stwierdził Tadeusz.

– Patrz, jak można się pomylić w ocenie ludzi.

Przyznałam mu rację, bo chociaż to ja miałam najwięcej zastrzeżeń do tego człowieka, czułam, że teraz pokazał nam swoją prawdziwą twarz. Było mi też głupio, że podejrzewałam go o porwanie i uwięzienie Małgosi.

Dopiero w domu uświadomiliśmy sobie, jak bardzo wszyscy jesteśmy głodni. Nieoceniona pani Michalina znów pomyślała o przygotowaniu nam ciepłego jedzenia.

– Porządziłam się trochę w kuchni – przyznała z zawstydzonym uśmiechem – ale wiedziałam, że będziecie mieli apetyt. Opowiadajcie. Są jakieś szanse na odnalezienie pani Małgosi?

No tak, prawda, starsza pani nie wiedziała przecież, że udało nam się dziewczynę odnaleźć. Usiedliśmy przy stole i przekrzykując się wzajemnie, opowiedzieliśmy jej wydarzenia minionych godzin.

– O mój Boże! – przerywała nam co chwilę, wybuchając głośnym płaczem. – Naprawdę się znalazła? To cud! To prawdziwy cud!

Władysław chrząkał wzruszony, patrząc z uwielbieniem na połowicę.

– Misiaczku, kochanie, wszystko szczęśliwie się skończyło. Już dobrze, nie przejmuj się tak, bo to ci zaszkodzi na serduszko. Pamiętasz, co mówił pan doktór? Żadnych silnych wzruszeń.

Ale pani Michalina rozczuliła się na dobre:

– Moje biedactwo! Tyle dni i nocy bez jedzenia, w ciemnej piwnicy. To chyba trwało cały tydzień, prawda? – Spojrzała na nas pytająco.

Zaczęliśmy obliczać, ale każdemu z nas wychodziło z tych obliczeń coś innego. Najwyraźniej jednak dziewczyna rzeczywiście przebywała pod ziemią około tygodnia.

– I to gdzie?! Na cmentaaarzu...! – Pani Michalina znów głośno zaszlochała.

Nam oczy zaślniły ze wzruszenia. Władysław przytulił głowę żony do swojej piersi.

– Ciii... wszystko skończyło się dobrze dzięki twojemu Władusiowi – powtarzał, nie zwracając na nas uwagi. – Zaprowadziłem ich na miejsce, które wskazało mi wahadełko. Jak po sznurku. Gdyby nie ja, umarłaby tam z głodu, pragnienia i...

W tym miejscu Tadeusz już nie wytrzymał i zaczął dyskretnie pokasływać, starannie ukrywając rozbawienie. Władysław zorientował się w końcu, że nieco przesadził.

– No cóż – odchrząknął speszony. – Najważniejsze, że już po wszystkim. Nie mówmy więcej o tym.

– Mój ty bohaterze! – Pani Michalina przytuliła dłoń męża do mokrego policzka. – Jaki ty jesteś skromny!

W drzwiach pojawił się zakurzony, nieco zdezorientowany Borys i od razu rzucił się do swoich miseczek.

– Którędy ten kot się wydostał? – zdziwiłam się, zadowolona, że mogę w końcu zmienić temat. – Widziałam go z Małgosią, ale potem ratownicy wyciągnęli ją na górę samą, bez kota. Po drabinie też z nami nie wychodził.

– Musi tam być jeszcze jedno przejście – stwierdził Tadeusz, przyglądając mu się uważnie. – Wystarczające dla kota, ale za wąskie dla dorosłego człowieka. Chociaż nawet dla niego nie było chyba zbyt szerokie, spójrzcie tylko, jakie ma brudne futerko i skaleczone ucho.

Rzeczywiście, pyszczek kota pokryty był kurzem i pajęczynami, a świeża krew na uchu i zaschnięty skrzep tuż obok świadczyły o tym, że zwierzę musiało się wiele razy przeciskać przez jakąś wąską szczelinę. Stwierdziliśmy wszyscy, że kot zasługuje na medal. Gdyby nie on, nie wiadomo, czy udałoby nam się odnaleźć Małgosię żywą. W końcu może dotarlibyśmy do tego tunelu, ale prawdopodobnie dla niej byłoby już za późno. Nawet Władysław zgodził się z nami niechętnie.

– Śmialiście się z moich wróżb – nie darował jednak. – A tu proszę, runy mówiły prawdę: Małgosia wymagała natychmiastowej pomocy i znajdowała się w jakimś ciemnym miejscu. Tak jak to przepowiedziałem.

– O ile dobrze pamiętam, dotyczyło to tamtej zaginionej ponad sto lat temu dziewczyny – zaznaczył Tadeusz.

– No... niby tak, ale potem, kiedy pytałem o Małgosię, wychodziło to samo...

– Właśnie, najgorsze jest to, że zawsze wychodzi ci to samo, więc trudno było brać twoje wróżby na poważnie.

– Najważniejsze, że się znalazła i wszystko skończyło się dobrze – wtrąciłam się szybko, widząc, że panowie nastroszyli się jak dwa koguty. – Szkoda tylko, że nie starczy nam już czasu na rozwiązanie zagadki tamtej dziewczyny.

Nagły dźwięk telefonu sprawił, że podskoczyliśmy przestraszeni. Nikt z nas nie miał odwagi odebrać, bojąc się podświadomie, że może to być zła wiadomość ze szpitala.

W końcu, za czwartym sygnałem Roger, który ochłonął pierwszy, podniósł słuchawkę. Zamarliśmy w oczekiwaniu, ale po chwili okazało się, że dzwonił jego przyjaciel z pubu, Arthur. Z ulgą wróciliśmy do przerwanego posiłku, a Roger w tym czasie zrelacjonował przyjacielowi wydarzenia z ostatnich godzin. Rozmowa trwała dość długo i po reakcjach Irlandczyka zdążyliśmy się zorientować, że przyjaciel również przekazywał mu jakieś rewelacje. Na koniec obiecał, że na pewno przyjedziemy, odpowiadając pewnie na zaproszenie właściciela pubu.

– Słuchajcie! – zawołał, odkładając słuchawkę. – Bez kropelki whiskey tego się nie da przełknąć. Proponuję uszczuplić nieco zapasy Marty, a jutro uzupełnię je, jadąc do Gohy do szpitala.

Kiedy już rozsiedliśmy się wygodnie ze szklaneczkami w dłoniach przed kominkiem, wznieśliśmy najpierw toast za szczęśliwe zakończenie przygody Małgosi i za jej szybki powrót do zdrowia, następnie wróciliśmy do przerwanej wcześniej rozmowy. Pani Michalina stanowczo odmówiła napitku, ale wyjątkowo zgodziła się na to, żeby jej mąż „umoczył usta", jak to nazwała. W końcu bohater wieczoru uczciwie sobie na to zasłużył.

– Opowiadaj, co przekazał ci Arthur – ponagliłam Rogera. Wrócił mi dobry nastrój i mogłam się teraz zająć rozwiązywaniem innych zagadek, tych, które nie dotyczą moich bliskich.

– Otóż wygląda na to, że dużo wcześniej mogliśmy się już domyślić, gdzie została uwięziona Goha – zaczął po krótkim zastanowieniu. – Gdybyśmy tylko chcieli go wtedy wysłuchać.

Spojrzeliśmy na niego zdumieni.

– Jak to? Kiedy?

– Zaraz po waszym powrocie z posterunku Gardy. Zadzwonił i powiedział, że ma jakieś nowe szczegóły dotyczące zaginięcia tamtej dziewczyny, ale nikt nie miał wtedy głowy do rozwiązywania zagadki z przeszłości.

– Co to ma wspólnego z…

– Wygląda na to, że ma. Arthur przejrzał, tak jak nam to obiecał, stare papiery dziadka i znalazł w nich list pisany przez jego brata. Oprócz zwykłych rodzinnych spraw znalazło się tam zaledwie kilka słów na temat interesującej nas sprawy. Niewiele było o samej dziewczynie, brat dziadka skupił się raczej na okolicznościach towarzyszących temu wydarzeniu, ale właśnie ta informacja była bardzo ważna. I powinna była taka być dla ówczesnych śledczych, którzy, jak już wiemy, źle poprowadzili tę sprawę.

Roger przerwał na chwilę, żeby upić łyk bursztynowego trunku. Polano na kominku rozpadło się z głośnym trzaskiem, sypiąc dokoła złotymi iskrami.

– Okazało się – podjął na nowo – że w dniu, w którym Jane zaginęła, rozpętała się gwałtowna burza i w jej trakcie piorun uderzył w kaplicę na cmentarzu. Ludzie mieli wręcz wrażenie, że zatrzęsła się od tego ziemia, a na drugi dzień zauważono, że zawalił się przy tym jakiś stary tunel. Jak zwykle w takich przypadkach mówiono potem, że burza i szkody po niej powstałe były karą boską za zamordowanie dziewczyny.

– Tunel…? – Spojrzeliśmy po sobie ze zgrozą.

– Tak, a ja przypominam sobie teraz, że mój dziadek też opowiadał o jakimś częściowo zasypanym tunelu w pobliżu cmentarza, na którym bawił się z kolegami w dzieciństwie. Rodzice zabronili mu później tam chodzić, ponieważ następne burze i ulewne deszcze powodowały stopniowe obsuwanie się ziemi i miejsce to stanowiło poważne zagrożenie dla młodych odkrywców.

– Myślicie, że dziewczyna mogła się tam schronić przed burzą i zginęła zasypana ziemią? – Poczułam zimne dreszcze i objęłam się mocno ramionami.

– Mam nadzieję, że tak się stało, a nie, że znalazła się tam w pułapce między dwoma zawałami i umarła, nie doczekawszy się pomocy.

Wstrząśnięty Władysław wysłuchiwał cichego tłumaczenia Tadeusza.

– A jednak runy mówiły prawdę! – zawołał z satysfakcją. – Nie chcieliście mi wierzyć, śmialiście się ze mnie.

– To na razie tylko nasze przypuszczenia – bąknął zbity z tropu Tadeusz. – Ale, być może, masz rację. Wtedy wszystko odszczekam, na razie nie mamy jednak żadnej pewności. Chociaż to całkiem prawdopodobne...

Pani Michalina znów z nieukrywaną dumą spojrzała na męża, co natychmiast dodało mu wigoru.

– Mówiliście przecież, że były tam jakieś ludzkie szczątki – podekscytowany zaczął krążyć po salonie, szarpiąc swój wydatny nos. – To na pewno była ona! Wahadełko mówiło...

– Sądząc po uzębieniu, a raczej jego braku, ta czaszka należała do kogoś znacznie starszego – przerwał mu niecierpliwie Tadeusz. – Dziewczyna była zbyt młoda, żeby mieć zęby w takim stanie. Nawet biorąc pod uwagę brak odpowiedniej opieki dentystycznej w tamtych czasach.

– Poza tym – dorzuciłam swoje trzy grosze, widząc, że mój mężczyzna jest coraz bardziej przypierany do muru – mówiono, że Jane była prawdziwą pięknością. Nie sądzę, żeby nawet w tamtych czasach uważano szczerbatą dziewczynę za ideał piękna.

Władysław zostawił w spokoju swój nos i zajął się teraz resztkami siwych włosów na głowie, nie przerywając chodzenia w kółko. Widać było, że ma jakąś teorię, ale musi ją spokojnie przemyśleć.

– Gdyby to okazało się prawdą – wrócił do tematu Roger – znaczyłoby, że nikt jej nie zamordował i skazano na śmierć niewinnego chłopaka.

– Jeżeli policja odnajdzie tam szczątki Jane, będziesz miał niezbity dowód – stwierdził Tadeusz.

– Tyle że nikt mu już życia nie zwróci.

– Ale można mu zwrócić honor.

Nadmiar wrażeń mijającego dnia dość szybko dał nam znać o sobie. Poczuliśmy wszyscy ogromne zmęczenie i senność, spotęgowane jeszcze wypitym alkoholem. Roger oraz Władysław z żoną postanowili zostać na noc, ponieważ rano i tak wybierali się do Małgosi.

Przed snem zadzwoniliśmy jeszcze do Marty. Ustawiłam telefon na tryb głośnomówiący, by wszyscy słyszeli. Powiedziała nam, że córka jest jeszcze bardzo słaba, ale coraz częściej się budzi i całkiem przytomnie odpowiada na pytania, a nawet sama zaczyna opowiadać co nieco ze swoich przejść. Wyjaśniło się też, jakim cudem udało się jej przetrwać tyle czasu bez jedzenia i bez picia.

– Wyobraźcie sobie, że miała ze sobą kilka batoników, tych mordoklejek, które zawsze nosiła w plecaczku. Mało tego! – Marta zaśmiała się krótko, jakby sama nie wierzyła w taki zbieg okoliczności. – Zabrała też kilka pokrojonych jabłek i marchewek dla koni, ale one tego dnia pasły się gdzieś po drugiej stronie pastwiska i nawet nie podeszły do ogrodzenia. Postanowiła więc nakarmić je w drodze powrotnej. Nie wiem tylko, jaki dobry duszek podsunął jej myśl o wzięciu butelki wody mineralnej. Nie zdążyła mi tego powiedzieć, bo wyczerpana usnęła w połowie zdania.

Tej nocy zapadłam w sen niemal natychmiast po przyłożeniu głowy do poduszki, nawet nie słyszałam, kiedy Tadeusz wrócił spod prysznica. Do snu ukołysał mnie wiatr niosący z daleka jakiś cichy, ledwie słyszalny głos.

Pospieszcie się... Tak długo czekam...

14

Do szpitala pojechaliśmy zaraz po śniadaniu. Pani Michalina tylko przywitała się z Małgosią, przytuliła ją do wydatnej matczynej piersi i musiała wracać do domu, ponieważ okazało się, że wnuczek dostał temperatury i niedoświadczona matka wpadła w panikę. Przed szpitalem czekał już Jacek, ale i on zajrzał na chwilę, żeby na własne oczy przekonać się, że Małgosia naprawdę jest cała i zdrowa.

– Tak się cieszę! – Nachylił się i ucałował wychudzoną dłoń dziewczyny. – Tak się cieszę, że wszystko skończyło się dobrze. Odchodziliśmy od zmysłów z niepokoju o panią.

Małgosia była w znacznie lepszej formie niż poprzedniego dnia i wyraźnie ucieszyła się na nasz widok. Obsiedliśmy dookoła jej łóżko, a personel przestał nas już wyganiać, bo widać było, że dziewczynie potrzebne jest nasze towarzystwo. Poza tym staliśmy się sławni. Gazety zamieściły z samego rana informacje o naszym śledztwie i udanej akcji ratowniczej.

„Cudowne ocalenie uwięzionej pod ziemią Polki!", „Matka nigdy nie traci nadziei", „Potęga miłości i przyjaźni!" – wołały tytuły, a gruboziarniste zdjęcia ukazywały wycieńczoną Małgosię na szpitalnym łóżku i siedzącą przy niej Martę. Dziennikarze wdarli się tu poprzedniego wieczoru i zanim ich przepędzono, zdążyli pstryknąć kilka fotek. Było też i nasze zdjęcie zrobione w chwili, gdy wychodziliśmy ze szpitala. Nikt z nas tego nie zauważył, więc patrzyliśmy teraz zdumieni na rozłożone na łóżku gazety.

– Jesteście bohaterami. – Małgosia uśmiechała się z wdzięcznością. – Gdyby nie wy… gdyby nie mama…
– Głos jej załamał się dramatycznie.

– I gdyby nie Borys… – Starałam się nadać swojemu głosowi żartoblinwe nutki, bo sama czułam zdradziecie drapanie w gardle. Nie chciałam, żeby Małgosia widziała nas płaczących, choćby nawet ze szczęścia. Powinna się jak najwięcej uśmiechać, żeby przegonić demony i strach wciąż czający się w jej oczach. Ten strach będzie jej prawdopodobnie towarzyszył jeszcze długo, o ile nie do końca życia. Nawet nie próbowałam sobie wyobrazić, co musiała czuć przez kolejne dni i noce, uwięziona w ciemnym lochu pośród ludzkich szczątków.

– Tak, Borys. – Mizerna twarz wyraźnie się rozjaśniła na samo wspomnienie kota. – Przychodził do mnie niemal od pierwszego dnia i ogrzewał własnym futerkiem. Układał mi się na szyi, na piersiach, a nawet na zdrętwiałych z zimna stopach, jakby sam czuł, które miejsce należy rozgrzać. I przyniósł wam wiadomość ode mnie.

Powoli, z przerwami na złapanie oddechu Małgosia zaczęła opowiadać nam o swojej przygodzie. Mówienie sprawiało jej jeszcze trudność, ale słuchaliśmy cierpliwie, bez ponaglania. Wiedzieliśmy, że musi to z siebie wyrzucić. Tadeusz półgłosem tłumaczył wszystko Rogerowi. Z opowieści wyłaniał się koszmar tych wszystkich dni, niemal godzina po godzinie.

Kiedy wyjeżdżaliśmy do zamku Matrix, Małgosia postanowiła wybrać się z aparatem na cmentarz, ponieważ przypomniała sobie, że tam właśnie, tuż przy ocalałych resztkach kaplicy widziała celtycki krzyż z ułamanym prawym ramieniem. Chciała nam zrobić niespodziankę, pokazać zdjęcia, a potem tryumfalnie zaprowadzić na miejsce. Niestety, kiedy podeszła bliżej, rozmiękła po kilkudniowych deszczach ziemia obsunęła się do powstałej prawdopodobnie wcześniej szczeliny, powodując zapadnięcie się części znajdującego się obok grobu. Gosia usiłowała się ratować, chwytając kamienny krzyż, ale zwietrzały kamień nie udźwignął jej ciężaru i z ułamanym kawałkiem w dłoni wylądowała kilka metrów niżej, w starym tunelu. Na szczęście ziemia w tym miejscu była wilgotna i miękka, więc dziewczyna nie zrobiła sobie żadnej krzywdy.

– Ta szczelina powstała chyba dawno temu, po uderzeniu pioruna w kaplicę – wtrąciłam. – Może w tamtych czasach nie sięgała jeszcze na zewnątrz i pękło tylko sklepienie tunelu, ale potem lata zrobiły swoje.

Daliśmy Małgosi nieco odpocząć i opowiedzieliśmy o rewelacjach przekazanych Rogerowi przez Arthura. Słuchała z wypiekami na twarzy.

– Myślicie, że ona też wpadła do tego tunelu? Z początku obchodziłam każdy kąt w poszukiwaniu wyjścia, ale nie zauważyłam żadnych szczątków oprócz tych, które spadły z cmentarza razem ze mną.

– Nie sądzę, żeby już wtedy istniał ten otwór w ziemi. – Tadeusz pokręcił przecząco głową. – Lucyna ma rację, musiał powstać dopiero teraz, po deszczach. Jeśli Jane została uwięziona w tym tunelu, chociaż na razie są to tylko hipotezy, to musiała się do niego dostać z innej strony. Może istniało wcześniej jakieś wejście z zewnątrz.

– I zasypało ją? – Małgosia spojrzała na niego ze zgrozą.

– Jeśli tam weszła, chroniąc się przed burzą, to prawdopodobnie tak.

Zapanowała cisza. Każdy z nas usiłował wyobrazić sobie tę sytuację po swojemu.

Otrząsnęłam się, jakby mnie przeszły dreszcze.

– Nie wiemy i prawdopodobnie nigdy się nie dowiemy, co stało się z tamtą dziewczyną. Mogła zostać zasypana w innej części tunelu, przecież ta, w której się znalazłaś, to prawdopodobnie niewielki jego odcinek. Ktoś będzie musiał to sprawdzić.

– Nie wiem, czy takie poszukiwania też należą do Gardy – zastanawiał się głośno Roger. – Ale znajdziemy sposób, żeby kogoś tym zainteresować. Może archeologów?

– Tak – zgodził się Władysław, kiedy przetłumaczyliśmy mu słowa Rogera. – Archeolodzy powinni zbadać ten tunel, a także historycy, bo mogą tam być pozostałości z czasów, kiedy toczyły się tu jakieś walki.

Te, o których pan Roger opowiadał nam w zeszłym tygodniu.

– Masz na myśli bitwę pod New Ross z siedemnastego wieku? – Tadeusz skrzywił się sceptycznie. – Nie sądzę, żeby ten tunel był aż tak stary, ale masz rację, historycy mogliby zechcieć go zbadać.

Tymczasem Małgosia po krótkim odpoczynku wróciła do swojej opowieści.

Przez pierwsze dwa dni krzyczała i wołała o ratunek, ale cmentarz znajdował się zbyt daleko od siedzib ludzkich, więc nikt jej nie słyszał. Potem ochrypła i zamiast czekać na pomoc, zajęła się poszukiwaniem wyjścia z tej pułapki.

– Boże... – Popatrzyliśmy wszyscy po sobie, tknięci tą samą myślą. – Dziadek Rogera mówił przecież o krzykach banshee, zaraz po twoim zniknięciu. I o tym, że wtedy, przed laty, również słyszano jej lament. Tymczasem wygląda na to, że w obu przypadkach to wcale nie była zjawa...

– Słyszał moje krzyki? Naprawdę? – Małgosia aż uniosła się w pościeli.

– Nigdy sobie tego nie daruję. – Pokręciłam z niedowierzaniem głową. – Mieliśmy tę informację przed samym nosem i ją zlekceważyliśmy. Trzeba było uważniej go słuchać.

– Tak. – Tadeusz też nie miał wyraźnej miny. – Potraktowaliśmy lekceważąco opowieści staruszka, co niestety zemściło się później na tobie. A mogliśmy ci oszczędzić tych wszystkich przeżyć...

– Przestańcie! – zaprotestowała cicho dziewczyna. – Ja też nie wzięłabym na serio opowieści o banshee.

– Ale powinno mi to było dać do myślenia. – Tadeusz nie dał się przekonać. – Co za matoł ze mnie!

Musieliśmy wyjść na korytarz, ponieważ przyszła pielęgniarka, żeby zmienić Małgosi kroplówkę. Dziewczyna ciągle jeszcze wymagała uzupełniania płynów w organizmie.

– Że też nie przyszło nam do głowy połączyć tych rewelacji o płaczu banshee z krzykami Małgosi – kontynuowaliśmy temat na korytarzu. – Co nas zaćmiło?

– Przed laty, kiedy krzyczała Jane, ludzie byli bardziej przesądni i mogli uwierzyć, że to duch, ale my?! – Marta była wstrząśnięta.

– My nie uwierzyliśmy w ducha, tylko nie wzięliśmy tego na poważnie. – Roger pokiwał głową. – Pamiętam, jak babcia powtarzała mi zawsze, że nie należy lekceważyć ludowej mądrości, bo w każdej legendzie i micie mieści się ziarno prawdy.

Z sali Małgosi wyszła pielęgniarka, dając nam znak, że możemy już wrócić. Dziewczyna podjęła przerwany wątek.

– Było ciemno, tylko za dnia wpadało wąskie pasmo światła od góry, więc robiłam zdjęcia, żeby oświetlić to miejsce lampą błyskową. Tylko w ten sposób mogłam poznać wszystkie jego zakamarki – mówiła cicho, przeżywając cały koszmar na nowo. – Oglądając je później w aparacie, przekonałam się, że nie ma stamtąd wyjścia.

Chcieliśmy jej przerwać, ale stwierdziła, że musi się sama z tym uporać.

– Słyszałam wasze wołanie kilka dni temu… – Głos jej się załamał, a my poczuliśmy, jak podnoszą się nam włosy na głowie.

– Jezu… słyszałaś nas…?!

– Tak, ale nie miałam już siły głośno krzyczeć. Poza tym nie byłam pewna, czy to wszystko mi się znowu nie śni. Miałam dziwne sny.

Małgosia przerwała na chwilę, a my siedzieliśmy przy jej łóżku jak zamurowani. Każdy z nas przeżywał to, co przed chwilą powiedziała. Słyszała nas, była tak blisko, a my nie zdawaliśmy sobie z tego sprawy. Co by było, gdyby Borys nie doprowadził nas do tunelu? Umarłaby z głodu i wycieńczenia, a my nieświadomi chodzilibyśmy sobie tuż nad jej głową. Łzy napłynęły mi do oczu.

– Ciociu, nie płacz. – Małgosia położyła swoją wychudzoną dłoń na mojej. – Przecież wszystko skończyło się dobrze. Miałam sny – podjęła na nowo – że mnie odnajdujecie, że widzę wasze twarze w szczelinie na górze, ale kiedy zaczynałam was wołać, znikaliście. Płakałam i wtedy przychodziła do mnie jakaś młoda dziewczyna, mówiąc, że szukacie mnie cały czas i na pewno znajdziecie. Że muszę wytrzymać i wziąć się w garść.

Wymieniłam szybkie spojrzenie z Tadeuszem.

– Jaka dziewczyna?

– Nie znam jej. Młoda, miała łagodny głos i długie rude włosy. Tak jak ta zaginiona przed laty Jane. Wiem. – Uśmiechnęła się blado, widząc nasze miny. – Wiem, miałam majaki, ale one pozwalały mi przetrwać. Wierzyłam jej i chętnie zapadałam w sen, żeby ją znowu zobaczyć. Któregoś dnia, nie pamiętam, kiedy to było, okryła mnie swoim niebieskim szalem. Albo chustą. W każdym razie już tak bardzo nie marzłam. Może to był po prostu Borys, który układał się na mnie, teraz już nie wiem. Ale wtedy byłam przekonana, że to szal tej dziewczyny.

Małgosia opowiadała też, jak radziła sobie z brakiem jedzenia i wody. Okazało się, że wcale nie było aż tak źle, jak sądziliśmy.

– Miałam ze sobą kilka batoników, nigdy się bez nich nie ruszam. No i mineralną, którą zabrałam w ostatniej chwili. – Uśmiechnęła się przekornie do matki. – Mówiłaś, mamo, że te batoniki kiedyś mnie wykończą, a tu sama widzisz...

– Nigdy tak chętnie nie przyznałam się do błędu jak w tej chwili. – Marta przytuliła dłoń córki do twarzy.

– A tej wody starczyło ci na tyle dni? Taka mała butelka?

– Nie, nie starczyło – przyznała Małgosia. – Woda skończyła się dość szybko, zwłaszcza że od wołania i płaczu wyschło mi w gardle i bardzo chciało mi się pić.

– No więc jak sobie poradziłaś? – nie wytrzymałam. – Przecież człowiek nie może tak długo wytrzymać bez wody.

– Jedna ze ścian była mokra.

Oboje z Tadeuszem przytaknęliśmy skwapliwie. Kiedy zeszliśmy na dół do tunelu, Marta i Roger zajęli się natychmiast Małgosią, a my rozglądaliśmy się po otoczeniu i wtedy zauważyliśmy ściekające po jednej ze ścian tunelu krople wody.

– Z początku miałam opory, wiedząc, że tuż nade mną jest cmentarz, ale później było mi już wszystko jedno – opowiadała dalej Gosia znużonym głosem. – Przestałam się zastanawiać, skąd ta woda pochodzi, i musiałam ją pić, żeby nie umrzeć z pragnienia.

– W pobliżu cmentarza płynie jakaś rzeczka – uspokoił ją Tadeusz. – Może gdzieś tu jest źródełko i to ono przesiąka do wnętrza ziemi?

– Możliwe – zgodziła się. – Woda była czysta i miała dość przyjemny smak.

– Ale wystarczyły pani te zlizywane ze ściany krople? – Władysław kręcił z niedowierzaniem głową. – Przecież to niemożliwe. Dość, żeby zwilżyć usta, ale żeby zaspokoić pragnienie? Proszę się nie gniewać – zastrzegł natychmiast, widząc moje miażdżące spojrzenie – nie podważam wiarygodności pani słów, ale mój ścisły, analityczny umysł odrzuca takie wyjaśnienia...

– I ma pan całkowitą rację. – Małgosia usiłowała się uśmiechnąć, lecz widać było, że coraz bardziej opadała z sił. Mówienie sprawiało jej coraz większy wysiłek. Chcieliśmy jej przerwać, lecz dała znak ręką, że chce dokończyć. – Z początku rzeczywiście zlizywałam wodę z tej ściany, ale ciągle czułam nienasycone pragnienie. Zaczęłam więc zastanawiać się, jak ją zebrać.

– Przecież nie miałaś tam żadnego naczynia. Chyba że... użyłaś tamtej czaszki? – spytał Tadeusz z lekkim wahaniem w głosie.

– Ależ nie! – Otrząsnęła się gwałtownie. – Czaszka przydała mi się do wykopania jamy, w której leżałam. Modliłam się do ducha jej właściciela o wybaczenie, ale nie miałam innego wyboru. Wodę z początku próbowałam zbierać do pustej butelki po mineralnej, lecz okazało się to niemożliwe. Wygrzebałam więc pod samą ścianą głęboki dołek w miękkiej ziemi i wyłożyłam go oderwanym rękawem od mojego płaszcza przeciwdeszczowego. Napełniał się aż po brzegi kilka razy dziennie.

– Zuch dziewczyna! – Nie mogliśmy wyjść z podziwu dla jej pomysłowości.

– Co chcecie, naoglądał się człowiek różnych szkół przetrwania w telewizji – wymamrotała sennie. – Przepraszam was bardzo...

Usnęła w połowie zdania, więc wyszliśmy po cichu na korytarz. Zaniepokojona Marta pobiegła do pielęgniarek i one uspokoiły ją, że dziewczyna wprawdzie szybko dochodzi do siebie, lecz na razie musi dużo odpoczywać. Wysłały też Martę do domu, by zajęła się sobą, bo za chwilę to ona będzie potrzebowała opieki lekarskiej.

Prosto ze szpitala pojechaliśmy na posterunek Gardy, żeby złożyć wyjaśnienia. Potraktowano nas zupełnie inaczej niż poprzednim razem. W końcu byliśmy bohaterami.

– Brawo! – zaczepił mnie przechodzący korytarzem przystojniak, kiedy czekałam na swoją kolej. Każde z nas zostało wezwane do innego pokoju, mnie poproszono o chwilę cierpliwości. – Brawo – powtórzył, otwierając jakieś drzwi. – Zapraszam do środka.

A więc sam pan Sean Collins będzie mnie przesłuchiwał, pomyślałam. W innych okolicznościach pewnie byłabym szczęśliwa. Teraz nie sprawiało mi to już takiej przyjemności. Trochę się do faceta zraziłam.

– No cóż, okazało się, że to wy mieliście rację – przyznał z całkiem uroczym uśmiechem. – Zwracam honor. Mam nadzieję, że nie bierze mi pani za złe tamtej rozmowy, ale wszystko wskazywało na to, że córka pani znajomej mogła być zamieszana w sprawę uprowadzania młodych kobiet. Zwłaszcza że znała jednego z głównych podejrzanych.

– Owszem, znała, bo pracowali kiedyś razem – odpowiedziałam spokojnie – co jeszcze o niczym nie świadczy.

– Odwiedzał ją w domu.

– Do czasu. Potem wyrzuciła go za drzwi.

– Jeśli proponował jej wtedy współpracę, powinna była nam to zgłosić. Tak czy inaczej jest to współudział.

– A ma pan pewność, że proponował? Może po prostu dobierał się do niej? – Zaczynałam być na nowo zła.

– Dobrze, zostawmy ten temat. – Podniósł ręce obronnym gestem. – Z całą pewnością przesłuchamy ją na tę okoliczność, gdy już dojdzie do siebie. A swoją drogą ma w pani dobrego adwokata. – Uśmiechnął się znowu. – Skupmy się teraz na waszej wczorajszej akcji ratowniczej. Proszę mi opowiedzieć wszystko dokładnie i ze szczegółami. Jak wpadliście na ten pomysł i skąd wiedzieliście, gdzie szukać.

Zaczęłam od samego początku, czyli od naszych rozmów na temat zaginionej przed laty dziewczyny, snów i wróżb.

– Czyli śnił wam się uszkodzony celtycki krzyż i... – zerknął do swoich notatek – ...Margaret przypomniała sobie, że gdzieś taki widziała? To chciała pani powiedzieć?

– Dokładnie to.

Śledczy Sean Collins zrobił niewyraźną minę, ale nie skomentował moich słów.

– OK. I co dalej?

280

Podjęłam na nowo swoją opowieść. Wyjaśniłam, że kiedy wróciliśmy z zamku Matrix i nie zastaliśmy Małgosi w domu, byliśmy przekonani, że pojechała do Rogera, dlatego nie zgłaszaliśmy od razu jej znik-nięcia. Zaniepokoiło nas tylko, że nie przekazała nam żadnej wiadomości. Potem się okazało, że zostawiła swój telefon komórkowy w domu, i to na jakiś czas nas uspokoiło. Kiedy doszłam do telefonu od porywaczy, przerwał mi na chwilę.

– Zrobiliście błąd, nie zgłaszając nam tych pogróżek i podając numer telefonu na afiszach – powiedział, marszcząc czoło – ale nie ma co do tego wracać. Zosta-ły im już postawione zarzuty i teraz czekają na wyrok.

Przez chwilę studiował swoje notatki, stukając dłu-gopisem w brzeg biurka.

– Dobrze. – Znów spojrzał na mnie. – Jak wpadliście na to, żeby szukać właśnie na cmentarzu?

I znów musiałam opowiedzieć o wróżbach, z któ-rych wynikało, że Małgosia przebywa w jakimś ciem-nym i zimnym miejscu, o wizycie u jasnowidza i o śle-dzeniu kota. Tego dla biednego irlandzkiego policjanta było już zdecydowanie za dużo.

– Śledziliście kota?! – Odłożył długopis na biur-ko z mocnym postanowieniem zapewne, że tego nie będzie zapisywał. – A co mówiły na ten temat fusy z kawy i wróżenie z płatków kwiatka, bo mam nadzie-ję, że i tego nie zaniechaliście? – spytał podejrzanie łagodnie.

– Czyżby to policja irlandzka znalazła córkę mojej przyjaciółki? – Uśmiechnęłam się do niego ze złośli-wą satysfakcją. – Niezupełnie, prawda? No więc co za różnica, jakie metody zostały zastosowane? Ważne, że były skuteczne.

Policjant roześmiał się głośno, prezentując znowu swoje wspaniałe uzębienie. Jakby się tak dokładnie przyjrzeć, to jednak jest sympatyczny, zastanowiłam się. No i cholernie przystojny.

– Ma pani rację, poddaję się. A z tym jasnowidzem też czasami współpracujemy, to fakt. I muszę przyznać, że miał dużo trafnych wizji. – Pokiwał głową całkiem poważnie.

Nie przerywał mi już, od czasu do czasu tylko notował coś w swoim zeszycie. Opowiedziałam, dlaczego śledziliśmy kota. Uśmiechnął się z aprobatą dla pomysłowości Małgosi, słysząc o pierścionku zawieszonym przy obróżce zwierzaka i o sposobie, w jaki zbierała wodę w tunelu.

– Mamy wrażenie – zakończyłam swoją opowieść – że tam pod ziemią mogą się też znajdować szczątki dziewczyny z dziewiętnastego wieku. Wszystko wskazuje na to, że została wtedy zasypana po uderzeniu pioruna w kaplicę. Tunel jest tuż obok cmentarza, a właściwie pod nim.

– Mówi pani o tej głośnej sprawie sprzed ponad stu lat?

– Tak, ale widzieliśmy dokumenty z tamtych czasów i wynika z nich, że śledztwo prowadzono nieudolnie, a chłopaka skazano na podstawie poszlak.

– Mógłbym zobaczyć te dokumenty? – zapytał ze znajomym mi błyskiem w oku. Taki sam miał Tadeusz, kiedy się do czegoś zapalił. – To wprawdzie nie należy już do nas, ale sam jestem ciekaw. Lubię takie stare zagadki.

Obiecałam mu, że porozmawiam z Rogerem na ten temat. Byłam zadowolona, że przystojniak zainteresował się sprawą zaginięcia tamtej dziewczyny, bo to mogło oznaczać dalsze poszukiwania w tunelu. W sprzyjających okolicznościach moglibyśmy jeszcze zdążyć wziąć w nich udział przed powrotem do Polski.

– A cóż on cię tak długo trzymał? – Zniecierpliwiony Tadeusz zerwał się z ławki dla petentów na korytarzu. – Z nami już dawno skończyli, a ty tam siedzisz i siedzisz.

– Bo bardzo nam się miło rozmawiało. – Uśmiechnęłam się tajemniczo. – Poza tym to taki przystojniak...

Na zewnątrz czekała już cała reszta naszej grupy. Po krótkiej naradzie, podczas której powiedziałam Rogerowi o prośbie śledczego Collinsa, postanowiliśmy się rozdzielić. Marta, blada i zmęczona, wyglądała tak, jakby miała nam zaraz usnąć na stojąco, więc Roger zobowiązał się jak najprędzej odwieźć ją do domu. Ja obiecałam zająć się zakupami na obiad, natomiast Władysław, który nie miał ochoty na chodzenie po sklepach, zabrał się wraz z Martą i Rogerem.

– A ja nie mam wyboru – zauważył zgryźliwie Tadeusz – bo ktoś musi robić mojej pani za kierowcę.

– Nie licz na to, że siądę za kierownicą po prawej stronie samochodu. Tam jest miejsce dla pasażera – zażartowałam, lecz moja długa rozmowa z przystojnym irlandzkim policjantem wyraźnie popsuła mu nastrój. Wszelkie próby rozruszania go pozostały bez rezultatu. Nawet informacja o zainteresowaniu Collinsa sprawą zaginionej dziewczyny sprzed lat nie poprawiła mu humoru.

– Wielka łaska – mruknął, nie zaszczycając mnie nawet spojrzeniem. – To w końcu policjant i takie sprawy należą do jego obowiązków.

– Kochanie, nie sądzę, żeby sprawy z dziewiętnastego wieku interesowały zwykłych policjantów...

– Zwykłych nie, ale ten jest przecież niezwykły, jak byłaś już to uprzejma kilka razy zaznaczyć. I to twoje cielęce spojrzenie, z którym wyszłaś z „przesłuchania"... – Przewrócił oczami.

– Takie samo, jakim obdarzyłam cię kiedyś w bibliotece w Krakowie?

Przez chwilę nie odpowiadał, ale znałam go już wystarczająco długo, by wiedzieć, że próbuje na siłę zachować powagę. W końcu nie wytrzymał.

– No nie. Nie takie samo. – Roześmiał się na to wspomnienie. – Tamto wypaliło mi dziurki na twarzy. Tego nie da się powtórzyć drugi raz, już chyba nie masz takiego żaru w oczach. Na całe szczęście – dodał pojednawczo.

W lepszym już nastroju zrobiliśmy zakupy. W domu czekał na nas znudzony Władysław. Okazało się, że Marta nawet nie wzięła kąpieli, tylko usnęła na kanapie w salonie, tam gdzie usiadła zaraz po powrocie z posterunku. A Roger wybrał się gdzieś samochodem.

– Coś mi tłumaczył, ale kto by zrozumiał ten ich bełkot. – Władysław machnął ręką lekceważąco. – Że też ci obcokrajowcy nie mogą się nauczyć mówić po polsku! Chcieliby, żeby każdy znał angielski. A polski to jakiś gorszy, czy co?

Jakbym słyszała panią Michalinę…

W pierwszej chwili przestraszyliśmy się, że może Roger dostał jakąś złą wiadomość ze szpitala, ale sprawa wyjaśniła się dość szybko.

– Postanowiłem zawieźć temu policjantowi dokumenty od razu – wyjaśnił po powrocie. – Im prędzej je dostanie, tym wcześniej się do tego weźmie. Facet może nam się przydać w dalszych poszukiwaniach, żeby potem nie było, że znów zrobiliśmy coś na własną rękę.

Śledczy Collins zadzwonił do nas następnego dnia. Zainteresowała go historia sprzed lat i obiecał się nią zająć, wymagało to jednak czasu. Teraz najważniejsza była sprawa związana z zaginięciami całkiem współczesnych kobiet, irlandzka policja miała już prawie wszystkich podejrzanych. Tamta zagadka musiała jeszcze poczekać.

Wyglądało więc na to, że niestety nie mamy już szans na wzięcie udziału w ewentualnych poszukiwaniach szczątków Jane. Tym bardziej że przełożony Tadeusza miał już dla niego jakieś pilne zadanie na miejscu.

– Nie możesz poprosić o jeszcze parę dni urlopu? – spytała zawiedziona Marta.

Tadeusz pokręcił przecząco głową.

– Nic z tego. Szykuje się zjazd dziennikarzy w Siedlcach, na który muszę koniecznie pojechać jako przedstawiciel naszej gazety.

– Dlaczego akurat ty? – Nie mogłam ukryć rozczarowania. – Teraz mamy szansę, żeby naprawdę odpocząć i pozwiedzać Irlandię. Niedługo wróci do domu Małgosia, zrobiła się ładna pogoda, moglibyśmy pojechać na klify Moheru...

– Wiem, skarbie, ale z szefami się nie dyskutuje. Kiedyś tu wrócimy. A do Siedlec pojedziemy razem, zgoda?

– Myślisz, że twój szef się na to zgodzi?

– Musi. Zależy mu na mojej obecności, zwłaszcza że nasz „Dziennik" i „Tygodnik Siedlecki" szykują jakąś wspólną akcję, a ja znam osobiście ich najlepszą dziennikarkę. Polubisz ją, zobaczysz. Mariola jest równie zwariowana jak ty, więc świetnie się dogadacie. Tam też możemy odpocząć, zwłaszcza że zatrzymamy się w Januszu.

– U Janusza – poprawiłam go odruchowo. – Nie wiem, czy twój znajomy byłby zadowolony, że chcesz się „w nim" zatrzymać...

– To nazwa tamtejszego hotelu, moja ty purystko językowa. Jedyny w mieście, ale naprawdę najwyższej klasy. Wiem, co mówię, bo już u nich gościłem. A jaką tam mają kuchnię... Weźmiemy najlepszy apartament z jacuzzi w łazience, zamówimy szampana do pokoju i będziemy sobie co wieczór robić kąpiel w bąbelkach i z bąbelkami... – Objął mnie z uwodzicielskim uśmiechem.

– Taaak... a na miejscu się okaże, że ktoś albo coś w tych Siedlcach zginie, albo trafimy na trupa w szafie – gderałam dla zasady, bo już mi się ten pomysł podobał.

– Trup w szafie? Kochanie, takie rzeczy zdarzają się tylko w marnych kryminałach.

Władysław, który zostawał jeszcze przez jakiś czas w Irlandii, również był niepocieszony.

– Co ja tu będę sam robił? Misiaczek zajmuje się wnukiem, a ja? Mógłbym niby pomagać Rogerowi w poszukiwaniach, bo pewnie ich nie zaniecha, ale co, zna ten człowiek polski? Nie zna. To jak się z nim dogadam?

Nasz przyjaciel otrzymał solenną obietnicę od Marty, że z chwilą gdy tylko Małgosia nabierze sił, wszyscy razem wybiorą się na zwiedzanie Irlandii.

– Zasłużył pan wprawdzie na wycieczkę dookoła świata, ale aż na tyle mnie nie stać. – Zaśmiała się, widząc uszczęśliwioną minę Władysława. – Myślę jednak, że i tej pan nie pożałuje.

– Marzy mi się wyprawa do zamku Matrix – powiedział nieśmiało. – Chciałbym na własne oczy zobaczyć tę księgę o magii...

– Matrix? – usłyszał Roger i włączył się do rozmowy. Kiedy Marta przetłumaczyła mu słowa Władysława, on też zapalił się do tej wyprawy. Wprawdzie, jak stwierdził, był tam już kiedyś z Małgosią, ale chętnie wybrałby się raz jeszcze.

– Chyba że pojedziecie tam sami... – Marta pokręciła przecząco głową. – Ja w każdym razie już nigdy nie zbliżę się do tej księgi. Wszystko właśnie od tego się zaczęło...

– Czyżbyście naprawdę uwierzyli w bajeczkę o tym, że dotykanie jej sprowadza nieszczęście? – Roger spojrzał na nas z niedowierzaniem. – Przecież właścicielka opowiada ją każdemu zwiedzającemu od lat. To stała część programu z czasów, gdy zamek był jeszcze otwarty dla turystów.

W ostatni wieczór postanowiliśmy wybrać się wszyscy razem do pubu Arthura na pożegnalnego guinnessa. Nawet pani Michalina, dumna z małżonka, odstąpiła od swoich zasad i udzieliła mu zgody na ten niebywały eksces. Mało tego – sama też wyraziła chęć pójścia tam z nami.

– Tadeusz... – Marta zrobiła tajemniczą minę. – Roger i ja mamy dla ciebie niespodziankę.

– Tak? – spojrzał na nią z zaciekawieniem.

– Otóż okazuje się, że uda ci się jeszcze załapać na końcówkę Bloomsday.

– Jak to? Impreza już się skończyła, widziałem wczoraj w telewizji. Nie powiesz chyba, że przedłużyli specjalnie o jeden dzień, żeby mi sprawić przyjemność? Nie nabierzesz mnie.

– Nie mam zamiaru cię nabierać, ale skoro nie chcesz wysłuchać do końca, trudno. Nie musimy tam iść, nie ma przymusu...

– No nie, ja tylko tak, bo przecież sam widziałem w telewizji...

– A wiedziałeś, że na drugi dzień po oficjalnych obchodach organizuje się jeszcze inne, mniejsze, w miasteczkach, w których bywał Joyce? – wtrącił się Roger, któremu przetłumaczyłam tę rozmowę.

Tadeusz wpatrywał się z niedowierzaniem w nasze twarze. Z mojej mógł wyczytać tylko zaskoczenie, bo podobnie jak on nie miałam o tym najmniejszego pojęcia.

– Tak. – Roger uśmiechnął się z satysfakcją. – Jeszcze jeden dzień na mniej już oficjalne obchody w małych pubach, w których bywał Joyce. Dlatego mamy zaproszenie do Arthura na dzisiejszy wieczór. Na joyce'owski wieczór – dodał z naciskiem.

Uszczęśliwiony Tadeusz pobiegł do pokoju, żeby wyjąć swój kostium z walizki, a ja przepytałam w tym czasie Martę.

– Naprawdę jest taki zwyczaj? – upewniłam się z niedowierzaniem, znając przyjaciółkę i jej skłonność do żartów.

Wymieniła rozbawione spojrzenie z Rogerem.

– Niekoniecznie – powiedziała szeptem, spoglądając na schody prowadzące do sypialni. – Ale wiemy, ile znaczyło dla niego uczestnictwo w tych obchodach, postanowiliśmy w trójkę, Roger, Arthur i ja, że urządzimy mu taki prywatny Bloomsday. Zaprosiliśmy parę osób, przebierzemy się wszyscy i będziemy czytać fragmenty „Ulissesa".

– I nic mi o tym nie powiedziałaś?…

– Znasz swoje gadulstwo. – Marta przytuliła mnie, by złagodzić te słowa. – Mogłaś się przypadkiem wygadać.

– Z czego się tak śmiejecie, dziewczyny? – Tadeusz schodził już po schodach w ciemnym kapeluszu i z przewieszonym przez ramię płaszczem.

– A, takie tam małe babskie tajemnice. – Machnęłam ręką, rzucając Marcie mordercze spojrzenie. – Ciebie nie rozśmieszą.

Ale Tadeusz i tak nie był ciekaw tych tajemnic, zbyt przejęty czekającą nas wyprawą do pubu.

– A wy jak się przebierzecie? – spytał, strzepując niewidoczny pyłek z płaszcza.

Okazało się, że Marta pomyślała już o tym wcześniej i miała dla nas obu stroje z czasów Joyce'a. Dla Władysława znalazł się słomkowy kapelusz ze wstążką i mucha w grochy, natomiast pani Michalina nie potrzebowała żadnego przebrania. Ciemne, maskujące tuszę powłóczyste stroje oraz ciasno upięty koczek z ciemnych włosów pasowały zarówno do kobiety współczesnej, jak i do tej z początków dwudziestego wieku. Nie mówiąc już o tym, że mogłaby też, i to bez charakteryzacji, zagrać rolę królowej Wiktorii.

W pubie było już tłoczno. Goście, oprócz tych przypadkowych, mieli stroje z epoki oraz egzemplarze „Ulissesa" w dłoniach. Tadeusz wziął polską wersję w tłumaczeniu Macieja Słomczyńskiego. Rozpoznałam pana Ronalda Derricka pogrążonego w rozmowie z wąsatym mężczyzną w przekrzywionym kapeluszu i z nieco zamglonym spojrzeniem. Sąsiad przyjaźnie pomachał na nasz widok.

Przejęty Władysław usiadł sztywno na niewygodnym hokerze przy barze i z niepokojem przyglądał się siedzącej w głębi sali małżonce, jakby przy pierwszej okazji miała dać hasło do odwrotu. Pani Michalina nie była w stanie wspiąć się tak wysoko, zajęła więc miejsce przy stoliku obok Marty i mnie.

– Ja poproszę o wodę. Niegazowaną – zwróciła się do Marty. – Nie pijam alkoholu, a jeśli już, to tylko przy specjalnych okazjach.

– Ależ to jest właśnie specjalna okazja! – wyrwałyśmy się obie z Martą. – Obchody Bloomsday są tylko raz w roku.

– Dla mnie żadne blumsdy nie są okazją. – Pokręciła się niespokojnie na krześle; starsza pani wyraźnie źle się czuła w tym dziwnym dla niej otoczeniu.

Wymieniłyśmy z Martą spłoszone spojrzenia – kłopoty wisiały w powietrzu. Obawiałam się, że pani Michalina będzie chciała szybko wyjść, zabierając ze sobą Władysława, który uszczęśliwiony wpatrywał się w szklankę z najprawdopodobniej pierwszym w swoim życiu guinnessem. Był tak przejęty, że nawet nie sięgnął po wahadełko i bez sprawdzania umoczył usta w gęstej pianie. Czegoś takiego, jak długo znałam Władysława, jeszcze moje oczy nie widziały.

– Być w Irlandii i nawet nie spróbować guinnessa?... – zaryzykowałam. – Weźmiemy wersję dla kobiet, z sokiem porzeczkowym.

– No dobrze, spróbuję – łaskawie zgodziła się pani Michalina. – Ale jak mi nie będzie smakowało, to trzeba będzie wylać.

Arthur postawił przed nami dwie wysokie szklanki z ciemnym piwem, Marta powiedziała, że napije się później, i zniknęła gdzieś z tajemniczym uśmiechem. Tadeusz w czarnym kapeluszu z okrągłym rondem przy barze maczał palec w szklance. Najwyraźniej pokazywał Władysławowi, jak sztywna jest piana w guinnessie, bo starszy pan za chwilę robił to samo. Zachowywali się jak dwaj rozbrykani chłopcy, ale pani Michalina na szczęście przestała śledzić poczynania małżonka i skupiła się na degustowaniu piwa. Wyraz lekkiego obrzydzenia ustąpił miejsca zaskoczeniu, w końcu pokiwała głową z aprobatą.

– No, muszę przyznać, że gorzej to sobie wyobrażałam. – Oblizała usta, ale pod nosem zostały jej resztki piany. Czując mój wzrok, usunęła je papierową chusteczką. – Miałam wąsy? – zachichotała już rozluźniona. – Takich przynajmniej nie trzeba depilować.

Nie zdążyłam odpowiedzieć, bo przed barem pojawił się Roger. Wyglądał wspaniale w białym garniturze, takiej samej koszuli z bordową muszką w białe grochy i w jasnym słomkowym kapeluszu z czarną wstążką. Mały wąsik i okulary w okrągłej oprawce dopełniały całość. Kątem oka zauważyłam, jak Tadeusz odruchowo podnosi dłoń do twarzy. No tak, moje kochanie zapomniało o wąsiku... Widziałam, jak usta wykrzywiają mu się w podkówkę. Przeoczyć taki szczegół! Niedopuszczalne!

– Proszę o uwagę! – zawołał Roger.

Wszystkie oczy zwróciły się w jego stronę, umilkły rozmowy.

– Witam na prywatnych obchodach Bloomsday, które urządziliśmy specjalnie na cześć Tadeusza, naszego przyjaciela z Polski, wielkiego miłośnika i znawcy twórczości Jamesa Joyce'a. Tadeusz bez wahania poświęcił swoje marzenia, żeby wziąć udział w poszukiwaniach Margaret. Wszyscy znają tę sprawę?

Zewsząd rozległy się okrzyki, potakiwania i wiwaty na cześć bohatera wieczoru. Czułam, że łzy wzruszenia napływają mi do oczu, przez falującą mgiełkę widziałam zamarłego z wrażenia jak posąg Tadeusza, przypominającego teraz Joyce'a bez wąsów. Władysław szarpał go za rękaw płaszcza, bezskutecznie domagając się tłumaczenia słów młodego Irlandczyka. Znając mojego miłego, wiedziałam, że ma zbyt ściśnięte gardło, by cokolwiek powiedzieć.

U boku Rogera pojawiła się Marta ubrana w czarny kostium i równie czarny kapelusz z okrągłym rondem i udrapowaną woalką. Nakrycie głowy przeszywała na wylot ogromna szpila z główką w kształcie monstrualnej perły.

– Kochani – zaczęła Marta po polsku. – Teraz ja chciałabym dorzucić kilka słów.

Przetłumaczyła to, co powiedział Roger, a potem zwróciła się w moją stronę.

– Specjalne podziękowania należą się też mojej najbliższej przyjaciółce, Lucynie, bez której trudno byłoby mi przeżyć ostatnie dni. Dziękuję ci za wszystko, moja kochana! – Wyciągnęła do mnie ręce i podeszła do stolika, żeby mnie objąć.

Roger poklepywał po plecach wciąż zaskoczonego Tadeusza, goście wiwatowali, Władysław nieśmiałym gestem zamawiał kolejną pintę, a pani Michalina rozglądała się rozanielona, co jakiś czas upijając ostrożnie guinnessa z sokiem.

Na zaimprowizowaną przed barem scenę weszło dwóch młodych muzyków. Jeden ze skrzypcami, drugi z gitarą, która wyglądała, jakby została właśnie wykopana z torfu. Uśmiechając się nieśmiało, chłopcy stroili instrumenty, a kiedy skończyli, opróżnili kufle i bez żadnego wstępu zagrali. Po pierwszych gitarowych akordach w pubie ucichło. Wprawdzie sfatygowana gitara brzmiała okropnie, ale zadziorny rytm porwał słuchaczy; zawtórowali muzykowi, uderzając dłońmi o uda i blaty stolików. Kufle i szklanki zachybotały niebezpiecznie, komuś spadła na podłogę komórka, ale właściciel nawet tego nie zauważył. Po gitarowym wstępie włączyły się skrzypce – przywitano je oklaskami i gwizdami. I zabrzmiała najprawdziwsza irlandzka muzyka ludowa. Powtarzane w szybkim tempie proste, lecz niezwykle melodyjne frazy niemal wprowadziły nas w trans. Muzycy uśmiechali się do siebie nawzajem, przekazując sobie energię, podchwytywali motywy – porażali niesamowitą radością wspólnego grania. Kilka osób, nie odchodząc od stolików, z kuflami wypełnionymi piwem, zaczęło tańczyć. Nikt nie zwracał uwagi na rozlewany przy okazji trunek – któż by się przejmował takimi szczegółami. Przy barze Arthur dwoił się i troił, żeby sprostać kolejnym zamówieniom, w końcu musiał poprosić Rogera o pomoc. Zauważyłam tylko dyskretną wymianę spojrzeń między obu panami, rozumieli się bez słów. Po chwili już obaj z szerokimi uśmiechami obsługiwali rozbawionych klientów. Tadeusz odstawił swoją szklankę i gestem poprosił mnie do tańca. A raczej do kołysania się i rytmicznego przytupywania w miejscu – ścisk w pubie nie pozwalał na nic więcej.

Dałam się porwać radosnemu nastrojowi. Każdym nerwem czułam rytm skocznej melodii wygrywanej na skrzypcach przez jednego z muzyków, drugi zaś akompaniował, uderzając otwartą dłonią w pudło gitary. Tańczący obok nas potężny mężczyzna z brodą stracił równowagę i wśród ogólnego śmiechu upadł na podłogę, pociągając za sobą kilka osób. Zanim się podniósł, zawołał w kierunku baru, żeby Arthur przygotował mu kolejną pintę „na wyprostowanie".

Po kilkunastu minutach zabawy młodzieńcy efektownie zakończyli występ, wzbudzając owację nawet Władysława i pani Michaliny.

Radosny nastrój wywołany irlandzkimi rytmami nadal trwał. Szczupła kobieta w długiej ciemnej spódnicy i kaftanie w tym samym kolorze tańczyła jeszcze przy stoliku, nie zważając na to, że muzycy odstawili instrumenty i jak zwykli bywalcy pubów raczyli się piwem.

Roger, machając przyjaźnie dłonią ponad głowami gości i z otwartym „Ulissesem", podszedł do mikrofonu. Pięknym, melodyjnym głosem zaczął czytać pierwszy rozdział. Na sali ucichło, miłośnicy Joyce'a spoglądali w swoje książki, przy każdym zdaniu potakując głowami, od czasu do czasu ktoś rzucał komentarz...

Nagle Roger zawiesił głos, spojrzał na Tadeusza.

– Teraz twoja kolej! – zawołał. – Wysłuchamy tego samego fragmentu po polsku.

Gromkie oklaski zmusiły Tadeusza do wyjścia na środek i pokonania tremy. Mój luby nie spodziewał się takiego obrotu sprawy; szedł sztywno, na scenie popukał mikrofon paznokciem, bez sensu powiedział: „raz, dwa – raz, dwa", jakby sprzęt nie był wcześniej sprawdzony – goście powoli tracili zainteresowanie, znów rozmawiali głośniej, ktoś się roześmiał, inny, wołając przez salę, zamawiał piwo.

Podniosłam kciuk i spojrzeniem dodałam otuchy Tadeuszowi, który wyglądał teraz na przestraszonego chłopca w przebraniu. Odpowiedział mi dyskretnym uśmiechem, odwinął w tył połę długiego czarnego płaszcza, poprawił kapelusz i przeczytał aksamitnym głosem:

– „Stateczny, pulchny Buck Mulligan wynurzył się z wylotu schodów, niosąc mydlaną pianę w miseczce, na której leżały skrzyżowane lusterko i brzytwa...".

Ludzie ucichli. Zachwyceni wsłuchiwali się w melodię niezrozumiałego języka. Marta mrugnęła do mnie porozumiewawczo, a ja uśmiechnęłam się do własnych myśli. Tym właśnie zmysłowym głosem i spojrzeniem niebieskich oczu Tadeusz uwiódł mnie podczas pierwszego spotkania. Fascynacja wciąż trwała, nadal uwielbiałam go słuchać. A teraz te piękne polskie zdania brzmiały wśród niczego nierozumiejących, ale życzliwie nastawionych Irlandczyków. Znów poczułam dumę i nawet nie próbowałam już wycierać łez, które nieprzerwanym strumieniem płynęły po mojej twarzy, niszcząc starannie nałożony kilka godzin wcześniej makijaż. Diabli tam z makijażem!

– „...Żółty, nieprzewiązany szlafrok powiewał za nim lekko w łagodnym, porannym powietrzu. Uniósł wysoko miseczkę i zaintonował: – Introibo ad altare Dei" – czytał dalej Tadeusz. Wreszcie zwrócił się do siedzącego przy barze Władysława: – Proszę, teraz twoja kolej.

Starszy pan podskoczył nerwowo na stołku, o mało z niego nie spadając.

– Ja?! – przeraził się. – Nie, nie... nie dzisiaj... Może jutro?

– Takiego jutra już nie będzie! – donośny głos pani Michaliny jak huragan przeleciał przez pub. – Władeczku, na scenę!

Władeczek zsunął się niezdarnie z wysokiego barowego stołka i posłusznie podszedł do mikrofonu.

Wprawdzie nie robił prób w rodzaju „raz, dwa", ale w nieskończoność odchrząkiwał, aż w końcu niecierpliwe stuknięcie o stolik do połowy już pustą szklanką jego małżonki przywołało go do porządku.

– „Przystanąwszy, zajrzał w głąb ciemnych, kręconych schodów i zawołał ochryple: – Wejdź na górę, Kinch. Wejdź na górę, ty strachliwy jezuito" – zabrzmiało z początku niepewnym, ale z każdym zdaniem mocniejszym głosem. Wówczas przypomniałam sobie deklamowane z emfazą wiersze autorstwa samego Władysława. Brakowało tylko uniesionej ręki – trzymany kurczowo w jednej mikrofon, a w drugiej książka uniemożliwiały jednak ekspresyjną gestykulację.

Władysław odczytał jeszcze dwa lub trzy zdania i z trudem pozwolił sobie odebrać mikrofon. Nie miał jednak wyjścia, muzycy bowiem już czekali na swój występ.

Nasi panowie zeszli ze sceny i zbliżyli się do naszego stolika.

– Byłeś nadzwyczajny! – Przytuliłam się do swojego mężczyzny. – Wprawdzie rozpraszał mnie trochę brak joyce'owskiego wąsika, ale w końcu nikt nie jest doskonały.

Tadeusz był oswojony z moimi czułymi złośliwościami, więc tylko uśmiechnął się zadowolony.

– Nie spodziewałem się tego. Oni są niesamowici!

„Oni", czyli Marta i Roger. Też tak uważałam. Byłam pewna, że zapamiętamy ten wieczór do końca życia. Zwłaszcza Tadeusz, którego trzeba było znów wyprowadzać z pubu w stanie kompletnego upojenia guinnessem, fundowanym mu przez niemal każdego gościa. W zamieszaniu zostawił swój długi płaszcz, zdjęty dopiero po moich usilnych naleganiach, kiedy zauważyłam, że pot spływa mu strumieniami po twarzy, a oddech staje się coraz cięższy.

Na szczęście darował sobie improwizowane pieśni poświęcone Joyce'owi, chociaż miał nieźle w czubie.

Władysław przeżywał najpiękniejsze chwile życia: wychwalany pod niebiosa przez małżonkę, czerwienił się jak uczniak, co tylko prowokowało panią Michalinę – w kapelusiku już mocno na bakier – do coraz głośniejszego rozpływania się nad zaletami męża.

– Bo wyobraź sobie, moje dziecko – nachyliła się w moją stronę – nie dość, że piękne sonety pisze, to jeszcze potrafił odczytać fragmenty tego, jak mu tam, „Ulissesa", niczym aktor. Prawdziwy Holoubek z niego! Co za talent!

15

Telefon od Marty zastał nas przy kolacji w siedleckim hotelu. Kuchnia, zgodnie z zapowiedzią Tadeusza, okazała się rewelacyjna. Długo przeglądałam menu, napawając się samymi nazwami potraw.

– Kochanie! – jęknęłam z zachwytu, przeglądając kartę. – Ja się chyba stąd nie ruszę przez tydzień. Przecież musimy koniecznie wszystkiego spróbować!

Ostatecznie, po długich wahaniach, wybrałam złocisty filet z sandacza na kremowym sosie z prawdziwków, a Tadeusz smażoną pierś z kaczki na placuszkach jabłkowych z sosem żubrówkowym. Nie oparliśmy się jednak, żeby sobie nie podjadać nawzajem z talerzy.

Kończyłam już, kiedy w torebce odezwała się moja komórka. Zerknęłam na wyświetlacz.

– To Marta – powiedziałam, wstając szybko od stołu. Musiałam wyjść na zewnątrz, bo nic bym nie słyszała w gwarze zgromadzonych na sali dziennikarzy. Jednak zrozumiałam pierwsze zdania. Jane została odnaleziona!

– Opowiem ci wszystko na górze. – Pomachałam przecząco ręką do Tadeusza, który też zaczął zbierać się do wyjścia. – Skończ spokojnie. I zamów szampana do pokoju.

Jak się okazało, szczątki Jane leżały w drugiej komorze tunelu i dzieliła je od Małgosi tylko jedna warstwa gruzu zmieszanego z gliną. Collins i Roger, który również brał udział w poszukiwaniach, znaleźli wąską szparę, przez którą Borys przedostawał się do Małgosi. Świadczyły o tym znalezione w tym miejscu strzępki czarnej sierści.

Szkielet leżał pod kupą gruzu i ziemi, wystawał tylko kawałek jakiejś tkaniny.

– Z początku trudno było się zorientować, jakiego jest koloru, a w świetle dziennym okazało się, że to niebieski szal – mówiła przejęta Marta. – Pamiętasz, kiedy Gosia opowiadała o dziewczynie, która okryła ją takim właśnie szalem?

– Niewiarygodne! – odparłam. – Przecież to były tylko jej majaki...

– Sama tego nie rozumiem, ale w Irlandii dzieje się tyle tajemniczych rzeczy, że już przestałam się czemukolwiek dziwić.

– Skąd pewność, że to była właśnie Jane, a nie jakaś inna kobieta? I skąd wiadomo, że to w ogóle była kobieta?

– No, takiej pewności jeszcze nie ma – przyznała. – To znaczy, jeśli chodzi o samą tożsamość, bo na szczątki kobiety wskazują pasma długich rudych włosów, które zachowały się jeszcze na czaszce. Ale żyją tu potomkowie jej rodziny, więc zostaną zrobione badania DNA, które to potwierdzą albo wykluczą.

Tadeusz przyszedł do pokoju chwilę po mnie, widać było, że jest ciekaw wieści od Marty. Ustawiłam komórkę na tryb głośnomówiący, ale to był już koniec rozmowy.

– Pędzę do pracy – powiedziała Marta na pożegnanie. – Postaram się odezwać w najbliższym czasie, pewnie po pogrzebie Jane. Pochowają ją, kiedy już zakończy się cała sprawa. Wyjaśnienie okoliczności jej śmierci potrzebne jest do przywrócenia dobrego imienia tamtemu nieszczęsnemu chłopakowi. Całuję was mocno i przekazuję całusy również od Gośki. A! – dodała jeszcze na koniec – masz serdeczne pozdrowienia od Seana Collinsa.

– To teraz opowiadaj wszystko szczegółowo. – Tadeusz otworzył szampana, udając, że nie słyszał tej końcówki. Ale znałam go na tyle dobrze, by wiedzieć, że jest zły. Poznałam to po charakterystycznej zmarszczce między brwiami. Na szczęście nie potrafił złościć się zbyt długo. – Za pomyślne zakończenie sprawy! – Podniósł swój kieliszek w górę.

– Za Jane! – Uśmiechnęłam się.

Rozumieliśmy się bez słów. Za jego toastem kryło się jeszcze: „I za to, że ten cholerny Irlandczyk jest tak daleko", za moim: „Nigdy nie był dla ciebie żadnym zagrożeniem".

Opowiedziałam mu wszystko, czego dowiedziałam się od Marty.

– A wiesz, co było w tym wszystkim najsmutniejsze? – Poprawiłam się na miękkiej kanapie z jasnobrązowej skóry i wyciągnęłam pusty już kieliszek w jego stronę.

Uzupełnił go złocistymi bąbelkami i spojrzał na mnie z zaciekawieniem.

– Tak...?

– Że z komory, w której została uwięziona Jane, było wyjście na zewnątrz, tuż za cmentarzem. Wprawdzie też zasypane, ale po usunięciu paru kamieni można się było stamtąd wydostać.

– To dlaczego go nie szukała?

– Chyba nie mogła. Szkielet leżał pod warstwą ziemi i kamieni, wygląda więc na to, że dziewczyna została nimi zasypana.

– Myślisz, że... – zaczął ostrożnie Tadeusz.

– Nie – przerwałam mu szybko, odgadując jego myśli. – Mam nadzieję, że zginęła na miejscu.

Tadeusz upił łyk szampana, wpatrując się przed siebie niewidzącym wzrokiem.

– Cały czas nie daje mi spokoju to, co powiedział dziadek Rogera podczas naszej ostatniej wizyty.

– O tych krzykach?

– Tak, że słyszano wtedy wycie banshee w pobliżu cmentarza. Teraz, kiedy Małgosia była uwięziona w tunelu, on też je słyszał...

Odstawiłam kieliszek na stolik i przytuliłam się mocno do Tadeusza.

– Jezu... Mam nadzieję, że w obu przypadkach był to jednak wrzask kota...

Tej nocy miałam bardzo przyjemny sen.

Śniła mi się piękna młoda dziewczyna tańcząca na zielonej łące. Roześmiana, z rozpostartymi ramionami wirowała wokół własnej osi, a pasma jej długich rudych włosów lśniły w blasku słońca jak płomienie. Była szczęśliwa.

Podziękowania

Pragnę gorąco podziękować mojej koleżance, Annie Koprowskiej-Głowackiej, która wspomagała mnie swoją ogromną wiedzą na temat celtyckich wierzeń, runicznych wróżb oraz interpretacji magicznych symboli.